BLONDE ATTITUDE

Déjà parus

PLUM SYKES

BLONDE ATTITUDE

Traduit de l'américain
par Christine Barbaste

Fleuve Noir

Titre original :
Bergdorf Blondes

Première publication : Hyperion, New York

© 2004 Plum Sykes. All rights reserved including the rights of reproduction
in whole or in part in any form.
© 2005 Fleuve Noir, département d'Univers Poche,
pour la traduction en langue française.
© 2000, Editions Jean-Claude Lattès, pour les extraits tirés de l'ouvrage
de Nathaniel Philbrick *La véritable histoire de Moby Dick*.
ISBN : 2-265-08089-6

1

Vous savez, les Blondes Bergdorf, c'est vraiment *quelque chose*. À New York, elles font fureur. Absolument toutes les filles veulent en être, malheureusement, ce n'est pas donné à tout le monde. Vous n'imaginez pas l'abnégation que ça exige pour compter au nombre de ces magnifiques New-Yorkaises à la crinière de lin, à l'épiderme irréprochable, et dont la vie est une incroyable féerie. Sans mentir, l'ensemble requiert le même degré d'implication que disons, apprendre l'hébreu, ou arrêter de fumer.

Déjà, ne serait-ce qu'avoir la bonne nuance de blond est un enfer. Tout a commencé avec ma meilleure amie, Julie Bergdorf. Julie est l'incarnation suprême de la New-Yorkaise, dans la mesure où ici, à New York, rien n'est plus chic qu'être l'héritière mince, blonde et glamour d'un grand magasin de luxe. Quelqu'un a entendu dire – apparemment, l'intéressée elle-même l'aurait révélé à sa conseillère personnelle chez Calvin Klein, qui l'aurait répété à toutes ses clientes – que, depuis ses années de lycée, Julie confiait exclusivement ses couleurs à Ariette, chez Bergdorf. Et quand ensuite, dans certains cercles, le bruit a couru que Julie faisait retoucher sa couleur tous les treize jours exactement, toutes les filles ont voulu devenir, elles aussi, des Blondes de Treize Jours. Les cheveux ne doivent en aucun cas être jaunes, mais presque blancs, comme l'étaient ceux de Carolyn Bessette Kennedy. CBK est une véritable icône – et la référence absolue en matière de blond. Le montant à payer pour toute l'opération est insensé. Des mèches exécutées de la main d'Ariette coûtent dans les quatre cent cinquante dollars, si tant est qu'on arrive à obtenir un rendez-vous – ce qui, bien entendu, relève de l'impossible.

Naturellement, les Blondes Bergdorf sont la cible de potins incessants. Impossible d'ouvrir un magazine ou un journal sans tomber sur le récit du dernier drame sentimental d'une BB, ou une brève qui mentionne leur dernière obsession en date (en ce moment, les robes à franges Missoni). Mais parfois, les potins constituent – et de loin – la source d'information la plus fiable sur soi-même et ses amies, surtout à Manhattan. Comme je dis toujours, pourquoi m'en remettrais-je à mon propre jugement, quand les potins sont là pour me dire la vérité vraie sur *Moi**[1].

Donc, à en croire ces potins, je suis une de ces petites bulles de champagne, une de ces filles qui papillonnent dans la ville, qui s'étourdissent dans un tourbillon de fêtes, ont une vie de rêve – si tant est que ce soit là la vie rêvée. Jamais je ne dis ça à personne, mais parfois, avant de partir pour une de ces fêtes, je me regarde dans le miroir et je crois voir un personnage d'un film comme *Fargo*. D'après ce que je sais, presque toutes les filles, à Manhattan, souffrent de ce syndrome. Elles non plus ne l'admettront jamais. Julie, elle, en souffre à tel point, du syndrome de *Fargo*, qu'elle est incapable de quitter son appartement en temps voulu pour arriver à l'heure là où elle est attendue.

Tout le monde s'imagine qu'à New York, il n'y a pas de plus belle vie que celle dédiée aux plaisirs des fêtes et des mondanités. La vérité, c'est que combinée à une activité professionnelle, cette vie-là est éreintante, mais ça, aucune fille n'ose le dire, de crainte de passer pour une ingrate. A New York, tout le monde n'a qu'un mot à la bouche : « Faaaaabuleux ! » Tout, absolument tout est « faaaabuleux ! », même s'ils sont tous sous antidépresseurs. Mais cette vie-là offre tout de même plein de bons côtés. Par exemple, jamais vous n'aurez à débourser un centime pour tout ce qui est important – les manucures, les pédicures,

---

1. Tous les mots en italique suivis d'un astérisque sont en français dans le texte. *(N.d.T.)*

les mèches, les grands dîners de gala. Le revers de la médaille c'est que ces libéralités peuvent parfois vous empoisonner l'existence – si votre dermato galère pour inscrire son gamin dans une école privée archi-select, croyez-moi, il n'hésitera pas à vous harceler nuit et jour au téléphone pour obtenir de vous le coup de pouce décisif.

Pour entrer dans le vif du sujet, mardi dernier, je suis allée chez mon amie Mimi, qui recevait dans son hôtel particulier de la Soixante-troisième Rue pour sa *baby shower*, « une petite réunion toute simple pour fêter mon bébé à naître, entre filles », avait-elle précisé. Entre les trois serveurs par invitée, les cookies roses de la très chic pâtisserie Payard, sur Lexington, et les chaussons en chocolat Fauchon, la réception était à peu près aussi décontractée que la cérémonie d'investiture à la Maison Blanche. Personne n'a touché au buffet – une règle standard de l'étiquette dans l'Upper East Side. Au moment où je franchissais la porte de Mimi, mon portable a sonné.

— Allô ?

— Il te faut absolument des mèches ! a bramé une voix complètement à cran.

C'était George, mon coiffeur. Je fais appel à lui quand j'échoue à obtenir un rendez-vous avec Ariette – autant dire très souvent, puisque Julie l'accapare en permanence.

— George ! Où es-tu ? En Arizona ?

Dans cette ville, « Arizona » est l'euphémisme de rigueur pour « cure de désintox ». On ne compte plus les coiffeurs new-yorkais qui séjournent presque chaque mois en « Arizona ».

— J'en arrive. Tu dois devenir blonde, sinon tu vas être une fille très seule, a poursuivi George, au bord des larmes.

Bien qu'on puisse penser que George, étant coiffeur, le savait déjà, je lui ai expliqué qu'une fille aussi brune que moi ne peut pas devenir blonde.

— Si. À New York, tu peux.

Finalement, pendant que Mimi sacrifiait à la cérémonie d'ouverture des cadeaux de naissance, je suis restée dans la bibliothèque, à bavarder avec George. Nous avons discuté du problème des personnalités psycho-dépendantes et je l'ai écouté égrener les nouveaux adages moissonnés pendant sa cure, comme par exemple : « Dis ce que tu penses et pense ce que tu dis sans penser à mal quand tu le dis. » À chaque retour d'un séjour en Arizona, George a tendance à parler comme le dalaï-lama. Selon moi, si un coiffeur se targue de vouloir exprimer une pensée profonde, celle-ci doit concerner exclusivement le domaine capillaire. Toujours est-il que personne n'a rien vu d'étrange à cette intrusion téléphonique, car à New York, toutes les filles reçoivent des appels de leurs experts en beauté lors d'événements mondains. Grâce à George, j'ai loupé le moment où Mimi a ouvert mon cadeau (l'intégrale des albums de Beatrix Potter), et c'est tant mieux, car à la vue de tous ces bouquins – soit bien plus qu'elle n'en a jamais lu –, Mimi a complètement paniqué. Maintenant, je sais pourquoi la plupart des filles offrent aux futures mamans des vêtements Bonpoint plutôt que des ouvrages littéraires controversés.

Parfois, les coiffeurs et leurs problèmes de dépendance, les réceptions et les grands dîners mondains monopolisent tellement de votre temps qu'ils vous donnent l'impression d'être un travail à temps plein qui vous empêche de vous concentrer sur votre vraie carrière. (Or il se trouve que j'ai une vraie carrière à laquelle je dois penser.) Mais à Manhattan, ça se passe comme ça. Tout vous accapare de manière insidieuse et avant même de le réaliser, vous êtes tous les soirs dehors à trimer comme une dingue, vous vous épilez en douce les poils à l'intérieur des narines, comme tout le monde – et en un rien de temps, vous êtes convaincue que si vous omettiez de le faire, tout votre univers s'effondrerait.

Avant d'attaquer le compte rendu des potins glanés à la petite fête de Mimi, voici quelques détails me concernant que vous souhaitez peut-être connaître :

1. Je parle français couramment, par intermittence. Je maîtrise parfaitement l'usage des mots *Moi** et *très**, par exemple, qui semblent pourvoir à tout ce dont une fille a besoin. Quelques langues malveillantes ont souligné que je n'étais pas exactement bilingue pour autant, mais moi je dis, encore heureux, car si mon français était parfait, personne ne m'aimerait. Qui aime les filles parfaites, hein ?

2. Je suis toujours attentive au bien-être des autres. J'entends par là que si un milliardaire vous propose amicalement de vous transporter de New York à Paris à bord de son J.P. (abréviation de « jet privé » en jargon new-yorkais), il en va de votre devoir moral d'accepter. Pensez donc à celui ou celle qui aurait été votre voisin(e) sur un vol commercial : il ou elle disposera de deux sièges – un vrai luxe. De plus, en cas de coup de pompe, dans un J.P., on peut se reposer dans la chambre – et sur les 767 d'American Airlines, j'ai eu beau chercher, je n'ai jamais trouvé de chambre. Moi je dis, s'il en va du confort de votre prochain choisissez toujours le jet.

3. Je suis tolérante. Si une fille porte une paire de Manolo de la saison passée, je ne vais pas la mettre d'emblée au ban de mon cercle d'amies. On ne sait jamais : une paire de chaussures périmée peut cacher une fille très chouette. (Certaines New-Yorkaises sont tellement impitoyables qu'elles n'adresseront la parole qu'aux filles qui s'exhibent dans un modèle de la saison suivante, ce qui est vraiment beaucoup demander, selon moi.)

4. Le bon sens : voilà une langue que je parle couramment. Mieux vaut savoir reconnaître une journée qui s'annonce comme un pur gaspillage de make-up.

5. Je suis diplômée de littérature. Tout le monde trouve incroyable qu'une fille à ce point obsédée par les jeans Chloé ait étudié à Princeton. « Princeton ! Oh, mon Dieu ! Mais tu es l'équivalent féminin de Stephen Hawking ! » s'est exclamée une des invitées de Mimi. Or, croyez-vous vraiment, *vous*, qu'une fille aussi intelligente que ce physicien anglais claquerait trois cent vingt-cinq dollars sur un jean ? C'est une aberration, mais je ne peux pas m'en empêcher, comme la plupart des New-Yorkaises. Si je suis capable d'acheter des jeans à trois cent vingt-cinq dollars, c'est à cause de ma carrière susmentionnée, qui consiste à écrire pour un magazine de mode qui certifie qu'investir dans un jean à trois cent vingt-cinq dollars est le plus court chemin vers un bonheur délirant. (J'ai essayé toutes les autres marques de jean – Rogan, Seven, Earl, Juicy, Blue Cult – mais j'en reviens toujours aux Chloé, la valeur sûre. Ils font tout

simplement un truc à votre derrière que les autres ne savent pas faire.) L'autre astuce qui m'aide à financer cette addiction consiste à ne pas payer le loyer de mon appartement sur Perry Street. J'y ai souvent recours, car mon propriétaire semble apprécier d'autres modes de règlement. Par exemple, si je l'invite à venir déguster un triple expresso, il revoit mon loyer à la baisse de cent pour cent. Comme je dis toujours – pour reprendre cet affreux proverbe inventé par les Anglais pendant la guerre afin de convaincre leurs enfants de manger du pain noir avec le sourire –, l'économie protège du besoin, et j'entends par là : ne jamais gaspiller bêtement son argent pour un loyer quand on peut l'investir dans un jean couture.

6. Je suis une fille ponctuelle. Je me lève tous les matins à 10 h 30 et jamais une minute plus tôt.

7. Et économe. Goûts de luxe et tempérance n'ont jamais été incompatibles. S'il vous plaît, ne répétez ça à personne (les filles sont parfois capables d'une telle jalousie !), mais il est rare que je paie les vêtements que je porte. À New York, voyez-vous, les créateurs de mode adorent distribuer gratuitement leurs vêtements. Parfois, je me demande si les mauvaises langues n'ont pas raison : et si ces gens que je tiens pour des génies n'étaient en réalité que des ratés ? N'est-ce pas stupide de *donner* une marchandise quand on pourrait la vendre ? Notez bien cependant que cette apparente stupidité cache un calcul redoutablement intelligent, puisque tous les créateurs de mode semblent posséder au moins quatre maisons somptueusement décorées (à St. Barth, Aspen, Biarritz et Paris), là où les gens sensés qui se contentent de vendre leurs marchandises n'en possèdent qu'une, et chichement meublée de surcroît. Je maintiens donc mordicus que les créateurs de mode ont du génie, car il en faut une sacrée dose pour s'enrichir en donnant au lieu de vendre.

Dans l'ensemble, je peux dire, sans trop m'avancer, que mon système de valeurs est encore intact, et ce, en dépit des tentations qu'offre une ville comme New York et qui – je le souligne à regret – ont transformé certaines filles en petites princesses pourries-gâtées.

Parlant de princesses, à la réception de Mimi, toutes celles de Park Avenue étaient présentes. Toutes sauf – bizarrement – Julie, la plus princesse du lot. Les filles les plus glamour avaient toutes misé sur le look jean Chloé à trois cent vingt-cinq dollars et semblaient nager dans un bonheur délirant. Un autre groupe avait misé sur le look bague de fiançailles Harry Winston : Jolene Morgan, K.K. Adams et Cari Phillips (qui avait le plus gros diamant à son doigt, mais notez bien qu'elle a eu un prix d'ami car sa mère est une Winston). Pour décrire ces trois-là, je ne vois qu'un seul mot : radieuses. Très vite, elles ont fait bande à part pour tenir un sommet « bague de fiançailles », et sitôt débarrassée de ce pauvre George, je les ai rejointes dans la chambre de Mimi – une pièce entièrement tendue de chintz gorge-de-pigeon (intérieur des placards inclus), et tellement spacieuse qu'elle pourrait servir de dortoir à tout un pensionnat. Jolene – une blonde pulpeuse et diaphane qui vénère Sophie Dahl depuis qu'elle a entendu dire que celle-ci n'avait jamais pris un seul bain de soleil de sa vie – venait de se fiancer pour la troisième fois. Comment pouvait-elle être certaine que le dernier élu en date était le bon ?

— Oh, facile ! J'ai une nouvelle méthode de sélection infaillible. Si tu choisis un homme selon les mêmes critères que tu choisis un sac à main, je te garantis que tu trouveras celui qui est fait pour toi.

Selon la théorie de Jolene, les mecs et les sacs à main partagent quantité de points communs. Par exemple, il existe des listes d'attente pour les plus beaux : quinze jours de patience pour certains (les étudiants et les fourre-tout de L.L. Bean), trois ans pour d'autres (les mecs drôles et les « Birkin » en croco d'Hermès). Cependant, même si vous poireautez depuis trois ans, il peut arriver qu'une femme grille toute la queue en faisant valoir des droits supérieurs aux vôtres. « Et quand on en a un vraiment sexy, soutient Jolene, mieux vaut le planquer, sinon ta meilleure amie te l'empruntera en douce. » Le principal souci de Jolene, c'est que sans ça, une fille a toujours l'air débraillée.

— … donc, c'est parfaitement compréhensible qu'on puisse

avoir besoin d'essayer plusieurs styles de fiancé avant de trouver celui qui te convient vraiment, a-t-elle conclu.

Aurais-je mal jugé Jolene Morgan ? À part moi, je l'ai longtemps tenue pour l'une des filles les plus superficielles de Manhattan, or lorsqu'il est question de relations sentimentales, Jolene révèle des profondeurs insoupçonnées. Parfois, vous allez à la petite fête d'une future maman sans rien attendre de plus qu'un long débat sur les avantages d'une césarienne sur rendez-vous (qui permet de choisir le signe astrologique de son loupiot), et vous en repartez enrichie de nouvelles leçons sur la vie. Sitôt de retour chez moi, j'ai envoyé un e-mail à Julie :

> *J'arrive de la petite fête de Mimi. Chérie, mais où étais-tu passée ? Jolene, K.K. et Cari sont fiancées. J'ai observé cet après-midi des différences flagrantes entre le bonheur version « jeans Chloé » et celui version « bagues de fiançailles » : sais-tu à quel point ton teint est éblouissant quand tu es fiancée ?*

Julie Bergdorf est ma meilleure amie, et ce, depuis la minute où nous nous sommes rencontrées, dans l'appartement de sa mère à l'hôtel Pierre, sur la Cinquième Avenue. Julie, onze ans à l'époque, était une héritière de grands magasins. Son arrière-grand-père a fondé Bergdorf Goodman, ainsi que toute une chaîne de magasins aux quatre coins de l'Amérique, ce pourquoi Julie dit qu'elle a toujours au moins cent millions de dollars à la banque « et pas un *cent* de plus ». Elle a passé le plus clair de son adolescence à faucher à l'étalage chez Bergdorf chaque jour en sortant de son école privée huppée. Aujourd'hui encore – et bien que Bergdorf soit presque entièrement devenu la propriété de Neiman Marcus –, elle a du mal à considérer ce magasin autrement que comme son dressing. Son plus beau larcin a été un œuf de Fabergé incrusté de rubis ayant appartenu à Catherine la Grande. Pour excuser ce hobby enfantin, Julie invoque toujours son « goût des belles choses » :

— Imagine comme ça devait être glauque, la vie d'un héritier Woolworth[1] ! Eux, ils étaient habitués à voler, genre des balais

---

1. Chaîne de supermarchés populaires. *(N.d.T.)*

de chiottes, mais moi, je pouvais faucher des trucs vraiment glam' – des gants d'enfant en cuir cousus main, par exemple.

« Glauque » et « glam' » sont les deux adjectifs favoris de Julie. Une fois où elle disait rêver d'un monde dans lequel rien ne serait glauque, je lui ai fait observer que si rien n'était jamais glauque, le glamour n'existerait pas. C'était une question de contraste.

— Oh, tu veux dire par là que sans les pauvres, personne ne serait riche ?

— Non, je veux dire que si tu étais tout le temps heureuse, comment saurais-tu que tu l'es ?

— Ben... Parce que je le serais.

— Non. Parfois, il faut du malheur pour savoir ce qu'est le bonheur.

Julie a plissé le front.

— Tu as recommencé à lire le *New Yorker* ?

Julie tient le magazine *New Yorker* et les chaînes télévisées du service public pour nuisibles et rébarbatifs, et si on l'écoutait, tout le monde devrait à la place lire *US Weekly* et regarder *E ! Channel*.

Nos mères respectives, deux purs produits de la grande bourgeoisie de Philadelphie, étaient les meilleures amies du monde dans les années soixante-dix. J'ai grandi en Angleterre, d'une part parce que mon père est anglais, et d'autre part parce que aux yeux de ma mère, « tout est mieux » en Angleterre. Sauf qu'en Angleterre, nous n'avons pas d'héritière de grands magasins. Or, ma mère jugeait indispensable que j'en compte une au nombre de mes amies. Celle de Julie, quant à elle, pensait que j'aurais une influence civilisatrice sur sa fille. Nos mères ont donc veillé à ce que, chaque été, Julie et moi nous nous retrouvions en camp de vacances dans le Connecticut. Je doute qu'elles aient jamais réalisé à quel point c'était pratique pour nous de sauter dans le premier train à destination de New York, sitôt qu'elles avaient tourné les talons et rejoint la propriété des Bergdorf à Nantucket.

À New York, Julie et moi nous installions à l'hôtel Pierre et commandions au service d'étage la spécialité maison, un gâteau à l'orange et aux épices nappé de chocolat et de sirop d'érable.

La vie d'une gamine américaine était bien plus drôle à New York qu'en Angleterre. Les petites New-Yorkaises comme Julie étaient très gâtées, elles avaient des Rollerblades, des patins à glace, des tonnes de make-up, des esthéticiennes. Leurs parents étaient merveilleusement absents. À treize ans, Julie connaissait intimement la géographie de Barneys. Elle était déjà une Blonde Bergdorf, même si l'espèce était encore inconnue.

Grâce à Julie, au terme de ce premier été passé avec elle, je suis rentrée en Angleterre accro au magazine *Vogue* et à MTV, et j'avais perfectionné mon accent américain en regardant et re-regardant *Haute Société*[1]. Ma mère était dans tous ses états – c'est dire à quel point mon accent était authentique.

Je n'avais plus qu'une idée en tête : partir vivre à New York et me faire faire des mèches aussi sensass que celles de Julie. J'ai donc supplié mes parents de m'envoyer étudier en Amérique. S'il vous plaît, ne répétez à personne que j'ai dit ça, mais franchement, je crois que si j'ai obtenu les notes requises pour être admise à Princeton, si j'ai survécu à l'algèbre, au latin et aux poètes romantiques, c'était pour une seule raison : les masques à l'oxygène que prodiguent les instituts de beauté new-yorkais. Quand j'ai été acceptée à Princeton, ma mère n'a rien trouvé de mieux à dire que : « Mais comment peux-tu préférer l'Amérique à l'Angleterre ? Comment ? *Comment ?* »

Manifestement, elle n'avait jamais entendu parler des masques de beauté à l'oxygène.

Il s'est avéré que Julie avait une excellente excuse pour expliquer son absence chez Mimi : elle avait été arrêtée pour vol à l'étalage chez Bergdorf. Lorsque j'ai appris la nouvelle en fin d'après-midi par la bande, je n'ai pas été surprise. Même si Julie m'avait juré avoir renoncé à son hobby le jour où elle était entrée en possession de sa rente, c'était typiquement le genre de

---

1. Comédie de Charles Walters (1956) avec Bing Crosby, Frank Sinatra et Grace Kelly : une jeune fille de la grande bourgeoisie doit choisir entre deux prétendants. *(N.d.T.)*

folie qu'elle pouvait commettre parce qu'elle s'ennuyait depuis cinq minutes. Assez vite cependant, l'inquiétude m'a gagnée car lorsque j'ai tenté de joindre mon amie sur son portable, l'appel a basculé directement sur la messagerie. Finalement, peu après dix-neuf heures, elle a appelé.

— Coucou, c'est moi ! C'est hilarant, j'ai été arrêtée ! Je suis au poste ! Tu peux venir me chercher ? Je t'envoie mon chauffeur tout de suite.

Quarante-cinq minutes plus tard, j'étais au commissariat de la Cinquante et unième Rue Est. Julie patientait dans la salle d'attente galeuse, vêtue avec un chic renversant. Pour affronter cette journée glaciale d'octobre, elle avait choisi un étroit pantalon blanc en cachemire, un blouson en renard et d'immenses lunettes de soleil. Elle avait l'air ridiculement sophistiquée pour une fille de vingt-cinq ans, mais ni plus ni moins que toutes les Princesses de Park Avenue. Un flic adorable est venu lui apporter un *caffé latte* qu'apparemment il était allé chercher à sa demande chez Starbucks. Je me suis assise à côté d'elle sur le banc.

— Julie, tu es cinglée. Pourquoi as-tu recommencé à faucher ?

— Il me fallait *absolument* ce sac Hermès. Tu sais, le nouveau Birkin en autruche rose layette ? Ça me déprimait tellement de ne pas l'avoir ! a-t-elle ajouté en jouant les innocentes candides.

— Pourquoi ne l'as-tu pas tout simplement acheté ? Tu peux très bien te le permettre.

— Parce qu'un Birkin ne s'achète pas *tout simplement* ! Il y a une liste d'attente de trois ans, à moins d'être Renée Zellweger, et encore ! De toute façon, je suis déjà sur la liste pour le bleu layette en daim, et ça me tue.

— Mais Julie, c'est du *vol*, et c'est un peu comme si tu volais dans ta propre poche.

— C'est super !

— Il faut que tu arrêtes. Les journaux vont en faire des gorges chaudes.

— C'est *génial* !

Nous avons poireauté une bonne heure sur ce banc, puis son avocat est arrivé avec une excellente nouvelle : il avait réussi à convaincre la police d'abandonner les charges contre sa cliente. Celle-ci, leur avait-il expliqué, avait toujours eu l'intention de payer ce sac, mais en général, elle ne réglait aucun achat directement dans les magasins, les factures lui étant adressées par courrier, chez elle. Tout ce pataquès n'était en somme qu'un embarrassant quiproquo.

L'épisode avait mis Julie d'une humeur exquise, et elle a quitté le commissariat presque à contrecœur, m'a-t-il semblé, tant elle avait adoré l'attention que lui avaient prodigué les flics. Elle avait fait du charme au détective Owen – qui était tombé fou amoureux d'elle à la seconde où il l'avait arrêtée, cela crevait les yeux – pour qu'il l'autorise à convoquer un coiffeur et un maquilleur avant de procéder au cliché anthropométrique. Je suppose qu'elle n'avait pas tort de traiter cette formalité comme s'il s'agissait d'une photo de mode – ce cliché pourrait bien être reproduit pendant des années et des années.

L'arrestation de Julie a créé une certaine effervescence dans la presse. Le lendemain matin, lorsque mon amie est sortie de chez elle (un appartement au Pierre généreusement offert par papa) pour se rendre à la salle de gym, elle s'est retrouvée nez à nez avec une meute de journalistes. Elle a précipitamment battu en retraite dans le hall et m'a appelée, au bord des larmes.

— C'est atroce ! Ils sont tous là ! Les paparazzi, les journalistes, ils m'ont photographiée, yeurkkk ! Je ne peux pas gérer ça.

Elle sanglotait, hystérique, mais vu qu'elle est coutumière de ce genre de crise, personne n'a pris de mesure spectaculaire – comme appeler le 911[1]. J'ai tenté de la rassurer : franchement, ce n'était pas la fin du monde si sa photo s'étalait dans tous les journaux. Qui la regarderait vraiment ? Qui se souviendrait de l'incident le lendemain ?

— Mais c'est pas ça le problème ! Ils m'ont photographiée en *survêtement* ! Jamais plus je n'oserai me montrer à l'angle de Madison et de la Soixante-seizième Rue. Tu peux venir ?

Parfois, quand Julie sort des énormités pareilles, je me dis : heureusement qu'elle est ma meilleure amie, parce que si ce n'était pas le cas, je la *détesterais*.

Sitôt arrivée au Pierre, la gouvernante m'a conduite auprès de Julie. Un coiffeur et un maquilleur patientaient dans la chambre,

[1] Numéro des urgences. *(N.d.T.)*

dans un silence terrifié. La chambre de Julie est un écrin vert jade pâle, sa couleur favorite. Deux cabinets chinois anciens aux incrustations de nacre sont placés de part et d'autre de la cheminée. Le lit traîneau capitonné est un héritage de sa grand-mère, et Julie ne s'y couche que s'il est fait avec des draps frais en soie vert pistache brodés à son chiffre. Julie était dans le dressing, en train de passer frénétiquement en revue le contenu des placards, les joues en feu ; elle sortait des vêtements, qu'elle jetait en tas sur la moquette blanche et que sa femme de chambre rangeait au fur et à mesure. Elle a finalement arrêté son choix sur une petite robe noire Chanel très sage qui a appartenu à sa mère, une paire d'escarpins à talons bobines et des lunettes de soleil surdimensionnées. Comme d'habitude, elle calquait à la lettre le style de Carolyn Bessette Kennedy. Une heure plus tard, brushée et maquillée comme si sa vie en dépendait, elle est sortie du Pierre le pas altier, le sourire assuré, et elle a donné une interview afin de s'expliquer sur le quiproquo.

Le dimanche suivant, la photo d'une Julie incroyablement glamour s'étalait à la une du cahier Style du *New York Times*, accompagnée de la légende : « La Belle Bergdorf était innocente ». L'article était signé de la critique de mode du *Times*. Julie était aux anges. Son père aussi. Le lendemain, elle m'a appelée pour m'annoncer qu'il lui avait envoyé un bracelet ancien, avec un petit mot qui disait : « Merci de tout mon cœur, ma petite chérie. Papa ».

— Ah bon ! Il est *content* ?

— Si tu savais comme je suis heureuse ! Jusque-là, je n'ai jamais été dans les petits papiers de papa. Mais tout ce raffut autour de l'héritière qui fauche dans le magasin, ça a été une formidable opération de com' pour Bergdorf. Les ventes ont explosé, surtout celles des lunettes de soleil que je porte sur la photo. Papa a recommandé au directoire de me nommer directrice marketing. J'espère que je n'aurai pas à bosser trop dur.

Après cet incident, Julie ne pouvait plus aller nulle part sans se faire mitrailler par les photographes – « Ça booste l'image de marque de Bergdorf », disait-elle. En même temps, ça boostait sa propre image. D'après elle, cette publicité était très bénéfique pour son estime de soi et l'aidait à résoudre les soucis qui la tarabustent – « soucis » désignant, en langage branché, les problèmes psychologiques glamour qui affectent les habitants de New York et de Los Angeles.

Julie a des soucis avec la réceptionniste du Bliss Spa qui oublie d'inscrire son rendez-vous pour des injections de vitamine C avec Simonetta, l'esthéticienne la plus pointue en soins du visage. Ses docteurs l'encouragent à explorer les « soucis liés à son enfance », et c'est pour elle une source « d'énorme souffrance » que ses parents l'aient toujours reléguée en classe affaires lorsqu'ils s'envolaient pour Gstaad à Noël, quand tous les autres parents autorisaient leurs gamins à voyager en première. Naturellement, elle doit résoudre tout un catalogue de « soucis liés à la nourriture », et pour avoir une fois suivi le régime antirides du Dr Perricone, elle doit maintenant résoudre des « soucis concernant les pommes de terre et la farine de blé ». Julie est rongée de soucis liés au fait d'avoir trop d'argent, ou au fait d'en avoir moins que d'autres Princesses de Park Avenue. Précédemment, elle était minée par sa double ascendance WASP-Juive, mais ce souci s'est résolu lorsque son psy lui a appris que Gwyneth Paltrow, elle aussi fille d'un père juif et d'une mère issue de la grande bourgeoisie protestante et puritaine, souffrait du même traumatisme. Cela réglé, un autre souci est apparu : son psy lui facturait deux cent cinquante dollars une information qu'elle aurait pu se procurer pour trois dollars cinquante en achetant *Vanity Fair* – puisque c'était tout bêtement dans ce magazine que le psy avait eu vent des racines ethniques de Gwyneth. Quand quelqu'un n'est pas d'accord avec elle, Julie en conclut que cette personne a quelques soucis à régler, et quand *elle* n'est pas d'accord avec son psy, elle en conclut que c'est lui, et non pas elle, qui a des soucis à régler.

Une fois, j'ai suggéré à mon amie que ses questions finiraient un jour par trouver des réponses.

— Mon Dieu, j'espère bien que non ! Je serais tellement fade, si j'étais juste une fille riche que l'argent n'a pas bousillée. Si je n'avais pas de soucis, je n'aurais aucune personnalité !

Par chance, à New York, il est du dernier chic d'être névrosé. Autant dire que Julie et moi sommes comme des poissons dans l'eau dans cette ville.

Vous imaginez aisément la réaction de Julie à la lecture de mon mail, en apprenant que le bonheur que nous procuraient nos jeans Chloé était bien pâle en comparaison de celui que connaissaient Jolene, K.K. et Cari en étant fiancées. Quelques jours plus tard, nous brunchions elle et moi chez Joe's, ce *diner* diététiquement incorrect situé au croisement de Sullivan et de Houston. Julie, qui arborait ce boléro en vison de Mendel qui a récemment déchaîné toutes les convoitises, était mille fois trop élégante pour les lieux. Mais encore une fois, les Princesses de Park Avenue sont toujours trop élégantes quelles que soient les circonstances, même s'il s'agit seulement de passer commande pour un dîner livré à domicile. J'en ferais autant si je disposais d'autant de nouveaux vêtements chaque semaine. Ce jour-là, Julie savourait le triomphe des retombées de son larcin, mais lorsque j'ai reparlé de la *baby shower* de Mimi, elle a plissé le front.

— Tu crois que je n'ai pas assez de soucis comme ça ? Comment peux-tu me faire ça ? C'est insensé ! s'est-elle écriée, un sanglot dans la voix.

— Te faire quoi ? ai-je demandé en arrosant un mini-pancake de sirop d'érable.

— Ce mail ! Insister sur le fait que tout le monde sauf moi a un fiancé. C'est tellement injuste ! Je suis heureuse, mais mon bonheur n'a rien de *délirant* comme celui de K.K. et de Jolene. Il faut être amoureuse pour ça.

— Tu n'as pas besoin d'être amoureuse pour être heureuse.

— Tu crois ça parce que tu n'as jamais été amoureuse ! Bon Dieu, je me sens tellement malheureuse ! Et tellement ordinaire ! Il paraît qu'elles ont toutes une mine incroyable, maintenant qu'elles sont fiancées.

Derrière ses kyrielles de soucis, son goût du drame, ses fringues et ses injections de vitamine C, Julie cache une nature incorrigiblement romantique.

Elle prétend avoir été amoureuse plus de cinquante-quatre fois. Elle a commencé jeune – elle a eu son premier petit ami à

sept ans, « mais c'était avant le succès épidémique du sexe oral »,
n'omet-elle jamais de préciser. Quant aux chansons d'amour,
elles sont pour elle parole d'évangile : elle croit dur comme fer
que l'amour nous élève au rang qui nous est destiné et, pour avoir
trop écouté *All You Need Is Love*, elle a succombé à cette idée
saugrenue qu'il n'est besoin que d'amour dans la vie. Mais les
Beatles ne sont pas seuls en cause. Dolly Parton a également une
part de responsabilité dans la plupart des problèmes sentimentaux
de Julie : très influencée par la chanson *I Will Always Love You*,
mon amie prétend aimer sincèrement tous ses ex, même ceux
qu'elle hait carrément – ce qui, aux yeux de son psy, soulève une
« *énorme* question ». Quant à *Heartbreak Hotel*[1], elle croit que la
chanson fait référence au Four Seasons de la Cinquante sep-
tième Rue, où elle s'installe chaque fois qu'elle s'engueule avec
un petit ami. Si je pouvais me permettre de louer une suite dans
ce merveilleux palace, moi aussi je romprais tous les quinze
jours avec un homme. Toujours est-il que ce jour-là, Julie était
convaincue qu'il n'existait qu'un moyen de trouver à son tour le
bonheur : elle devait tomber amoureuse et trouver un fiancé à
suspendre à son bras, comme les copines.

— Je possède tous les sacs que Marc Jacobs a pu dessiner
pour Vuitton, mais à quoi bon, si je n'ai pas un fiancé à mettre à
mon autre bras ? Et regarde ! s'est-elle écriée d'une voix étranglée en désignant mes jambes, sous la table. Tu portes des bas
résille ! Les bas résille sont de nouveau à la mode, eux aussi ?
Pourquoi personne ne m'a prévenue ?

Julie a appuyé son front sur la table dans un grand mouvement théâtral avant d'essuyer quelques larmes sur son vison –
une attitude typique de Princesse pourrie-gâtée, si vous voulez
mon avis, mais dans la mesure où celle-ci est complètement
cohérente avec le reste de sa personnalité, j'imagine qu'il n'y a
pas lieu de s'en étonner. Quelques instants plus tard, elle était
calmée et son visage s'est brusquement éclairé. Les sautes d'humeur de Julie sont tellement imprévisibles que parfois, je me
demande si elle n'est pas schizophrène.

---

1. Chanson popularisée par Elvis Presley. *(N.d.T.)*

— J'ai une idée ! a-t-elle lancé, l'œil brillant d'excitation. Allons faire du shopping ! Au programme : bas résille et fiancé.

Julie croit sincèrement qu'on se dégote un fiancé aussi facilement qu'on achète une paire de bas.

— Julie, mais pourquoi voudrais-tu te marier, là, tout de suite ?

— Yeurkkk ! Je ne sais pas. J'ai dit que je voulais un fiancé. Je ne vais pas forcément *l'épouser* dans la foulée. Ooooh, il me tarde ! On va partir en chasse du Mari Potentiel.

— *On ?* Je croyais que l'Amérique était un pays moderne, où les filles qui ont une carrière professionnelle n'ont pas besoin de mari.

— On veut toutes tomber amoureuses ! Les fiancés sont tellement glam' ! Dis-moi un peu, qui était CBK avant de rencontrer JFK Junior ?

— Julie, tu ne peux pas te fiancer simplement pour ajouter une touche de glamour à ta vie. Ce serait égoïste.

— Ah bon, tu trouves ? Mais c'est tellement excitant ! Bon, je vais rentrer chez moi sans toucher à ce brunch. Je grossis rien qu'à la vue des serviettes, dans ce resto, a-t-elle déclaré, le teint de plus en plus éclatant.

Chaque semaine, son psy lui serine que l'égoïsme est la clé du bonheur. Rien que ça… Cela dit, à en juger par le comportement de la plupart des New-Yorkais des deux sexes, tous les psys de cette ville prodiguent sans doute le même conseil à leurs patients.

Avant de partir, Julie m'a fait promettre de l'assister dans sa « Campagne du MP » – ainsi qu'elle venait de baptiser sa battue au Mari Potentiel. Et à n'en pas douter, elle se procurerait le fiancé aussi facilement qu'une paire de bas résille. Julie est l'illustration étincelante de la déontologie pratique des Princesses de Park Avenue. Elle ne laisse jamais rien se mettre en travers de sa route.

Mon amie est repartie *uptown*, et j'ai sauté dans un taxi pour filer à un rendez-vous de boulot. *Pfff, assister Julie dans sa chasse au Mari Potentiel pourrait être superstressant*, ai-je songé. Parfois, le quotidien d'une jeune mondaine accomplie est aussi éreintant qu'un stage en camp d'entraînement. Et parfois aussi, je me dis que je pourrais faire le choix d'une vie moins épuisante, en m'installant dans la campagne anglaise, par exemple, loin des fêtes et des mondanités. Certes, ça impliquerait de faire une croix sur les chaussures de luxe, mais résider dans une contrée sans Manolo devait présenter d'autres avantages. Aucun ne m'est venu spontanément à l'esprit, mais en cherchant bien, je ne doutais pas que je réussirais à trouver des aspects positifs.

Et puis, ma mère a appelé.

2

J'ai laissé la messagerie répondre à ma place.

C'est radical et systématique : dès que j'entends la voix de ma mère, je me souviens ô combien mon choix d'une vie éreintante à New York *versus* une existence pépère de recluse en Angleterre est fondé sur d'excellentes raisons.

Voici, par ordre croissant d'importance, les quatre raisons qui m'ont déterminée à l'exil.

1. Ma mère

Personnalité sujette aux migraines. Migraines causées par des perspectives aussi terrifiantes que : devoir se garer dans un parking à plusieurs niveaux ; partir en vacances à l'étranger (cela pourrait la contraindre à se garer dans un parking à plusieurs niveaux, vu que les avions partent des aéroports et qu'en général, ceux-ci sont dotés de parkings à plusieurs niveaux ; se souvenir qu'elle est américaine ; envoyer un fax ; envoyer une carte postale ; envisager d'apprendre à envoyer un e-mail ; vivre dans notre propriété du Northamptonshire ; vivre à Londres. En d'autres termes, *tout*.

Le résultat, c'est qu'elle est devenue une Mère Professionnelle, obsédée par le désir de régenter la vie de sa fille unique. C'est aussi une snob incroyablement sans gêne, obnubilée par les aristocrates britanniques, leurs goûts en matière de décoration intérieure, la marque de leurs bottes en caoutchouc (*Le Chameau*, entièrement doublées cuir). Son ambition était de me marier à un aristocrate anglais. (Une carrière professionnelle n'entrait nullement dans ses projets, mais faisait partie des miens.) Le candidat idéal n'était autre que « le garçon d'à côté », le fils unique de notre voisin et pair du royaume, le comte de Swyre. Julie n'a jamais pigé pourquoi j'étais à ce point allergique à ce dessein maternel. Elle affirme qu'elle serait prête à tout pour épouser un châtelain anglais. Cela dit, elle n'a pas la moindre idée de l'humidité qui règne dans ces baraques en hiver.

La maison de mes parents est située en lisière de la propriété de douze mille hectares du château de Swyre. Quand vous appartenez à la bonne société britannique, vos voisins les plus proches habitent à vingt minutes de voiture de chez vous, c'est normal. D'aussi loin que remontent mes souvenirs, chaque fois que nous passions devant les grilles du château, ma mère s'exclamait, comme si l'idée venait juste de germer dans sa tête :

— Le Petit Comte a exactement le même âge que toi ! C'est le plus beau parti de tout le Northamptonshire !

Notre petit voisin avait à l'époque six ans et je ne l'avais jamais rencontré.

— M'man, j'ai cinq ans et demi. Il faut avoir seize ans pour se marier.

— On doit s'y prendre jeune. Tu vas devenir une délicieuse jeune fille, épouser le Petit Comte et habiter dans ce beau château, qui est bien plus grandiose que ceux de tous nos autres parents.

— M'man !

— *Maman.* Arrête de dire « M'man » et de parler avec cet accent américain qui est tout sauf flatteur, sinon personne ne voudra t'épouser.

Il se trouve que mon accent était la réplique exacte du sien. Pas plus qu'elle, je ne pouvais le changer. Mais contrairement à elle, cet accent me plaisait, et déjà à cinq ans et demi, je rêvais qu'il soit *encore plus* prononcé.

— Maman ? Pourquoi tu dis toujours que tous nos parents ont des châteaux ? Il n'y en a qu'un qui habite vraiment dans un château.

— C'est parce que les autres sont morts, chérie.

— Quand ça ?

— Récemment, pendant la Guerre des Deux-Roses[1].

Effectivement, un grand-oncle de mon père vivait dans un château près d'Aberdeen. Nous rendions visite à l'Honorable William Courtenay chaque année à Noël. Ses petits-fils, Archie et Ralph, figuraient eux aussi en bonne place sur la liste maternelle de mes futurs maris potentiels – leurs héritages importants remplaçaient leur absence de titre.

Ma mère m'assurait qu'en Amérique, tout le monde rêvait de passer Noël dans un authentique château écossais. Je n'en croyais pas un mot. Franchement, qui aurait préféré grelotter cinq jours durant dans une maison plus glaciale que le pôle Nord plutôt qu'aller à Disney World ? Après six Noël arctiques, j'ai développé à l'égard des maisons de campagne une phobie qui me poursuivra sans doute toute ma vie. Que de fois n'ai-je pas rêvé d'être née juive ! La question de Noël, avec tous ses à-côtés, aurait été réglée une bonne fois pour toutes.

Là où les autres parents rabâchent à leur progéniture qu'il faut entrer à l'université, ne pas toucher à la drogue, etc., les ambitions matrimoniales que ma mère nourrissait pour moi étaient comme une antienne, qui revenait dans presque toutes les conversations. Je me souviens d'un échange particulièrement vif, un jour au petit déjeuner. Je devais avoir dix ans.

— Chérie, quand iras-tu au château de Swyre prendre le thé avec le Petit Comte ? J'ai entendu dire qu'il est très beau. S'il te rencontrait, il tomberait amoureux de toi.

— M'man, tu sais bien que personne n'a revu le comte depuis que papa lui a vendu ces chaises.

— Chuuuut !!! Cette malheureuse histoire remonte à des lustres. Je suis bien certaine que le comte et la comtesse ont oublié.

— De toute façon, tout le monde dit qu'ils n'habitent plus là. Personne ne les a vus depuis des années.

J'étais exaspérée.

— Voyons ! Ils reviennent forcément de temps en temps ! Comment pourrait-on abandonner une aussi belle demeure ?

---

1. Guerre de succession au trône d'Angleterre qui opposa, au XVe siècle, deux familles prétendantes (les York et les Lancastre) qui avaient chacune pour emblème une rose. *(N.d.T.)*

Cette rotonde ! Ces jardins de Lancelot Brown[1] ! La prochaine
fois qu'ils viennent, appelons-les et...

— Non, s'il te plaît !

Cependant, à part moi, ce château et ses propriétaires m'intri-
guaient.

Ma mère était dans le déni le plus total de deux détails de
taille. Tout d'abord, les Swyre avaient divorcé quelque quatre
ans auparavant – la comtesse était réputée pour ses aventures
extraconjugales –, et le comte et son fils semblaient s'être éva-
nouis dans la nature. Ensuite, depuis que mon père, éternelle-
ment à l'affût d'une « bonne affaire », avait vendu au comte
quatre chaises Chippendale qui s'étaient avérées de vulgaires
copies, les deux familles ne se parlaient plus. L'Affaire des
Chaises – ainsi que l'avait baptisée le journal local – était une
de ces querelles typiques qui agitent les villages anglais et dont
le destin est de n'être jamais résolues. Bien que le comte eût
retourné les chaises à mon père, que celui-ci l'eût remboursé et
lui eût présenté ses excuses écrites, arguant qu'il avait été dupé
par ses fournisseurs, le comte, furieux, avait refusé de le croire.
Il avait fait savoir à mon père qu'il lui retirait sa confiance et ne
voulait plus jamais entendre parler de lui. La comtesse, naturellement, s'était ralliée à la cause de son époux. Ma mère, bien
évidemment, à celle de mon père. Dans le village, il va de soi,
tout le monde avait pris le parti du comte, ainsi que le veut la
tradition, car cela augmentait leurs chances de se voir un jour
conviés à dîner au château.

Ma mère, prête à tout pour reconquérir l'amitié des Swyre,
avait tenté de faire amende honorable. Chaque été, elle s'obsti-
nait à les inviter à sa garden-party, et chaque année, ils décli-
naient. Pour les fêtes de fin d'année, nous ne recevions pas
d'invitation à l'arbre de Noël que les Swyre organisaient au château. À l'église, la comtesse snobait ostensiblement ma mère, et
changeait de banc si d'aventure cette dernière venait s'asseoir
au bout du sien.

---

1. Paysagiste anglais du XVIIIe siècle très prisé par l'aristocratie britannique
et père fondateur du style « jardin à l'anglaise ». *(N.d.T.)*

Ma mère jugeait cette histoire tellement embarrassante et préjudiciable à sa carrière mondaine qu'elle a fini par faire comme s'il ne s'était jamais rien passé. Elle espérait que l'affaire finirait par tomber aux oubliettes, mais au village, les gens ont refusé de lâcher le morceau et ont continué d'en faire des gorges chaudes Cela dit, il faut reconnaître que, dans les villages anglais, les gens sont capables de se quereller, leur vie durant, à propos de bêtises inouïes, telle la taille de leurs salades respectives, ou la variété d'arbre que le voisin a planté sur une bordure mitoyenne (un chêne sera toléré, un conifère précipitera des procédures légales). C'est dans l'ordre des choses. À mon avis, ce n'est jamais qu'un moyen de tuer le temps pendant les longues soirées d'hiver.

Après le divorce, le château avait été transformé en centre de conférences, à l'exception d'une aile que la famille avait conservée pour son usage personnel. Selon la rumeur, le comte y faisait des apparitions sporadiques, seul, avant de disparaître à nouveau.

Plus je grandissais, plus le comportement de ma mère me mortifiait.

— Je vais avoir un métier et si je dois me marier, ce sera par amour, avais-je annoncé un jour. Tu as bien épousé papa par amour, toi.

— Justement, m'avait-elle répondu du tac au tac. Ne fais jamais pareille folie.

Pour lui rendre justice, ma mère avait tenté de rester fidèle à ses principes et de *ne pas* faire un mariage d'amour. Avant d'embrasser la profession de Mère, elle était une Chasseresse de Panneaux Marron.

La Chasseresse de Panneaux Marron est une femme qui s'intéresse exclusivement aux Britanniques propriétaires de demeures signalées par des panneaux marron. Je m'explique : la seule façon qui permet aux aristocrates britanniques de continuer à vivre dans leurs énormes et splendides demeures consiste à les ouvrir à la curiosité du public. Un château ouvert au public est généralement signalé par un panneau marron, placé sur l'autoroute la plus proche, et qui, la plupart du temps, s'orne d'un joli pictogramme. Seules les très grandes demeures bénéficient d'une telle signalisation, car si votre château est de taille modeste, vous pouvez assumer par vous-même les frais de restauration et d'entretien. En revanche, si votre toiture s'étend sur soixante mille mètres carrés, la moindre tuile à remplacer nécessite des aides financières. Donc, assez ironiquement, bien qu'un panneau marron indique que vous êtes trop fauché pour réparer un accroc dans la toiture, il symbolise aussi à l'inverse votre statut : si vous n'avez pas assez d'argent pour réparer votre toit, c'est que ce toit est très vaste, et tout le monde sait bien ce qu'on trouve sous un vaste toit : un château.

Vous seriez surpris par le nombre de filles qui rêvent d'alpaguer un homme propriétaire d'une maison signalée par une pancarte marron. Les Chasseresses sont des beautés internationales – de Manhattan, Paris et Londres –, des filles malignes et tout en jambes, qui affectent astucieusement d'être créatrices de sacs à main, actrices ou artistes. Ce sont là de parfaites couvertures car personne n'irait imaginer qu'une fille fabuleuse et bien lancée dans une carrière moderne voudrait échanger celle-ci contre un truc aussi vieux jeu qu'un panneau marron. Ça n'a pas de sens – ce serait comme vouloir échanger des escarpins Prada de la nouvelle collection contre une paire de la saison passée.

Avant tout rendez-vous, les Chasseresses potassent leur leçon. Elles consultent le *Debrett's Peerage & Baronetage*, un bottin mondain qui recense les Britanniques de haut lignage et indique leur adresse. Si le nom d'une maison est précédé d'un article – par exemple, « Le Prieuré » ou « Le Manoir » –, alors il s'agit vraisemblablement d'une demeure de plus de vingt pièces, signalée par un panneau marron. Quelle que soit son allure générale, son intelligence, la quantité de cheveux sur son crâne ou son tour de cou, la Chasseresse tombe amoureuse de l'heureux propriétaire du panneau marron avant même d'avoir refermé son *Debrett's* et recourbé ses cils.

Ma mère était une Chasseresse de nationalité américaine, déguisée en étudiante. C'était dans les années soixante-dix et elle brûlait d'impatience de quitter l'Upper East Side. Sa destination : le Chelsea College of Art de Londres – le terrain de chasse idéal.

Elle pensait décrocher le gros lot en épousant mon père, ce qu'elle a fait quasiment le lendemain de leur dîner chez Annabel à Berkeley Square. Au terme de ce premier rendez-vous, mon père l'avait reconduite chez elle dans sa Jaguar XJS – qui était, paraît-il, une voiture supercool à l'époque. C'est seulement après la noce que ma mère a découvert qu'en dépit de ses ascendances aristocratiques, mon père n'arrivait qu'en treizième rang en ce qui concernait ses prétentions à la demeure familiale – baptisée d'un nom à rallonge : Le Manoir d'Ashby-Sous-Sleightholmdale-Le-Bas. Quant à la Jaguar, elle avait été empruntée. Ma mère a mis son erreur sur le compte de sa nationalité – les Américains accordent à un ouvrage tel que le *Debrett's* la même confiance aveugle qu'au *Guide Michelin*.

C'est à cette époque qu'ont commencé ses migraines : elle a réalisé que, non contente d'avoir épousé un homme sans fortune, elle était, en plus, amoureuse de lui. Tout allait à l'inverse de ses plans.

Moi je dis : quand on a réchappé à la peine à perpétuité d'écrire Le Manoir d'Ashby-Sous-Sleightholmdale-Le-Bas chaque fois qu'on envoie un courrier, il n'y a pas lieu de se plaindre. Je doute que ma mère partage cet avis. Elle s'est empressée de baptiser notre maison « L'Ancienne Cure à Stibbly-sur-la-Wold » – un titre bien grandiloquent pour une maison de quatre chambres qui ne brille pas par son ancienneté. Et chaque fois que je lui demande pourquoi tout le monde appelle le village simplement « Stibbly », elle me répond que c'est parce que dans ce village, personne ne sait où il habite.

En parlant de noms à rallonge, ça me fait penser à quelque chose :

2. Les aristos

La principale raison pour laquelle il faut éviter les pancartes marron, c'est qu'en général elles vont de pair avec un « aristo », comme on les surnomme avec affection. Quand ils parlent de leur château, les aristos vous disent habiter dans un « trou » paumé aux confins du monde ; ils portent des pulls usés jusqu'à la corde et cent fois reprisés par une nourrice hors d'âge qu'ils aiment plus que toute autre femme dans leur vie ; et ils appellent le sexe « la bagatelle ». Curieusement, beaucoup d'Anglaises tolèrent l'aristo en contrepartie de la Maison et du Titre.

Personnellement, je trouve qu'être affublée d'un titre tel que marquise de Dufferin et Ava, ou Alice, duchesse de Drumlandrig, serait littéralement harassant. C'est déjà assez long de signer un chèque quand on porte un nom composé, alors imaginez le calvaire avec un nom en cinq ou six morceaux... Mais pour quelques femmes, un nom à rallonge et un aristo justifient tous les sacrifices – comme par exemple, le renoncement définitif au chauffage central.

Sans blague : l'aristocratie britannique juge que le chauffage central fait « prolo ». J'ai toujours trouvé ça injuste envers les gens qui, comme moi, s'enrhument facilement. Quand j'étais petite, ma mère a souvent dit qu'elle serait plus heureuse de me voir mourir de pneumonie à vingt-neuf ans dans un lit à colonnes historique plutôt que de me voir vivre jusqu'à quatre-vingt-cinq ans dans une maison équipée d'un chauffage central. C'est là une des raisons de mon allergie aux rêves que ma mère caressait concernant notre petit voisin : j'ignorais entièrement si, étant américaine et donc conçue pour me développer dans une chaleur artificielle et clémente, ma constitution fragile me permettrait de survivre aux températures rigoureuses allant de pair avec un mariage aristocratique.

3. Mon père

Mon père se présente comme un homme d'affaires spécialisé dans le commerce des antiquités, mais son sens des affaires pèche par excès de crédulité – comme l'a montré l'histoire de ces faux Chippendale vendus au comte. Ce pataquès le contrariait tellement qu'il était strictement interdit d'en faire mention. Mieux encore, en présence de mon père, nous ne parlions jamais de chaises, de quelque style que ce soit.

4. Brésil et Brésiliens

Lorsque je me suis installée à New York après la fac, je suis sortie avec un joli garçon – vingt-sept ans, réalisateur de cinéma sans aucun film à son actif – qui m'a expliqué un jour qu'il me « fallait absolument un Brésilien, *là* ». Vu l'endroit où se trouvait son visage à ce moment précis (et que la pudeur m'empêche de mentionner), je trouvais *très** curieux qu'il me suggère de convier un Latin à mettre sa tête au même endroit.

— Chad ! Pourquoi veux-tu inviter un Brésilien là, en même temps que toi ?

Franchement, sans être raciste, un étranger à la fois suffit amplement.

— Il y a trop de poils, là, en bas, pour un New-Yorkais comme moi.

— Et ça plairait davantage à un Brésilien ?

— Tu ne sais pas ce qu'est un brésilien, hein ?

— Si ! Un compatriote de Ricky Martin.

— Ricky Martin est français ! Un brésilien, c'est une épilation à la cire. Et tu en as sérieusement besoin.

Cédant à l'insistance de Chad, je me suis rendue le lendemain matin chez les J. Sisters, sur la Cinquante-septième Rue Ouest, où j'ai découvert le vrai sens du terme « brésilien ». C'est une épilation du maillot qui implique de ratiboiser quasiment tout des lieux que Chad contemplait la veille. Sur l'échelle de la douleur, c'est à placer à côté de ces choses inamicales comme une biopsie du cerveau, donc *entre nous**, mieux vaudrait d'abord exiger une péridurale.

Chad a adoré mon brésilien flambant neuf. Comme la plupart des mecs, ai-je ensuite constaté. Ironie de l'histoire, ce même brésilien allait être la cause de notre rupture. Chad l'adorait tellement qu'il voulait sans cesse le contempler de près, ce qui au bout d'un moment a commencé à bien faire. Ensuite, Chad s'est mis à multiplier les initiatives déplacées, comme me prendre rendez-vous chez les J. Sisters sans me consulter et piquer une colère démesurée si j'annulais. (Personne n'a un seuil de tolérance à la douleur assez élevé pour supporter un brésilien par semaine. *Personne.*) C'est à ce moment-là qu'un doute s'est insinué dans mon esprit : et si, en ce qui concernait les hommes, mes goûts étaient moins sûrs qu'en matière de chaussures ? Un homme qui ordonnait ses sentiments pour moi aux charmes frivoles d'une épilation du maillot n'était pas exactement ce que je recherchais. Il me fallait en finir.

— Rompre à cause d'une épilation à cinquante-cinq dollars !

C'est le signe d'une superficialité sans nom ! s'est indigné Chad lorsque je lui ai annoncé que tout était terminé entre nous.

— En ce cas, tu devrais être ravi que je te quitte, lui ai-je rétorqué en m'efforçant de ne pas me vexer. Une fille est plus que la somme de ses parties, Chad.

Même si Chad me manquait par certains aspects (le brésilien a été le premier d'une longue série de conseils de beauté très utiles), j'étais soulagée d'avoir mis un point final à cette histoire. Ce garçon, voyez-vous, était quelque peu de mauvaise foi. Ricky Martin est en fait portoricain, et non pas français, comme il le soutenait, et si vous regardez un globe terrestre, vous constaterez que Porto-Rico est bien plus près du Brésil que de la France. Néanmoins, le seul cadeau que m'ait fait Chad, c'est le brésilien. Je ne pourrais pas vivre sans aujourd'hui. Apparemment, c'est l'arme secrète des femmes les plus glamour du monde. Et jamais je n'avouerais ça à Chad, après ce qui s'est passé, mais si j'étais un homme, moi non plus je ne voudrais pas d'une fille qui ne suit pas la mode brésilienne. Donc, même si j'ignorais tout des Brésiliens jusqu'à bien après avoir quitté la campagne anglaise, aurais-je entendu parler d'eux avant mon départ, ça m'aurait définitivement décidée à partir. D'où, rétrospectivement, je peux ajouter les Brésiliens à la liste des raisons qui m'ont incitée à venir vivre à Manhattan.

Petit lexique utile à Manhattan

1. Chip's – Harry Cipriani, sur la Cinquième Avenue et la Cinquante-neuvième Rue.

2. Ana – Abréviation usitée par les Princesses de Park Avenue : ana = anorexique = mince = perfection.

3. Insensé – quoique souvent bien moins qu'il n'y paraît. Superlatif qui remplace des adjectifs tels que Fabuleux/Ahurissant/Sublime. Exemple · « Cette épilation des sourcils à la cire est insensée ! »

4. Un Wollman – un diamant de la taille de la patinoire de Central Park.

5. D.A.B. – un petit ami plein aux as.

6. A.N. – Apprenti Nabab (bien mieux qu'un D.A.B.).

7. M.A.N. – Mariée à un Apprenti Nabab (encore mieux que les deux précédents).

8. Lamas de Madison – les Sud-Américaines d'un glamour insensé qui sillonnent Madison en poncho et colliers de perles.

9. Faux Hâle – bronzage *made in* Portofino Sun Soho Spa, sur West Broadway.

10. Yeurkkk ! – interjection destinée à souligner la surprise et/ou l'horreur, comme dans : « Yeurkkk ! *Elle* a eu les nouvelles

bottes Bottega Veneta avant *Moi* ? » Utilisée exclusivement par les filles de moins de vingt-sept ans habitant Manhattan, et par les stars féminines des sitcoms de NBC.

11. C-F : confidentiel.

12. Clinique – déprimé(e), comme dans « dépression clinique ».

3

— La seule et unique maladie sexuellement transmissible que j'ai envie de contracter, c'est la Fièvre du Fiancé, a déclaré Julie.

Je voyais très bien pourquoi elle voulait un Mari Potentiel. Les hommes américains sont des créatures splendides, passionnées, aux talents exceptionnels. Je vous jure qu'en louchant bien, ils ressemblent tous à JFK Jr. Pour quelqu'un souffrant d'un trouble déficitaire de l'attention – trouble qui affecte Julie et la plupart des Princesses de Park Avenue depuis l'enfance –, la toute nouvelle capacité de concentration de mon amie relevait du miracle. (Notez bien cependant que lesdites Princesses ne souffrent d'aucun déficit de l'attention quand elles font du shopping.) Julie avait conçu une idée folle : si elle sélectionnait LE bon événement mondain – celui qui équivaudrait à six vernissages d'expo, quatre galas de bienfaisance au profit de musées, trois dîners et deux avant-premières de films à gros budgets, le tout dans une même soirée, elle serait assurée de quitter la réception avec un Mari Potentiel à son bras. Elle avait précisé qu'elle ne comptait pas cependant consacrer trop de temps à ce projet, dans la mesure où elle avait d'autres priorités, « des épilations des sourcils en institut, par exemple ».

L'attitude de mon amie envers ses fiançailles imminentes se révélait quelque peu perturbante. Elle était sincèrement convaincue qu'une fois trouvé le fiancé idéal, si elle n'avait pas eu le temps de se faire épiler les sourcils – le soin du visage le plus important, selon elle, qu'elle ne confie qu'aux esthéticiennes du salon Bergdorf-Goodman –, elle serait tellement anéantie qu'il n'y aurait plus de fiancé qui tienne de toute façon.

Lorsque Julie a une idée en tête, elle peut faire montre d'une étonnante efficacité. La réception qu'elle avait sélectionnée était une grande soirée de bienfaisance destinée à recueillir des fonds pour le Jardin d'Hiver. Selon elle, cette soirée constituait le terrain de chasse le plus prometteur qui soit. Elle a donc réservé une table, puis elle a appelé la présidente honoraire du comité, Mme E. Henry Steinway Zigler III, pour « discuter stratégie ». Julie entendait jeter un œil sur les plans de table. Mme Zigler, qui adore jouer les Cupidon, nous a conviées à prendre le thé et nous a accueillies à bras grands ouverts dans son palais de marbre surdimensionné qui domine Central Park.

— Appelez-moi donc Muffy, mes chéries.

Muffy arborait un poncho à franges d'Oscar de la Renta, un pantalon cigarette vert acide et juste ce qu'il faut de diamants pour tarir une mine. Elle s'inspirait, nous a-t-elle expliqué, du style d'Elizabeth Taylor dans *Le Chevalier des sables*. A New York, tout le monde s'inspire toujours du style de quelqu'un d'autre. Muffy nous a invitées à traverser le hall d'entrée, qui avait tout d'une chambre d'écho, pour gagner le grand salon et, tandis qu'elle trottait devant nous, les franges de son poncho battaient vigoureusement l'air derrière elle. Avec ses immenses miroirs dorés et ses peintures de maîtres italiens aux murs, ses élégants fauteuils et canapés anciens que Muffy achète par lots entiers chaque fois qu'elle passe à proximité d'une antenne de Sotheby's, ce grand salon est plus somptueux que Versailles. Sa propriétaire dit à qui veut l'entendre que son appartement est la copie conforme de celui d'Oscar de la Renta.

— Je suis allée chez lui, et quand j'ai vu où il vivait... C'était insupportable ! Il me fallait la même chose. Alors j'ai cloné son appartement !

Muffy aime également à répéter que la richesse est une sentence à perpétuité plutôt agréable la majeure partie du temps, « et je sais de quoi je parle », ajoute-t-elle. Presque toutes les épouses de l'Upper East Side que je connais se prénomment Muffy. A croire qu'à l'époque où la plupart de ces Muffy ont vu le jour –

soit, grosso modo, au milieu du siècle dernier –, c'était un pré-
nom qui faisait rage dans le Connecticut. Cette Muffy-là, comme
toutes les autres Muffy du voisinage, confesse que Ralph Lauren
est sa « drogue préférée ». Mais elle est également accro aux
injections de Botox, et n'avoue jamais plus de trente-huit ans.
C'est une A.D.G. (Amie de George), et quand Bill Clinton était
pensionnaire à la Maison Blanche, elle était une A.D.B. Elle fait
don de millions aux Républicains, et redouble de prodigalité
envers les Démocrates, en raison « des liens privilégiés » qu'elle
a conservés avec « Bill ». Toutes les autres Muffy entretiennent,
elles aussi, « des liens privilégiés » avec Bill, mais je ne pense
pas que celle-ci en soit vraiment consciente.

Une fois installées sur les canapés victoriens assortis, une
bonne en uniforme a apporté le thé sur un plateau en argent. La
date de la réception était imminente, et Muffy était aussi hyper-
active qu'une touriste japonaise lâchée dans une boutique
Vuitton.

— Seigneur ! Cette soirée de demain ! s'est-elle exclamée en
tripotant fébrilement les glands d'un coussin. Je me suis assurée
de la présence de messieurs sensass : des princes, des million-
naires, des producteurs de cinéma, des héritiers, des architectes,
des politiciens ! Bill viendra peut-être ! Tout New York sera là
demain soir.

— A quelle œuvre sont destinés les fonds recueillis ? ai-je
demandé.

— Oh, Sauvons Ceci ou Cela. Sauvons Venise, Sauvons le
Met, Sauvons le Ballet ! Comment savoir ? Je participe à tellement de comités – M. Zigler a une passion pour les abattements
fiscaux, voyez-vous. Alors je les ai tous baptisés indistinctement :
« Sauvons ce qu'il vous plaira ». N'est-ce pas génial ! Mais si
seulement quelqu'un pouvait me sauver, *moi*, de ces dames des
comités ! Si vous ne donnez pas *au moins* un million, c'est la
mort assurée à coups de talon aiguille. Je pense que ce comité-là
œuvre pour la protection d'une quelconque espèce de fleur. Les
œuvres caritatives sont une de nos plus merveilleuses institu-
tions parce que en fin de compte, celui qui en a besoin finit toujours par récolter des tonnes d'argent, et nous, ça nous donne
l'occasion de porter nos chouettes robes de soirée Michael

Kors. Bon, venons-en à ce qui nous occupe, a-t-elle ajouté d'un ton plus grave. Mon petit doigt me souffle que vous cherchez un fiancé, Julie. Quelle idée fabuleuse ! Dites-moi tout ! Quel genre d'homme recherchez-vous ?

— Un homme intelligent, amusant, qui me fera rire. Et qui pourra m'écouter me plaindre pendant des heures et m'adorer encore. Juste un point : inutile de me présenter des « créatifs ». Ceux-là, je les ai rayés de ma liste depuis le lycée. Ni acteurs, ni artistes, ni musiciens, s'il vous plaît.

Je n'avais pas réalisé que Julie possédait une telle maturité Cela dit, quand on affiche cinquante-quatre petits amis au compteur, il est normal de savoir ce qu'on veut.

— Vous n'avez rien à craindre de tel dans l'Upper East Side, très chère, l'a rassurée Muffy. Soyez tranquille, il n'y a aucun créatif dans ce quartier ! Le maire leur interdit de remonter au-delà d'Union Square.

— Oh, un dernier détail, a repris Julie. Je sais, ça va vous sembler un caprice superficiel de petite fille gâtée, mais j'aime-rais que mon Mari Potentiel croie aux chauffeurs. Vous savez, j'en veux vraiment à papa. A force de m'avoir envoyée tous les jours à l'école en Jaguar, il m'a bousillée à vie. Mais je suis comme ça, je n'y peux rien. Et je ne peux pas me changer, n'est-ce pas ? a-t-elle conclu en rosissant.

— Mais non, très chère ! a roucoulé Muffy. Quand on n'aime pas marcher, on n'aime pas marcher, un point c'est tout. Regardez, moi, j'ai *trois* chauffeurs ! Un dans notre maison de Palm Beach, un à Aspen et un ici. Il n'y a rien de mal à expri-mer vos besoins, Julie.

Il y a extravagance, et extravagance. Même au sein de son milieu naturel, Muffy emporte ce mot vers des cimes inédites.

— Je veux juste être amoureuse, Muffy, comme les autres filles, et avoir un teint rayonnant sans injections de vitamine C, a expliqué Julie, l'œil humide. Je me sens si seule parfois.

Muffy est une mondaine exceptionnellement douée en mathé-matiques, et les équations qui régissent ses plans de table rivali-sent de complexité avec les règles du jeu d'échecs. Chaque fois que quelqu'un fait appel à ses services pour une opération de « fusion-acquisition », elle applique une méthode bien à elle :

elle se débrouille pour avoir une table de treize, avec un homme en trop. Sur le plan de table, le nom de chaque convive s'assortit d'un numéro. Julie était le numéro quatre et serait assise en seconde position en partant du bout d'une table rectangulaire, un placement qui présentait l'avantage de la rendre accessible à la conversation de quatre hommes. A droite et à gauche de Julie, il y aurait un prince italien et un producteur de disques ; en face, se trouverait un nabab de l'immobilier, et en bout de table, il y aurait le treizième convive, l'homme « de trop », auquel l'hôtesse aurait expliqué combien elle était désolée de devoir le placer à côté des deux autres hommes, « mais vous comprenez, vous les hommes, vous êtes tellement nombreux ce soir ! ».

Je ne connais personne d'autre à New York qui puisse fournir au pied levé et en un seul dîner quatre voisins de table célibataires à une fille. Les seules fois où les calculs de Muffy se révèlent erronés, c'est quand il s'agit d'établir le budget « fleurs ».

Le lendemain soir, Julie avait un sourire plus grand que l'Afrique. Et elle arborait des boucles d'oreilles en diamants tout aussi démesurées. Parfois, il arrive que même moi, qui me réjouis toujours de la chance d'une amie, je pâlisse d'envie à la vue de ses « cailloux » Cartier, comme elle dit. Cela dit, le bon côté de Julie, c'est qu'elle partage tout, et ce soir-là, elle m'avait prêté ses créoles serties de brillants. Elle avait également mobilisé une équipe du salon Bergdorf pour nous coiffer et nous maquiller à domicile.

Lorsque je suis arrivée, Julie était installée sur la méridienne du *salon**. Avec ses murs bleu « œuf de canard », ses hautes fenêtres et ses stucs imposants, c'est une pièce d'une exquise élégance, entièrement meublée dans le style hollywoodien des années trente – que Julie adore. Une photo de Guy Bourdin – un nu provocant pour le plaisir de décaler les styles – trône au-dessus de la cheminée. Cependant, ce soir-là, j'aurais été bien en peine de m'extasier sur la beauté des lieux car Davide, l'artiste-maquilleur, avait littéralement métamorphosé la pièce en son studio personnel et disséminé son matériel sur la moindre surface plane.

Tout le monde s'affairait autour de Julie : pendant que Davide étalait par légers tapotements du blush sur ses pommettes, Raquel lui raidissait les cheveux au fer, et Irinia, la manucure polonaise, lui limait les ongles des pieds. Ce n'est rien. J'ai entendu dire qu'avant une soirée, certaines New-Yorkaises ne sortent de chez elles qu'après une visite à domicile de leur dermatologue, venu traquer d'éventuelles imperfections de la peau.

— J'ai l'air heureuse ? Et mon sourire ? Il a l'air… vrai ? a demandé Julie.

« Aussi vrai que vos cailloux Cartier », lui a répondu Davide – une comparaison qui, selon moi, brillait par son à-propos.

— Eh bien, il est *complètement* bidon ! N'est-ce pas *insensé* ?

— Oh, mon Dieu, mais c'est complètement iiiiinsensé ! a glapi Davide d'une voix suraiguë.

— Je suis allée chez mon dermato cet après-midi, et vous savez, tout ce tissu de petits muscles qu'on a autour de la bouche – le platysma ? Non, vous ne savez sans doute pas, la plupart des gens ne se préoccupent pas beaucoup de lui. Eh bien, passé vingt-trois ans, il commence à se relâcher. Mais il existe un antidote génial contre le relâchement, qui vous permet de retrouver votre sourire. Le dermato vous injecte un chouïa de Botox pour le paralyser, et là, hop ! les coins de la bouche remontent instantanément. Le gros avantage du sourire Botox, c'est qu'on peut sourire toute la nuit sans sourire réellement. Donc, c'est bien moins fatigant qu'un vrai sourire, a expliqué Julie, comme si cet exposé faisait entièrement sens.

La réception de Muffy était une soirée très habillée – robes longues pour les dames et smoking de rigueur pour les messieurs. Sitôt coiffée et maquillée, Julie a enfilé une minirobe en soie noire (Chanel, haute couture, expédiée de Paris par FedEx), puis a disparu dans le dressing pour s'examiner dans le miroir. J'en ai profité pour m'en remettre aux mains de Raquel et de Davide. À New York, il est hors de question de franchir le seuil de certaines soirées sans avoir été coiffée et maquillée par un professionnel. La soirée que donnait Muffy était au nombre de celles-là. Les services d'un coiffeur et d'un maquilleur professionnels vous hissent incontestablement d'un cran. Si bien qu'au bout d'un moment, on est convaincue qu'on ne pourrait pas s'en sortir si on se contentait d'un peu de mascara Maybelline, qui ferait probablement des paquets. L'artiste-maquilleur, lui, peigne vos cils après l'application de mascara. À Manhattan, les paquets de mascara constituent un crime puni par la loi fédérale.

Juste au moment où Davide étalait du gloss sur mes lèvres, un cri puissant a retenti dans la chambre : il y avait de la crise de mode dans l'air. Rien de surprenant à cela. Les New-Yorkaises sont sujettes à ce type de crise sitôt qu'il est question de vêtements. J'ai rejoint Julie, qui s'examinait dans le miroir.

— J'ai *tout* faux sur *toute* la ligne. J'ai l'air… d'une *conservatrice* ! s'est-elle lamentée avec des accents de tragédienne en tirant sur l'ourlet de la robe. Regarde-moi ! Je ressemble à une des nanas de *Hairspray* – tu sais, ce spectacle de grosses à Broadway. Mon futur Mari Potentiel va me prendre pour un *troll* !

La robe était sublime, cent pour cent chic. Une tuerie.

— Julie, tu es splendide. Et cette robe est si courte qu'elle est presque invisible. C'est aux antipodes du conservatisme.

— Je suis en train de devenir folle, et toi, tu me sors des mots comme *antipodes* ! Pourriez-vous tous me laisser seule, s'il vous plaît ?

Julie s'est cadenassée dans le dressing. Elle s'est changée, re-changée, re-re-changée. Puis, de derrière la porte close, elle a déclaré qu'elle ne voulait plus aller à la réception. Trop de stress vestimentaire, intellectuel et sexuel, a-t-elle argué. Très franchement, je m'en moquais pas mal d'assister ou non au bal du siècle dans le palais de marbre de Muffy, mais il se trouve que je portais ce soir-là une sublime robe en mousseline blanche, que j'avais empruntée dans la réserve de la rédaction et que j'avais la ferme intention de rendre au plus tôt. Ç'aurait été terriblement dommage de ne pas la montrer.

— Julie, j'en ai *strictement* rien à fiche d'y aller ou pas. Je pourrais toujours mettre cette robe une autre fois. Mais on va tellement s'amuser.

— Où as-tu vu qu'on s'amusait, dans les soirées, à New York ? C'est la guerre, m'a rétorqué Julie en déverrouillant la porte et en réapparaissant dans la tuerie Chanel. Davide, donnez-moi un Xanax. Je prends toujours un tranquillisant avant un premier rendez-vous.

Davide a foncé vers sa mallette, qui renferme tout un assortiment de cachets uniquement délivrés sur ordonnance en prévision de ce genre d'incident, et Julie a gobé l'adorable petite pilule bleu ciel qu'il lui tendait – une façon très moderne de faire la guerre, ai-je trouvé – avant d'appeler son chauffeur.

Je vous assure, je vous jure que je suis presque absolument certaine de ne pas savoir comment je suis repartie avec un Mari Potentiel quand Julie, elle, est rentrée bredouille de la battue. Pour être plus précise, au terme de la soirée, le MP s'envolait pour le Brésil non pas avec Julie, mais avec moi.

Cette petite bulle de champagne qui vous parle, voyez-vous, avait justement siroté quelques coupes ce soir-là, et il n'est pas aisé de se souvenir avec précision du déroulement précis des faits. Mais afin de corriger quelques commérages venimeux et vicieux qui ont circulé dans les rangs des Princesses de Park Avenue – comme quoi j'aurais volé le MP sous le joli nez de ma meilleure amie (version à laquelle Julie, en principe, n'ajoute aucune foi) –, je me sens tenue de relater les différents événements de la soirée – ceux, du moins, dont je me souviens.

Nous avons fini par arriver chez Muffy avec une heure de retard. Repérer notre table relevait de la mission impossible car entre les énormes bouquets de lys blancs et les éclairages aux chandelles, c'était à peine si on y voyait à un mètre devant soi. (Question déco florale, le lys blanc moucheté est définitivement *la* fleur tendance du moment à Manhattan, en dépit des difficultés de navigation inhérentes à la variété.)

Il devait y avoir là deux cent cinquante invités et autant de serveurs en uniforme – smoking blanc, gants blancs. L'assemblée était étourdissante : les réceptions de Muffy attirent toujours le nec plus ultra de la société new-yorkaise. Côté robes, le thème floral était à l'honneur, comme toujours lors de soirées données en faveur de jardins. Beaucoup de filles portaient du Emmanuel Ungaro parce que ses robes à fleurs sont sans conteste les plus belles du monde. Côté bijoux, les plus jeunes invitées avaient ressorti leurs marguerites Asprey en brillants, et les plus âgées ployaient sous le poids de précieux cailloux de famille exhumés du coffre. Tout ce beau monde s'embrassait à la mode française pour se saluer, en soulignant combien c'était délicieux de se revoir, même si elles n'en pensaient pas un mot.

Julie et moi avons pris place juste au moment où on servait l'entrée, un potage glacé à la menthe. Notre table était située pile au centre de la salle, et tous les autres convives y étaient déjà installés. Les quatre MP sélectionnés par Muffy à l'intention de Julie offraient une grande variété ethnique. Julie n'avait même pas goûté au potage que le petit prince italien à sa gauche lui déclarait :

— Vous êtes plus belle que l'Empire State Building !

— Vous êtes charmant, monsieur, lui a répondu Julie avec un sourire tellement éblouissant qu'à mon avis, l'Italien a vu là un encouragement.

— Non, non, non ! Que dis-je ! Plus belle que le Rockfeller Center.

Le blondinet B.C.B.G., héritier d'un empire immobilier, à la droite de Julie, est intervenu :

— Maurizio, pardonnez-moi, mais je ne suis pas d'accord. Cette demoiselle est plus belle que le Pentagone.

Jamais encore je n'avais entendu un homme comparer une fille à un bâtiment gouvernemental. Sans doute Julie s'est-elle sentie flattée car dans la foulée, elle a posé sa question clé :

— Croyez-vous aux chauffeurs ? s'est-elle enquise en lui faisant son plus beau sourire.

Il s'est avéré que tout le monde, dans un bel élan de dévotion, croyait dur comme fer aux chauffeurs, y compris le type en vis-à-vis de Julie – un producteur de disques d'origine polonaise –, et le Treizième Homme, un acteur de L.A., natif du Minnesota. (Apparemment, Muffy avait assoupli ses règles et autorisé un artiste à franchir sa porte.) Tous employaient également un pilote en plus du chauffeur, en ai-je conclu, puisque chacun d'eux possédait un jet privé, sauf l'acteur qui « empruntait » celui de la Warner Brothers comme bon lui semblait – « et le truc trop dément, a-t-il précisé, c'est qu'on peut fumer à bord ».

Les messieurs ont commencé à discuter altitudes, instruments de navigation, cigares et Nasdaq – autant de sujets sans doute bien plus fascinants qu'une ignare de ma trempe ne peut le comprendre puisque à New York, les hommes ne savent discuter de rien d'autre. Personne ne parlait à Julie, ni à votre servante, ni à aucune des autres filles présentes à la table. Julie a sorti un boîtier de son réticule et a commencé à appliquer du gloss sur ses lèvres – un petit manège auquel elle a systématiquement recours chaque fois qu'elle s'ennuie à périr.

— Hé, les gars, vous ne pourriez pas être un peu plus dans le réel ?

Venant de la part d'une fille qui dit souvent que l'unique réalité qu'elle comprend est celle d'un diamant, j'ai trouvé la remarque un peu gonflée. Le producteur de disques lui a tapoté la main.

— Ce n'est pas comme ça qu'on devient riche, ma belle.

— Vos conversations sont tellement captivantes ! lui a rétorqué Julie, mais le type n'a pas saisi le sarcasme car il s'était remis à deviser cigares avec l'agent immobilier.

Les hommes ont continué à parler d'eux et de leurs jets en ignorant tout le monde, et Julie, qui est très forte pour rediriger l'attention sur sa personne, a lâché :

— Je possède cent millions de dollars…

Le silence s'est fait dans les rangs des MP.

— Entièrement à moi.

Brusquement, tous ces messieurs ont semblé faire grand cas de la personnalité de Julie – qui a ajouté :

— Si vous voulez bien m'excuser, je vais me suicider aux toilettes.

Julie partie, j'ai expliqué qu'il n'y avait pas lieu de s'inquiéter : elle fait toujours ce coup-là lorsque la compagnie la barbe et qu'elle pense que c'est uniquement à sa fortune, et non à son étincelant charisme, que s'intéressent les gens.

— Oh, il n'y a pas de quoi se sentir mal ! ai-je protesté en voyant ces messieurs prendre un air honteux et coupable. *Tout le monde* sauf moi aime Julie pour son argent. Ne soyez pas gênés. Julie y est habituée – même à la maternelle, ses amies ne jouaient avec elle que parce que leurs parents leur avaient dit qu'elle était riche.

Sans doute ai-je réussi à détendre l'atmosphère, car tous les éventuels prétendants ont paru très soulagés et m'ont bombardée de questions sur l'origine de la fortune de Julie. Parfois, je suis vraiment navrée pour les Princesses de Park Avenue. Il leur suffit de tourner le dos deux secondes pour que les gens s'empressent de demander combien elles valent, ou combien elles vont valoir un jour, comme si elles étaient des actions de biotechnologie. Naturellement, j'ai répondu que j'étais tenue à la confidentialité par devoir de réserve, et que la source de la fortune de la famille Bergdorf relevait du domaine privé.

— Ah, c'est une *Bergdorf* ? Pas étonnant qu'elle ait le blond parfait, a lancé la fille brune assise en face de moi. Croyez-vous qu'elle pourrait m'obtenir un rendez-vous avec Ariette ?

Les New-Yorkaises ont le chic pour demander sans arrêt des faveurs à des gens qu'elles ne connaissent ni d'Eve ni d'Adam. Amérique, terre d'opportunités... Il y en a qui prennent cette légende totalement au pied de la lettre.

Bref. Pendant que Julie n'attentait pas réellement à ses jours dans le boudoir des dames, il s'est produit un événement étonnant : un MP est apparu dans mon champ de vision. À une table dans un coin reculé de la salle, j'ai aperçu un homme potentiellement idéal. Plutôt grand, plutôt mince, des cheveux bruns, des yeux plus bruns encore. Il portait un costume, et non un smoking (j'adore les hommes qui outrepassent les *dress codes* avec désinvolture). Non, sans rire, ce type était d'une beauté insensée – imaginez Jude Law, en mieux. J'en ai eu l'appétit coupé instantanément, comme à chaque fois que j'entends le *pas de deux** du *Lac des Cygnes*. Certaines choses sont tellement romantiques qu'elles vous donnent l'impression que jamais plus vous ne retrouverez l'appétit. Par exemple, il suffit d'un clin d'œil d'Humphrey Bogart à Ingrid Bergman dans *Casablanca* et, si je n'y prends pas garde, la famine me guette aussitôt.

Quand Julie a réapparu, je lui ai désigné le splendide MP – discrètement, il va de soi.

— Mmmm... Il *semble* assez mignon, a-t-elle fait sans une once d'enthousiasme. Mais il a l'air un peu... cool, non ? Tu vois ce que je veux dire ? Un peu trop cool pour se fiancer, ou accepter n'importe quoi de vaguement traditionnel.

— Oui, mais... Écoute, on ne sait jamais. Peut-être qu'il meurt d'envie de se fiancer, juste pour... (Ma voix a déraillé, tant j'étais hypnotisée.) Tous les fiancés sont célibataires, jusqu'au jour où ils se fiancent, pas vrai ?

Autour de la table, tout le monde m'a regardée comme si j'étais la dernière des débiles. Ce que je disais n'avait ni queue ni tête. Je me souviens que mes idées sont devenues très confuses – les garçons qui ressemblent à Jude Law me font immanquablement cet effet-là. Vous auriez dû me voir à la sortie du *Talentueux M. Ripley*. J'ai été incapable de lire ou écrire une ligne pendant une semaine.

— Vous cherchez un mari ? a demandé l'Italien à Julie. Ce n'est pas très romantique, d'être aussi... Comment dites-vous ça... *sistematico ?*

— Maurizio, ce qui n'est pas romantique, ce sont toutes ces filles qui cherchent un mari en prétendant le contraire parce qu'elles croient que c'est politiquement incorrect, lui a rétorqué Julie. Il n'y a rien de *plus* romantique qu'une fille qui aime être amoureuse et qui est totalement ouverte à l'idée du mariage. (Elle a marqué une pause avant de gratifier son voisin d'une œillade charmeuse.) À New York, un fiancé est le comble du glamour. Je trouve que ce serait très joli d'en avoir un à mon bras. Qu'en pensez-vous ?

Maurizio a dégluti avant de s'indigner ·

— Comment pouvez-vous traiter un homme comme un accessoire de mode ?!

— Je suis une experte, a soupiré Julie. J'ai été à bonne école avec mes ex-petits amis.

Pour le seul et unique bénéfice de mon amie, j'ai entrepris un petit voyage de reconnaissance à l'autre extrémité de la salle. Plus j'approchais de sa table, plus Jude Law redoublait de beauté (si cela est possible), et plus mon anxiété croissait. *Bon sang, mais que vais-je lui dire ?* En temps normal, je ne suis pas du genre à brancher des inconnus dans les soirées.

— Excusez-moi de vous déranger, ai-je commencé timidement, une fois arrivée devant lui. Mon amie, là-bas, souhaiterait vous poser une question. Elle voudrait savoir si... euh... si vous croyez aux chauffeurs.

Jude Law a éclaté de rire, comme si j'avais raconté la blague la plus drôle du monde. Ce qui est toujours agréable, même si, au fond de vous, vous n'aviez pas eu l'intention de faire un trait d'humour.

— A vrai dire, je me déplace en métro.

N'était-ce pas adorable ! Aurait-il dit qu'il se déplaçait à dos d'hérisson que j'aurais trouvé ça tout aussi adorable, notez bien. Quand on est aussi canon que lui, tout ce qu'on dit est adorable.

— C'est tellement original !!! a piaillé l'étourdissante brune assise en face de lui. (Elle lui a tendu la main.) Bonsoir ! Adriana A. Le mannequin ? De la nouvelle campagne de Luca Luca ? Nous n'avons jamais été présentés, je crois. Enchantée ! Vous êtes Zach Nicholson, le photographe, c'est ça ?

Jude Law a hoché la tête. Adriana était une beauté exotique aux pommettes de chat siamois, et ses yeux étaient baignés d'un halo de fards bruns – un de ces maquillages de pro que tous les mannequins arborent en ce moment sur les photos. Mentalement, j'ai pris note de copier le maquillage, mais pas la personnalité.

— Ça ressemble à quoi, là-dessous ? Dans le métro, je veux dire ? (Elle flirtait si éhontément que, je vous le jure, je pouvais voir ses cils se recourber pendant qu'elle parlait.) Je parie que c'est stupéfiant. Ce doit être une source d'inspiration pour votre travail. Vos photos sont tellement géniales !

Bon sang, mais quelle *menteuse*, cette Muffy ! Cet homme était cent pour cent « créatif ». Julie opposerait un veto catégorique à l'idée d'un fiancé photographe.

— Je vous remercie. Non, à vrai dire, mon inspiration se trouve uniquement dans ma tête. Mais j'apprécie d'aller d'un point A à un point B le plus rapidement possible, a répliqué courtoisement Zach.

Cette fille en faisait vraiment des tonnes et, à mon avis, elle n'était pas son genre. Mais lui, qu'est-ce qu'il était craquant ! Et quel dommage pour Julie que Beau Gosse préfère les transports publics aux voitures avec chauffeur !

— J'ai littéralement a-do-ré vos dernières séries ! a poursuivi

Adriana. Je suis allée les voir au MoMA. C'est du pur génie d'être au MoMA à vingt-neuf ans !!!

Quelle épouvantable déveine ! Bourré de talent et de charme comme il l'était, ce photographe aurait fait un fiancé idéal pour Julie. Brusquement, Jude Law a braqué son regard sur moi.

— Sauvez-moi des griffes de cette nana, a-t-il chuchoté. Hé, viens donc t'asseoir avec nous ! a-t-il enchaîné à voix haute. Voilà une éternité qu'on ne s'est pas vus. Pourquoi ne prendrais-tu pas un peu de dessert ?

Il m'a attirée vers lui et m'a fait asseoir sur ses genoux avant de pousser devant moi une pyramide de profiteroles.

— Ç'aurait été avec plaisir, mais je viens à l'instant de développer une allergie aux profiteroles, ai-je expliqué en repoussant l'assiette. C'est incroyable, les tours qu'une soirée de ce genre peut jouer à l'appétit.

Zach m'a souri, avec un regard enjôleur.

— Tu es la fille la plus spirituelle de New York ? Ou simplement la plus jolie ?

— Ni l'une, ni l'autre, ai-je répondu en rougissant.

Mais en mon for intérieur, j'étais incroyablement flattée.

— Selon moi, ce serait plutôt les deux.

J'étais à cent cinquante pour cent sous le charme de ce type. Je ne me suis pas fait prier pour rester sur ses genoux. Que voulez-vous ? Si quelqu'un a besoin de moi, je ne sais pas dire non. Sans compter que j'étais sur un petit nuage de devoir sauver un mec aussi paradisiaque des griffes d'un top model. Subitement, j'ai réalisé que m'acquitter de cette mission de reconnaissance risquait de nécessiter cinq minutes supplémentaires. J'ai agité la main en direction de Julie, et je lui ai fait un signe du pouce vers le sol, comme pour dire : « Quelle barbe, pas l'ombre d'un MP avec chauffeur dans ce coin ! »

À une heure du matin, j'étais toujours en train de sauver Zach des griffes d'Adriana. Et même après que celle-ci est partie – non sans nous avoir signalé que nous pouvions la voir sur le panneau publicitaire de l'immeuble MTV à Times Square –, j'ai eu la très nette impression que Zach n'était pas entièrement sauvé et qu'il avait encore besoin de mon aide. Ensuite (mais là, s'il vous plaît, ne me demandez pas comment, je suis bien trop prude pour vous l'expliquer), la tête de ce garçon s'est retrouvée à une dangereuse proximité de ma région sub-équatoriale. Alors, pour en revenir à ces ragots selon lesquels j'aurais volé un MP sous le nez de Julie, la vérité, c'est que Julie n'en voulait pas.

— Un peu trop artiste, si tu veux mon avis. Il ne sera jamais le fiancé de personne, m'a avertie mon amie le lendemain.

Et alors, où était le problème ? C'était Julie qui cherchait un fiancé, pas moi. Et je savais qu'elle était sincère lorsqu'elle m'a assuré ne pas être fâchée que le photographe se soit envolé pour l'Amérique latine avec moi plutôt qu'avec elle, car son commentaire par rapport à la soirée de Muffy s'est résumé à :

— Un pur gâchis de haute couture parisienne.

4

Il m'est vraiment arrivé quelque chose, le soir où j'ai rencontré Zach. Depuis, j'ai définitivement renoncé aux profiteroles – ce qui n'est pas rien quand on sait que c'est mon dessert préféré après les madeleines à la vanille de Magnolia Bakery.

Je suis tombée amoureuse de Zach à la seconde où j'ai posé les yeux sur lui. Quelque chose en moi a fait « Ping ! », et brusquement, je me suis retrouvée en plein *coup de foudre**, exactement comme le frère et la sœur qui tombent amoureux dans *La famille Tenenbaum*. Aujourd'hui encore, j'ignore qui, de Zach ou du Jude Law qui était en lui, est responsable de tout ça, mais c'était d'un romantisme insensé. Écoutez plutôt. Après notre rencontre, Zach m'a appelée *tous les jours*, et tous les soirs il m'a invitée à dîner en tête en tête. J'ai systématiquement refusé une fois sur deux, parce que quand un mec ressemble à Jude Law et peut avoir qui il veut à ses pieds, il est primordial de ne pas se montrer trop disponible. Sans compter que, se préparer pour dîner avec Jude Law générant un stress énorme, j'avais les nerfs en lambeaux – il leur fallait quarante-huit heures complètes entre chaque rendez-vous pour se refaire.

Et puis, bien sûr, il y avait d'autres choses chez Zach qui me faisaient craquer. Par exemple, avec lui, les voyages au Brésil étaient mille fois mieux qu'avec les (*très rares*) compagnons de route qui l'avaient précédé. Lui, il trouvait Rio à tous les coups, quand les autres avaient passé leur temps à se paumer dans les banlieues avant de vouloir rentrer à la maison. Zach semblait tout adorer chez moi, même mes défauts. Exemple : le soir où je l'ai invité à dîner chez moi et que, pour finir, j'ai commandé un repas livré à domicile (comme toute New-Yorkaise qui se respecte, mes talents culinaires se limitent à l'art de toaster un bagel), il a trouvé ça charmant. Et, en remerciement de mon invitation, il a eu un geste d'un romantisme insensé : chaque jour pendant cinq jours d'affilée, il m'a envoyé un bouquet de pivoines (mes fleurs préférées), toujours accompagné d'une carte. La première disait « Pour », la seconde « Ma », la troisième « Seule », la suivante « Et » et la dernière « Unique ». Pour Ma Seule Et Unique. C'était archicraquant. Je n'ai rien pu avaler de la semaine.

Zach était un garçon exceptionnellement doué pour offrir des cadeaux. Il dénichait toujours quelque chose dont j'avais envie sans le savoir – ni même savoir que ça existait avant qu'il ne me l'offre. Pour mon anniversaire, j'ai eu la surprise de recevoir un splendide tirage en noir et blanc d'une de ses anciennes séries de photos baptisée « Noyades ». (La photo représente un camion calciné et à moitié immergé dans les eaux d'un lac. Je sais, ça peut sembler un peu curieux, comme cadeau d'anniversaire, mais j'ai été bouleversée.) Voici un petit aperçu de ses autres cadeaux : la première édition, reliée cuir, de *Les hommes préfèrent les blondes*, ma bible personnelle ; un coffret à bijoux d'Asprey en *galuchat* (c'est de la peau de raie pastenague, au cas où vous vous demanderiez…) ; du papier à lettres rose layette, gravé à mon chiffre, de chez Mme John L. Strong (qui se commande des semaines à l'avance, à moins de s'appeler Zach et d'user de son charme pour l'obtenir en vingt-quatre heures) ; un châle péruvien déniché au marché aux puces de Lima.

Zach adorait m'emmener dîner dans des petits restos de rêve, entièrement à l'écart des sentiers battus. Mon préféré entre tous était JoJo, sur la Soixante-quatrième Rue Est, juste à côté de Madison Avenue. Sa devanture à petits carreaux laisse entrapercevoir en salle un éclairage aux chandelles. On dîne sur des petites tables en laque noire, assis sur de vieilles banquettes affaissées en velours. Les murs sont peints d'un bleu-gris fané et, à l'étage, les tables sont isolées les unes des autres par des paravents anciens. Croyez-moi, c'est un lieu qui vous donne

l'impression d'être les seuls amoureux au monde. Le soir où
nous y sommes allés – pour fêter les deux mois de notre rencontre –, je crois bien que Zach a tenu mes chevilles emprisonnées
entre les siennes tout au long du dîner, comme s'il voulait
m'empêcher de le quitter un jour. Nous avons passé la soirée à
glousser, à nous embrasser et nous émerveiller de tout – leurs
frites insensées, par exemple (le secret, c'est qu'elles sont cuites
dans de l'huile à la truffe, ou un truc fou du même ordre).

Au cours de ces premiers mois, il ne planait qu'une seule
ombre – oh ! légère – sur ce tableau idyllique : Adriana A.
Quelquefois, alors que je me trouvais chez Zach, dans son loft à
Chinatown, le téléphone sonnait, et Zach ne décrochait pas. Puis
le répondeur s'enclenchait, et on entendait la voix d'Adriana,
qui proposait à Zach d'aller dîner, ou boire un verre, pour discuter travail. Mais bon, de toute façon, je me faisais du mauvais
sang pour rien : après un temps, Adriana a cessé d'appeler.

La seule à n'être pas ravie de mon idylle, c'était ma mère.
N'allez pas croire que je la tenais informée des moindres détails
de ma vie amoureuse. Simplement, la rubrique des potins mondains s'étant chargée de la mettre au courant des derniers événements new-yorkais, elle a téléphoné pour démêler le vrai du
faux.

— Chérie, il paraîtrait que le Petit Comte vient passer les
fêtes au château. Tu sais, je persiste à penser que vous êtes faits
l'un pour l'autre.

J'ai inspiré profondément.

— M'man, je suis convaincue que le Petit Comte me déteste-
rait au premier coup d'œil. Et je n'ai pas l'intention de passer
ma vie à contempler un pré avec des moutons depuis la fenêtre
d'un château rempli de courants d'air. Je suis sûre que Zach
vous plaira, à papa et à toi.

— Qui sont ses parents, chérie ?

— Aucune idée. Il vient de l'Ohio, il est photographe, il est
connu.

J'avoue que je ne savais pas grand-chose de Zach – mis à part
le fait qu'il était très beau, qu'il vivait dans un gigantesque loft
à Chinatown et ne se couchait jamais sans avoir avalé un
expresso. Il prenait sa carrière très au sérieux et, parfois, il dis-

paraissait pendant plusieurs jours dans la nature sans crier gare. Il pouvait se montrer très vague et mystérieux quand il le voulait – ce que, évidemment, j'adorais.

Julie dit toujours qu'elle peut boucler un sac pour un weekend à Saint-Barth en un clin d'œil. C'est un mensonge éhonté. En fait, le moindre bagage lui demande une bonne semaine de préparation, mais là où je veux en venir, c'est que, lorsqu'on est aussi éperdument amoureuse que je l'étais, on perd totalement la notion du temps. Après ce qui m'avait semblé être quinze secondes – mais en temps réel, il avait dû s'écouler six mois, puisque tout ça s'est passé à la mi-mars –, Zach m'a demandée en mariage. Vous imaginez ? Nous nous étions tellement amusés que je n'avais pas vu le temps filer.

Il y avait cependant un hic : cette demande en mariage signifiait que c'était *Moi** et non Julie qui aurait un MP au bras, ce qui constituait une sorte de conflit d'intérêts. Et même si à part moi, je flippais à l'idée que Julie m'en veuille à mort, je ne pouvais pas dire non. J'étais follement, follement amoureuse. Zach était le MP idéal, tous points de vue confondus. Et ce, même en dépit de ses obligations professionnelles qui le happaient parfois dans un trou noir pendant une semaine entière et l'empêchaient de me retourner mes appels, car il refaisait toujours surface avec une fabuleuse invitation à dîner, et de nouveau j'étais entièrement électrisée.

Julie a accueilli la nouvelle de mes fiançailles avec une surprenante décontraction. Elle approuvait mon choix et reconnaissait que ce garçon était bien trop artiste pour elle. Elle ne semblait pas m'en vouloir autant qu'on aurait pu le craindre de l'avoir doublée en trouvant un MP avant elle.

— Ton mariage sera pour moi une répétition – tes erreurs me serviront de leçon, m'a-t-elle dit.

Vous pouvez imaginer la réaction de ma mère quand je lui ai annoncé la nouvelle. Elle a d'abord menacé de succomber à ses migraines, avant d'insister pour organiser la noce au château de Swyre, qu'on peut louer pour de telles occasions. Même si ce n'était pas le lieu que j'aurais choisi en premier, j'étais si heureuse que j'ai décidé de lui laisser carte blanche. Quelques heures seulement après m'avoir eue au téléphone, elle avait déjà tout planifié par le menu : l'église, les fleurs, les hors-d'œuvre, le gâteau et le déroulement de la journée heure par heure. Elle avait même arrêté son choix sur un type particulier de confettis – des pétales de rose séchés et glacés qu'on ne trouve qu'au marché de Covent Garden, à Londres. Je suppose que dans sa tête, elle organisait mon mariage depuis le jour de mes seize ans et que, quoique déçue de me voir épouser un photographe américain plutôt qu'un comte anglais, elle avait décidé de faire contre mauvaise fortune bon cœur.

Une fois les fiançailles officialisées, ma cote de popularité a grimpé en flèche. Tout le monde à New York était aussi accro que moi à Zach. Nous étions invités partout ; chacun voulait savoir ce qui était prévu pour le mariage. Même les filles de ma rédaction étaient amoureuses de Zach. Elles étaient toutes sous le charme de Jude Law aussi. Et jamais ma peau n'avait été aussi resplendissante.

Vous pouvez imaginer ma joie lorsque ma rédac'chef m'a demandé d'accepter une mission de quelques jours à L.A., pour interviewer une actrice célèbre, et qu'elle a gentiment insisté pour que j'emmène le sublime fiancé avec moi. Elle nous a réservé une suite de quatre pièces au Château Marmont – celle dont tout le monde parle, avec le piano à queue. C'est incroyable à quel point les gens sont adorables avec vous, quand vous êtes fiancée. La perspective de ces quatre jours entiers avec Zach semblait de la félicité pure. Ce serait en fait la première fois que nous passerions autant de temps ensemble depuis notre rencontre. J'étais dévorée d'impatience.

Quand mon amie Daphne Klingerman – une actrice qui a embrassé la carrière d'épouse auprès d'un agent remarquablement doué qui était devenu producteur pour finir directeur de studio – a appris que je venais à L.A., elle m'a envoyé un mail depuis son BlackBerry :

Impossible te parler suis en cours de yoga je peux donner soirée en ton honneur à beverly hills ?

J'ai eu du mal à me représenter quelle position de yoga permettait d'écrire un mail, mais Daphne pratique le yoga Ashtanga tous les jours depuis son dernier rôle – et comme celui-ci remonte à plus de deux ans, je suppose qu'elle maîtrise le problème à fond.

A L.A., le printemps est la plus belle saison, et je voue une vénération absolue au Château Marmont, comme tout le monde à Hollywood. Avec ses petites tourelles qui dominent sereinement la folie de Sunset Boulevard en contrebas, cet hôtel me fait immanquablement penser au château de Rapunzel. Nous y sommes arrivés très tard dans la soirée et pourtant, au rez-de-chaussée, les salons bruissaient des conversations de tous ces jeunes gens supercool qu'on rencontre à Hollywood et qui ont une affection particulière pour le Château. Cependant, je n'avais aucune envie de me mêler à cette foule car je n'avais qu'une idée en tête : emmener Zach dans notre magnifique suite et l'inviter à un petit voyage très, très tendancieux, quelque part au sud de l'Equateur.

Notre suite était démente, dans le bon sens du terme. Le salon était gigantesque ; d'un côté se trouvait le piano à queue, et de l'autre, deux longs canapés contemporains, un immense miroir Art déco, et une élégante table basse années cinquante sur laquelle, dans un seau rempli de glace, nous attendait une bouteille de champagne millésimé. La chambre ne comportait qu'un lit très accueillant, deux lampes aux abat-jour métalliques et des kilomètres d'équipements hi-fi. Les baies vitrées ouvraient sur une petite terrasse. Pendant que Zach donnait un pourboire au chasseur, je suis sortie humer l'air de la nuit et admirer le spectacle qu'offrait la ville illuminée à nos pieds. Le paysage était une féerie électrique avec ses millions de lumières qui s'étiraient d'Hollywood jusque dans la vallée. Même si j'étais épuisée, la suite était tellement affolante que j'ai pensé que Zach serait partant pour un embarquement immédiat à destination du Brésil – et aurait peut-être même envie de pousser jusque dans la jungle amazonienne.

— Zach, que dirais-tu... d'une petite promenade en forêt tropicale ? ai-je minaudé depuis la terrasse.

Il était devant le placard, en train de défaire sa valise.

— Je suis occupé.

— Oh, arrête ! Ne fais pas ton bonnet de nuit !

— Et toi arrête d'être toujours en demande, m'a-t-il répliqué sans se retourner.

— Chéri, Sting et Trudy *passent leur vie* à visiter la forêt tropicale et personne ne trouve qu'ils sont trop en demande.

Zach n'a rien répondu. Il n'avait pas du tout pigé la plaisanterie. D'ordinaire, mes blagues idiotes le faisaient rire, mais ce soir-là, il était différent. Il m'a expressément demandé de lui ficher la paix afin qu'il puisse lire ses mails – ce qui, si vous voulez mon avis, est vraiment *gâcher* une suite de quatre pièces au Château Marmont.

A une heure du matin, Zach ne manifestait toujours pas l'intention d'aller se coucher. Installé au salon, il pianotait frénétiquement sur son clavier d'ordinateur, une expression hostile sur le visage. A peine avait-il prêté attention à la suite et à la vue qu'elle offrait. Et pour autant que je sache, les hommes ne refusent pas de coucher avec une femme, point. Quand j'ai fini par lui faire part de cet axiome de base, Zach a levé les yeux de son écran et m'a regardée, l'air souverainement agacé.

— Pourrais-tu, s'il te plaît, me laisser bosser ?

J'ai aussitôt culpabilisé de réclamer son attention alors qu'il était à ce point débordé de travail.

— Excuse-moi. Sur quoi travailles-tu ?

— Une nouvelle campagne de pub. Il y a beaucoup de fric en jeu et la pression est énorme.

— C'est super. C'est une campagne pour quoi ?

— Luca Luca. Ils veulent entièrement renouveler leur approche de com'.

— Adriana A. y participe ?

— Ouais. Et c'est un vrai boulet. Bon, je peux continuer ?

Zach s'est de nouveau concentré sur son ordinateur ; je suis repartie dans la chambre et je me suis allongée sur le lit, affreusement déçue. J'ai contemplé le panorama qui s'offrait à moi par les baies vitrées, mais tout d'un coup, il me semblait aussi lugubre que l'enfer. Quelle déprime ! J'étais aussi mal que si je m'étais réveillée en sursaut pour me retrouver en plein milieu d'un film de Paul Thomas Anderson.

Lorsque, deux jours plus tard, j'ai appelé Daphne, j'étais dans mes petits souliers. Comment pouvais-je lui avouer que Zach ne m'avait quasiment pas décloué les dents depuis notre arrivée à L.A. ? Je sais, je sais, le boulot, la pression, le stress… Mais cela suffisait-il à justifier un ajournement *sine die* à toute excursion au Brésil ? Depuis notre installation au Château Marmont, j'étais restée consignée au pôle Nord. D'accord, Luca Luca était un gros contrat pour Zach, mais de là à se comporter comme s'il s'apprêtait à repeindre la Chapelle Sixtine ! Pour tout dire, c'était à peine s'il me laissait l'approcher. Chaque fois que je risquais une allusion à une quelconque activité d'ordre sexuel, il me lançait « Arrête de me harceler ! », ou autre gracieuseté du même tonneau. Je me suis souvenue que, par deux ou trois fois au cours des semaines passées, il avait déjà écarté mes avances en se plaignant d'être trop fatigué, ou d'avoir mal au dos, etc. Sur le moment, quoique agacée, je l'avais cru ; mais peut-être, en fait, n'avait-il pas eu envie de faire l'amour… Le résultat, c'est que nous n'avions pas vu Rio depuis plus de quinze jours. Et que je découvrais une facette jusque-là inconnue de Zach. Il ne voulait *rien* faire et, quand j'ai proposé une balade en voiture jusqu'à Topanga Canyon, où se trouve ma friperie préférée, *Hidden Treasures* (à ne louper sous aucun prétexte si vous passez dans le coin), il a carrément refusé de m'accompagner pour continuer à chercher des idées pour la campagne Luca Luca – alors qu'il ne faisait rien d'autre depuis quarante-huit heures.

Où était donc passé Jude Law ? J'avais l'impression d'être fiancée à une personne entièrement différente. Le seul truc qui m'avait retenue de me laisser aller à mon flip, c'était de devoir garder les idées claires pour interviewer cette actrice – ce que j'avais fait la veille.

— Daphne ! ai-je gémi quand mon amie a décroché.

— Sans déc' ! (Daphne commence toutes ses phrases par « sans déc' ! ».) Qu'est-ce qu'il y a ?

— C'est Zach. Il est d'une humeur massacrante. Il ne fait rien que regarder CNN et envoyer des mails. C'est à peine s'il m'a dit trois mots depuis notre arrivée, et tout ça parce qu'il shoote la nouvelle campagne Luca Luca avec Adriana A. Peut-être vaudrait-il mieux tout annuler ?

— Sans déc' ! Tu ne peux pas annuler ! Bradley a fait venir tout le staff du restaurant Le Cirque spécialement de New York avec le jet du studio pour préparer le buffet ! Ecoute, ne te mine pas ! Il ne te décloue pas les dents ? Bradley ne me parle quasiment jamais. Les hommes sont tellement sexy quand ils sont ronchons et laconiques. Tu dois absolument venir ce soir, il y aura là plein de gens que tu rêves de rencontrer. Crois-moi, tu ne le regretteras pas.

Zach a finalement accepté d'assister à la soirée, mais uniquement après que Daphne l'a appelé pour lui préciser qu'il y aurait tout un tas de nababs hollywoodiens avec de « sérieuses » collections de photos. Entre nous, je pense qu'elle avait un peu forcé le trait. Elle avait très exactement *un* ami collectionneur de photos. Mais Daphne exagère toujours tout, et surtout son âge (vingt-neuf ans, prétend-elle, alors qu'elle est plus près de trente-neuf). Ce soir-là, tandis que je me préparais, j'ai essayé de voir le bon côté de la situation : le gros avantage d'un fiancé quasiment muet, c'est que vous disposez de plus de temps qu'il n'en faut pour vous pomponner. Du coup, j'ai décidé de mettre ma robe Alaia qui se boutonne avec une multitude de petits crochets. Ça prend des heures de tous les fermer. Et quoique minée par ce brusque changement intervenu dans la personnalité de Zach, rien ne pouvait entamer mon excitation à l'idée de porter cette robe : chez Alaia, il y a robe qui tue et robe qui tue, et certaines tuent tellement qu'elles sont purement et simplement criminelles. A la dernière minute, Zach a enfilé une chemise blanche, un jean et une veste en cuir vieilli. Immédiatement, j'ai su que je ne pourrais rien avaler de la soirée. Il était tellement sublime que même la symphonie des desserts du Cirque me laisserait de marbre, c'était couru d'avance.

Daphne habite à Beverly Hills, dans une grande maison de

style espagnol entourée d'un terrain qui s'étend presque jusqu'à l'hôtel Bel-Air. L'allée qui grimpe vers la maison était entièrement illuminée et, comme d'habitude, Daphne n'y avait pas été de main morte avec la décoration florale. Partout où se posait le regard, ce n'étaient que vases monumentaux remplis de brassées de jasmin en fleur – même dans les toilettes. Elle n'avait pas non plus lésiné sur le personnel. Daphne aime bien qu'il y ait quinze maîtres d'hôtel par invité, ce qui contribue à faire des réceptions surpeuplées. Quand nous sommes arrivés, le salon grouillait déjà de monde, et les invités commençaient à se disperser sur la terrasse et autour de la piscine. Le jardin était illuminé par des lanternes que Daphne avait rapportées d'une de ses virées shopping au Maroc ; disposés sur les pelouses, des tapis et des coussins invitaient les gens à s'étendre. A peine avais-je eu le temps de faire un rapide tour d'horizon pour prendre mes marques que Zach m'a plantée pour filer s'entretenir avec l'ami collectionneur de Daphne.

A un moment donné, celle-ci m'a pris le bras pour me présenter une jeune actrice, Betthina Evans, qui venait tout juste de remporter un Golden Globe. Betthina était la quintessence d'une taille 36. Vous savez comment sont les actrices : petites, menues, parfaites. Elle avait une longue chevelure brillante couleur miel ; elle était moulée dans un fourreau de satin jaune et juchée sur des sandales à bride argentées. Elle copiait à mort Kate Hudson, comme tout le monde à L.A., à ce moment-là. A son doigt étincelait une bague de fiançailles de la taille de Manhattan.

— Oh, moi aussi je suis fiancée, ai-je dit.

— Où est ta bague ? a demandé Betthina en scrutant ma main gauche.

— Mon fiancé ne s'en est pas encore occupé.

C'était vrai. Zach n'arrêtait pas de dire qu'il allait m'acheter une bague, mais pour une raison ou une autre, le passage à l'acte était sans cesse différé. Je ne voudrais pas passer pour quelqu'un de superficiel, mais cette histoire me mettait hors de moi. Comprenez-moi : des fiançailles sans bague, c'est comme Elvis sans les strass, ou un Bellini sans jus de pêche. Je me moquais pas mal que la bague soit comme ci ou comme ça, j'en voulais une, point. Zach l'avait facile avec moi. Je n'avais aucune exigence particulière, à la différence de Jolene qui avait prévenu son futur mari, avant même qu'il ne fasse sa demande, qu'elle n'accepterait rien en dessous de cinq carats d'une irréprochable pureté.

— Yeurkkk ! a grimacé Betthina. Jamais je n'aurais accepté d'épouser Tommy s'il ne m'avait pas offert un diamant plus gros que la Californie en me demandant ma main.

— Je me sentirais atrocement mal, si quelqu'un m'offrait une énorme bague, ai-je dit.

Bon, ce n'était pas entièrement vrai. Au fond de moi, je voulais une bague plus grosse que la planète, mais ce n'est pas le genre de chose qu'on peut admettre devant témoins.

— Aussi grosse soit-elle au départ, une bague rapetisse toujours quand on la porte, m'a expliqué Betthina. Et bon, O.K., celle-là valait un quart de million de dollars, mais si tu penses à ce qu'obtient Tommy en échange – moi –, ça semble un peu mesquin, car je n'ai pas de prix.

— Oh…

Les starlettes doivent exceller dans le maniement des chiffres car personnellement, je n'ai jamais réussi à résoudre une équation de ce type.

— C'est vrai ce que j'ai lu dans les pages mondaines ? Qu'il t'a offert une des « Noyades » ? Que c'est romantique ! Et tu sais, même sans bague, je serais partante pour me fiancer avec le photographe le plus *hot* de New York. Tu imagines ! Quel fabuleux coup de pouce pour ma carrière ! En plus, au moment de la rupture, toute la presse parle de toi. Le seul truc, c'est de penser à rompre la première, avant que tout le monde croie que c'est lui qui t'a plaquée.

Sans doute ai-je eu l'air démesurément contrariée car brusquement, Betthina a glissé un bras autour de mes épaules, comme si j'avais besoin de réconfort.

— Oh, je suis désolée. Je te dis des horreurs ! Mais… c'est vrai ? Tu vas vraiment épouser un… *photographe* ? Ici, les gens passent leur temps à se fiancer, mais en réalité, ça ne veut pas dire grand-chose… Surtout avec de vrais artistes, comme ton fiancé, a-t-elle expliqué, gênée. Tu vois, il est *hors de question* que j'épouse Tommy. Yeurkkk, ce serait *trop nul* ! Et si on allait rejoindre ton mec ? Bon sang, mais regarde-le. Il est *incroyablement* canon.

Betthina a mis le cap droit sur Zach. Je l'ai retenue.

— Euh, si ça ne t'ennuie pas... Je préférerais... On n'est pas en très bons termes ce soir, ai-je chuchoté en rosissant d'embarras. En fait... il me bat un peu froid parce qu'il est complètement stressé par son travail.

— Hé, ne te mine pas pour ça ! Mes deux premiers maris ne me parlaient presque jamais. C'est super-commun. Pas besoin d'en faire tout un drame. Tu connais le dicton : Ce qui importe le plus avec les maris, c'est d'en avoir un ! a-t-elle conclu en gloussant.

— Mais je n'en fais pas tout un drame ! ai-je protesté en me mettant à pleurer. Je suis juste éperdument amoureuse, et tu sais ce que c'est quand on est amoureuse, on pleure pour un oui ou un non. Je vais faire un tour aux toilettes. Ravie d'avoir fait ta connaissance.

En fait, j'étais en train de péter les plombs pour de bon. J'ai cherché un coin tranquille où m'isoler et, histoire de tuer le temps en attendant que ça passe, j'ai appelé Julie.

— Salut, Julie-Jolie. Je m'amuse comme une folle.

— Ouais, et c'est pour ça que tu chiales comme un sac Balenciaga qui a égaré son fermoir ? Y a un lézard ?

J'ai assuré à Julie que jamais je n'avais été aussi heureuse, que jamais de ma vie je n'avais vu autant de martinis-pomme offerts à la cantonade, que la symphonie des desserts du Cirque était tout simplement à se damner et que je l'appelais juste pour lui dire combien je regrettais qu'elle ne soit pas là.

— Mon chou, quand tu bois des martinis et que ton verre se remplit de larmes, tu dois te demander si, par hasard, l'Univers ne serait pas en train de te dire quelque chose.

Oh, la barbe ! Quand Julie se met à parler de l'Univers, je m'inquiète toujours pour elle. Ça signifie qu'elle a recommencé à dévorer des quantités malsaines de bouquins d'astrologie. Mais cela dit, même si elle puisait ses infos dans *Lune magique : Comment établir un horoscope natal*, peut-être mettait-elle le doigt sur le point sensible.

— Zach a un comportement vraiment bizarre, mais je ne peux pas t'expliquer tout de suite. Je dois raccrocher.

— O.K., porte-toi mieux, mon chou. Et appelle-moi dès que tu rentres.

Peu après, Daphne m'a découverte assise, telle une âme en peine, sur un banc à l'extérieur des toilettes, le visage strié de larmes.

— Sans dec' ! Que s'est-il passé ? Bradley a été désagréable avec toi ?

— Non, non, c'est Zach, ai-je sangloté. Il ne m'a jamais offert de bague, et quand Betthina m'a demandé où était ma bague de fiançailles, je ne sais pas... Je me suis sentie super-mal.

— Sans déc' ! Si quelqu'un d'autre te questionne sur cette foutue bague, réponds juste que tu as eu une « Noyade » à la place, qui pourrait te payer six bagues, d'accord ? Si c'est pas de l'amour authentique, quand un homme t'offre un cadeau aussi perso ! Bradley, lui, est allé m'acheter une bague ancienne chez Neil Lane, comme *tout le monde* à Hollywood. Ça ne veut strictement rien dire. Julia Roberts doit avoir quinze bagues de chez eux et regarde ce qui est arrivé à tous ses fiancés. Tu sais à quoi je vois que Bradley m'aime vraiment ? Quand je suis malade, que j'ai attrapé un truc super-contagieux comme le SRAS et qu'il m'apporte du thé au lit. Ce sont les petites attentions qui comptent ! Bon, pourrais-je avoir un sourire ? Voilà qui est mieux ! a-t-elle fait tandis que j'esquissais un pauvre sourire. Pour avoir l'air rayonnante de bonheur et d'amour, il suffit de le vouloir et de se dire qu'on est rayonnante. C'est pas plus compliqué, a-t-elle ajouté en me tendant un Kleenex.

Je devais être ce soir-là la proie d'invraisemblables sautes d'humeur car en repartant me mêler à la foule des invités, je me suis sentie envahie par un sentiment de bonheur vertigineux. Daphne avait raison : une « Noyade » était une preuve d'amour bien plus significative qu'une bague. C'était juste un peu frustrant de ne pas pouvoir l'exhiber à l'annulaire gauche. J'ai repensé à toutes les attentions adorables dont Zach m'avait comblée lors des premiers temps de notre relation, et sans doute ai-je réussi à m'auto-hypnotiser car jusqu'à la fin de la soirée, mes lèvres sont restées paralysées en un sourire béat. J'ai même reperdu l'appétit, ce qui était un vrai soulagement : sans l'ombre d'une hésitation, j'étais toujours amoureuse.

Daphne m'a entraînée dans le salon, où un essaim de filles en robes pastel, exactement dans le même style que celle de Betthina, disséquaient avec animation un film qui n'était pas encore sorti sur les écrans et dont la vedette était Keira Knightley – qu'elles copieraient toutes une fois qu'elles en auraient marre d'imiter Kate Hudson. Petits amis et maris couvaient du regard ces splendides créatures comme s'ils craignaient de ne plus les revoir si jamais ils les quittaient une minute des yeux, ce qui était probablement *très** avisé de leur part. Quant à moi, je me sentais en total décalage dans cet environnement chatoyant. Ma petite robe criminelle n'était pas du tout dans le ton de la soirée – et bien trop dans l'esprit new-yorkais. Porter du noir à Los Angeles... ! Mais où avais-je eu la tête ? Je n'avais plus qu'une envie : filer de cette réception, rentrer chez moi.

— Oooooh ! Mmmm ! Voilà Charlie Dunlain, a dit Daphne en m'entraînant vers un jeune type qui était assis, seul, sur un des imposants canapés. Il est super-mignon, et c'est un réalisateur de *génie*, m'a-t-elle chuchoté à l'oreille. Enfin, c'est du moins ce que dit Bradley, car personnellement, je n'ai vu aucun de ses films. Mais ne le lui répète surtout pas : Bradley essaie de le faire signer. Pourrais-tu lui faire un brin de causette pendant que je vais vérifier quelque chose avec le chef ?

Daphne a procédé aux présentations, puis s'est éclipsée pour régler un problème de petits-fours ou autre. Charlie était peut-être aussi mignon qu'elle prétendait, mais je n'ai rien remarqué : personne ne pouvait rivaliser avec *mon* Jude Law qui, d'ailleurs, ai-je noté à ce moment-là, avait complètement disparu de la circulation. Et même si son attitude archi-fuyante me mettait aux cent coups, j'ai espéré pour lui qu'il passait une soirée formidable avec ses nababs collectionneurs, quelque part dans un coin.

— Ça va ? a demandé Charlie sitôt que j'ai pris place à côté de lui.

Il m'a dévisagée d'un air inquiet. Etais-je à ce point transparente ? Mon sourire de paralytique manquait, à l'évidence, de conviction.

— Oui, je…, ai-je bafouillé, incapable de donner une réponse cohérente.

— Qu'est-ce qui ne va pas ?

Vous ne trouvez pas que les gens sont parfois d'une grossièreté insensée ? Franchement ! Je connaissais ce type depuis trois secondes à peine, et déjà il me posait des questions personnelles. Je trouve ce comportement effrayant, *absolument effrayant*.

— Tout va bien ! ai-je lancé en me composant une attitude *ad hoc*. Quelle soirée *merveilleuse* ! Je suis tellement heureuse que je ne peux rien avaler !

— Pas même les desserts incroyables de Daphne ? Tu es *certaine* que ça va ? Tu n'as pas l'air si heureuse que ça.

— Je vais *bien*. Je vais *super* bien, ai-je répondu, ferme et catégorique, pour tenter de mettre un terme à ce chapitre précis de l'inquisition.

— Bon, alors, quoi de neuf à New York ? a enchaîné Charlie qui avait pigé la manœuvre.

— Comment sais-tu que je vis à New York ?

— La robe. Elle est super-sérieuse.

— Je l'appelle ma robe criminelle. Parce qu'elle est super-dangereuse, ai-je précisé. Ah, merci mon Dieu d'avoir inventé Azzedine Alaia !

— Comme dans *Clueless* ? a demandé Charlie en souriant.

— Exactement ! (J'ai éclaté de rire. Le moment où Alicia Silverstone pète les plombs parce qu'elle a taché sa robe Alaia est une de mes scènes préférées de toute l'histoire du cinéma.) Comment le sais-tu ?

— Je suis un fou de ciné. Dans le milieu, tout le monde porte ce film aux nues. Quand tu bosses à Hollywood, tu as tout intérêt à l'étudier de près. Je ne plaisante pas.

Ce Charlie était assez mignon, tout compte fait. Il connaissait Alaia, ce qui est un énorme plus. Attention ! N'allez pas entendre ce que je n'ai pas dit. Il n'arrivait pas à la cheville de Jude Law. Mais indéniablement, il avait un super-sourire. Ses cheveux bruns étaient peignés au pétard à mèche, il avait des yeux d'un bleu peu banal, et bien que n'ayant fait aucun effort vestimentaire –

comme la plupart des garçons qui vivent à L.A. – il était super-cool dans l'uniforme jean-T-shirt-baskets avachies. Et puis, il portait ces drôles de lunettes de prof qu'il remontait de temps en temps sur sa tête. Sa peau présentait un léger hâle, comme s'il avait passé la journée à surfer à Malibu, et son visage dégageait une impression désarmante de franchise, d'ouverture d'esprit. Naturellement, me suis-je souvenue, je préférais les garçons un peu plus complexes – comme Zach.

— Tu veux que je te montre un tour vraiment idiot ? a demandé Charlie avec un sourire.

— Oui, bien sûr, ai-je répondu, soulagée de sentir renaître ma bonne humeur.

— O.K., alors voilà ce qui s'est passé la dernière fois où j'ai rencontré une fille aussi jolie, aussi heureuse et aussi mal nourrie que toi. J'ai aspiré une gorgée de Coca à la paille, comme ceci… (Il a joint le geste à la parole.) … Et il s'est passé… *ça.*

Allez savoir comment, la paille a jailli du verre, a voleté dans les airs (aspergeant au passage de gouttes brunes le sublime canapé blanc) pour aller se loger, comme par miracle, à angle droit sous la branche de ses lunettes. J'ai explosé de rire.

— Et voilà pourquoi je suis officiellement le plus grand loser de la terre quand il s'agit des femmes, a conclu Charlie.

Des perles de Coca dégoulinaient de la paille et ruisselaient le long de sa joue. Il a grimacé, comme pour dire : « Tu vois ? »

— Mais tu es marrant ! ai-je gloussé.

Même si je jugeais *incroyablement* grossier de sa part d'avoir souligné que je n'étais peut-être pas rayonnante de bonheur, ce mec était incontestablement amusant.

— Aucune fille ne résiste au sens de l'humour. Et en plus, tu es réalisateur. Je parie que tu sors avec une actrice sublimissime.

— Du tout. Je n'ai pas de petite amie pour le moment.

— Ah… Et tu en voudrais une ?

— Je ne raisonne jamais en ces termes. Les petites amies font partie de ces rares choses qui, plus on les désire, moins on les obtient. Mais, ouais, ce serait sympa. Tout le monde a envie de tomber amoureux, non ?

Et là, brusquement, j'ai eu une illumination . *Julie.* Julie n'avait qu'une idée en tête, tomber amoureuse. S'il faisait l'effort de ne pas réitérer le coup de la paille devant elle, Charlie ferait un parfait MP pour elle, d'autant qu'il connaissait d'importantes icônes de mode comme Azzedine Alaïa. Je sais, Julie avait spécifié qu'elle ne voulait pas d'un MP « créatif », mais peut-être devait-elle élargir un peu ses horizons ?

— Et si je te présentais une de mes amies ? Quel genre de fille aimes-tu ?

— Les filles heureuses et sans appétit, a-t-il répondu d'un ton badin.

— Oh, je ne suis pas libre, je suis fiancée, ai-je annoncé avec coquetterie. Avec lui.

J'ai désigné Zach qui venait de réapparaître et se tenait dans un angle de la pièce, à bonne distance de nous, nous tournant le dos. Il s'est brièvement retourné, mais ne nous a pas vus.

— Beau mec.

— Ecoute, je peux te brancher avec une de mes amies. Mais il faudrait que tu sois plus précis. Avec quel genre de fille *exactement* as-tu envie de sortir ?

Il m'a semblé que Charlie mettait des heures à trouver sa réponse.

— Une fille *exactement* comme toi, a-t-il fini par dire en me regardant droit dans les yeux.

Vous avouerez que cette déclaration était légèrement embarrassante pour une fille qui nageait en plein bonheur avec son fiancé, comme c'était mon cas. J'ai fait tinter les glaçons au fond de mon verre tout en cherchant activement une repartie, mais Charlie a poursuivi :

— En ce moment, je viens très souvent à New York, pour mon boulot.

— Cool. Je te présenterai à mon amie à l'occasion de mes fiançailles.

— Mais je croyais que cette soirée était ta fête de fiançailles.

— Non, enfin, si, mais ici, à Los Angeles. Mon amie Muffy en organise une autre à New York. Tu n'imagines pas à quel point tout le monde est adorable avec toi, quand tu es fiancée ! C'est incroyable ! Est-ce que j'ai déjà vu un de tes films ?

— J'en doute. C'est réservé à un public d'amateurs

— C'est du cinéma d'art et d'essai ?

— Non, des comédies ! a-t-il protesté. Le problème, c'est que je suis le seul à les trouver drôles. La plupart des gens jugent mon travail déprimant. Mais selon moi, la comédie n'existe pas sans la tragédie ; malheureusement, le directeur du studio ne partage pas cet avis. Bon, tu veux que je te refasse le coup de la paille ?

*
* *

Au retour de la fête, je me sentais plutôt heureuse. Si, si, je vous assure. Une fois que Daphne m'a eu sauvée de ma détresse, je me suis bien marrée et j'avais fini par me convaincre que tout allait s'arranger très vite entre Zach et moi. Tandis que nous roulions sur Sunset pour rejoindre le Château, j'ai essayé d'engager la conversation. Il était à peine onze heures, et je crois que je cherchais à préparer le terrain pour une petite virée latino-américaine, une fois dans notre suite.

— Tu sais, chéri, même si je rayonne de bonheur, je suis… *très*, *très* déprimée, ai-je commencé tranquillement.

Zut ! Ma langue avait fourché ! Je n'avais absolument pas l'intention de dire ça.

— Tu comptes *encore* me harceler ? a riposté Zach sans quitter la route des yeux. Tu es obsédée, ma parole ! C'est tellement bizarre.

Le dialogue était enfin renoué. Et compte tenu du mutisme des jours précédents, ça m'a semblé être un progrès de taille. Mais avait-il vraiment besoin de se montrer aussi désobligeant ? Les New-Yorkais sont parfois un peu trop directs pour une fille aussi réservée que moi – quand bien même la fille en question a pris conscience qu'elle est probablement plus dévergondée que réservée.

— Mon cœur, j'aurais préféré que tu ne dises pas ça. Ce n'est pas très romantique, lui ai-je répliqué d'un ton enjoué, tout en luttant contre une furieuse envie de pleurer.

— Putain, mais c'est incroyable d'être à ce point superficielle ! Pour toi, dans une relation, tout tourne autour du cul. Tu as tout faux ! C'est bien plus profond que ça, bordel !

— Mais enfin, chéri, tu n'es pas mon meilleur ami. La plupart des gens font l'amour quand ils sont fiancés…

— Je ne suis pas la plupart des gens ! C'est pour ça que tu es avec moi. Je suis *photographe*. Je ne vis pas selon les règles des autres. Je suis qui je suis. Tu es un monstre d'égoïsme ! Ton système de valeurs a carrément un pet au casque ! m'a-t-il assené en freinant brusquement.

Il s'est mis à fixer l'obscurité de Stone Canyon. Il semblait hors de lui. Qu'avais-je donc dit ? Il me faisait encore plus flipper que Patrick Bateman dans *American Psycho* – et j'ai trouvé ce roman tellement flippant que j'ai craqué au bout de douze pages. Je n'ai rien trouvé à répondre, parce que j'étais, je crois, sous le choc de ce que je venais d'entendre. Il a fini par redémarrer, et nous avons achevé le trajet en silence. Avec un peu de chance, me suis-je dit, tout s'arrangerait de retour à New York, et une fois que ce shooting pour Luca Luca ne serait plus qu'un mauvais souvenir. De plus, me suis-je rappelé, personne n'est parfait en permanence, surtout pas moi, donc j'étais mal placée pour remplir un cahier de doléances. Et en dépit de la froideur que Zach m'avait témoignée tout au long de la soirée, j'étais encore folle de lui. Une question m'a néanmoins traversé l'esprit : comment serait-ce, *en théorie*, d'être fiancée à un garçon moins beau, mais plus affectueux, comme ce drôle de réalisateur, par exemple ? Naturellement, je me suis empressée de chasser cette idée – donc, à mes yeux, c'était une pensée qui ne comptait pas vraiment.

— Yeurkkk ! Un réalisateur ? Tu te fiches de moi ? Trop, mille fois trop *créatif* !

La réaction de Julie, lorsque je lui ai annoncé que je souhaitais lui présenter Charlie, était conforme à mes prévisions. J'étais retournée à New York depuis une semaine environ, et Julie et moi étions au salon Bergdorf pour nous faire faire un balayage. (D'après Ariette, à qui l'on peut accorder une confiance aveugle question cheveux, c'est le type de mèches qu'il faut avoir maintenant que celles par enveloppement sont *out*.) Si toutes les filles de cette ville sont à ce point obnubilées par le salon Bergdorf, c'est parce que ce lieu est tellement relaxant qu'il vous permet d'oublier tous les trucs glauques qui vous pourrissent la vie – le fait, par exemple, que votre fiancé vous a à peine adressé trois mots au cours de la semaine écoulée. On baigne ici dans la félicité pure. Le salon, qui occupe la totalité du neuvième étage du magasin, est divisé en trois grands espaces : une réception spa cieuse où trônent toujours d'incroyables bouquets de branches de cerisier en fleur, un salon réservé à la coupe et un autre dévolu à l'art de la couleur – celui où Julie et moi nous trouvions. Partout où le regard se pose, ce ne sont que miroirs, tablettes de maquillage, trolleys de manucure et pédicure. Des assistantes en blouse lilas vont et viennent pour apporter aux clientes des *caffé latte* glacés ou des sorbets à la pomme, et le staff comprend même une esthéticienne – Cherylee – qui se consacre exclusivement à l'épilation des sourcils (une spécialité aujourd'hui devenue une profession à part entière). L'institut est entièrement peint dans une nuance de parme, et les innombrables baies vitrées offrent une vue imprenable sur la Cinquième Avenue d'un côté, sur Central Park de l'autre. Quelle fille, dans un cadre pareil, ne réussirait pas à oublier qu'elle est privée de relations sexuelles depuis trois semaines ?

— Julie, ce n'est qu'une suggestion, mais peut-être devrais-tu envisager de diversifier tes options. Tu risquerais de passer à côté d'hommes merveilleux. Ce mec dont je te parle est adorable, et drôle. Si je n'avais pas déjà un MP, tu vois, je crois bien qu'il m'intéresserait.

Ce n'était pas vrai, bien sûr – en dépit de tout, j'étais folle de Zach. Mais il me fallait bien trouver des arguments pour élargir l'horizon de Julie, non ?

— Ben, si ce Charlie te plaît, largue Zach.

— J'ai pas dit qu'il me plaisait, mais que je l'aimais bien, et que *si* je n'étais pas fiancée – or, je suis on ne peut plus fiancée – c'est le genre de mec qui pourrait me plaire. Il est tellement marrant ! Et gentil, en plus. Je le placerai à côté de toi à mon dîner de fiançailles.

— Il est mignon ?

— Daphne le trouve incroyablement mignon.

— D'accord. Et *toi*, tu le trouves comment ?

— Je ne sais pas.

C'était vrai. J'aurais été infichue de déterminer si Charlie était mignon ou pas. Le seul homme envers lequel mon esprit manifestait un minimum de clarté, c'était Zach, et il confondait tous les autres dans une sorte de magma brumeux.

— Bon, raconte-moi tout, a repris Julie tandis qu'Ariette répartissait de la couleur sur quelques-unes de ses boucles. Tu avais l'air super-mal quand tu m'as appelée de chez Daphne. Que s'est-il passé, après la fête ?

— Rien de spécial, ai-je répondu d'un ton dégagé tout en feuilletant le nouveau *Vogue*.

(Dans ce salon, ils ont toujours le *Vogue* du mois prochain, quinze jours au moins avant sa parution en kiosque.)

— Ouais, c'est ça ! À d'autres ! a persiflé Julie.

Mon amie me connaît trop bien pour que je puisse la berner. Je lui ai donc rapporté cette épouvantable conversation qui avait eu lieu dans la voiture – en passant sous silence certains détails choisis.

— Yeurkkk ! Mais *comment* ose-t-il te *dire* des trucs pareils ? Ce type est un goujat ! Tu ne peux pas l'épouser, mon chou. Un mariage sans sexe serait affreusement décevant. Tu es dans le déni le plus total. Et tout le problème des gens qui sont dans le déni, c'est qu'ils ont tellement la tête dans le guidon qu'ils ne se rendent pas compte qu'ils sont dedans jusqu'au cou.

Julie tient parfois des propos inintelligibles – comme ce laïus, dont je n'avais pas compris un traître mot.

— Mais je l'aime !

D'ailleurs, il me suffisait de penser à Zach pour avoir l'impression que j'allais perdre trois kilos dans la minute suivante.

— Non, le mec dont tu es amoureuse, c'est Jude Law. Tu es amoureuse de l'idée d'être amoureuse. Tu es une indécrottable romantique.

Alors ça ! Venant du modèle même de la romantique indécrottable, c'était un peu fort de café. Et dans la mesure où Julie admet qu'elle est, elle aussi, raide dingue de Jude Law, j'aurais cru pouvoir espérer un peu de compréhension de sa part. Cela étant, il faut savoir que Julie n'a jamais rien compris aux relations amoureuses. Elle en a eu des tonnes, qui ont toutes foiré.

— Mais Zach a peut-être raison. Je suis peut-être superficielle

— *Non.* Tu le *parais*, à cause de ton obsession pour les jeans Chloé. Or c'est lui qui est superficiel, en te mettant tous les problèmes sur le dos. Qu'est-ce qui est plus chic, à ton avis ? Un blond uniforme, ou un blond retravaillé au balayage ? a demandé Julie en renversant la tête dans le bac de rinçage.

— Uniforme. Tu crois que si je renonce aux jeans Chloé, il recouchera avec moi ?

— Je n'ai qu'un conseil à te donner : ajourne.

Julie était complètement, totalement, à côté de la plaque. Ajourner ! Mais c'était impossible ! Je ne pouvais même pas envisager une seule seconde de ne pas épouser Zach. J'étais comme les disciples de Jim Jones, une fois qu'ils ont eu avalé le breuvage fatal : nulle marche arrière n'était possible. Sans compter que nous étions à J–1 de la divine soirée que Muffy organisait pour mes fiançailles. Elle s'était encore plus surpassée que Daphne, et avait confié la décoration florale à Lexington Kinnicut, le roi incontesté de la rose à New York (*la* fleur tendance qui venait de détrôner le lys.) Chez Lexington Kinnicut, la liste d'attente est aussi longue que chez Saint-Laurent pour les sacs à anse en corne. Si j'annulais mes fiançailles, et que Muffy soit contrainte d'annuler la prestation de Lexington, elle en mourrait sur-le-champ, littéralement. Sans compter que j'avais prévu de présenter Julie à Charlie au cours de la soirée : si j'ajournais, il n'y aurait ni fête, ni présentations.

Même si ajourner était absolument hors de question, à la seconde où je suis rentrée de chez Bergdorf, j'ai tout de même appelé ma mère pour savoir ce qu'elle en pensait. Je sais que ça semble paradoxal, mais la vérité, c'est que je ne savais plus où j'en étais. Sans doute commençais-je à réaliser que se précipiter devant l'autel avec Patrick Bateman était moins séduisant que convoler avec Jude Law. J'ai expliqué à ma mère que Zach et moi rencontrions quelques soucis dans le département des

Affaires brésiliennes et que, sans parler d'ajournement en bonne et due forme, envisager un petit délai pourrait être opportun. Je lui ai fait promettre de n'en toucher mot à âme qui vive, puisque la fameuse soirée de fiançailles chez Muffy avait lieu le lendemain. Il ne devait *à aucun prix* revenir aux oreilles de Zach que je nourrissais des doutes. Après tout, pourquoi gâcher une soirée exceptionnelle avant l'heure (d'autant que Lexington avait fait venir par avion deux cents orchidées de République dominicaine pour ajouter une touche d'exotisme à ses luxuriantes forêts de roses), quand je pouvais profiter de la soirée *et* tout gâcher *après* ?

Je suis sortie faire des courses, et à mon retour, quelques heures plus tard, le voyant du répondeur clignotait frénétiquement. J'attendais effectivement des coups de fil : les copines n'allaient pas manquer d'appeler pour que je les aide à décider d'une tenue pour la soirée. J'ai commencé à écouter les messages.

« Ici le responsable du Centre de conférences du château de Swyre. Navré pour l'annulation. Nous conservons les trois mille livres d'arrhes. »

« Bonjour, c'est papa. Quelle terrible nouvelle, ces fiançailles rompues. Ta mère m'a mis au courant. C'est vrai que tu n'as pas eu droit à la bagatelle depuis trois mois ? »

Bon sang ! Pourquoi faut-il que mes parents exagèrent toujours tout ? J'avais dit à ma mère trois *semaines*.

« Ici Debbie Stoddard, du *Daily Mail Diary*, à Londres. Nous sortons un article demain sur votre rupture. Pourriez-vous me rappeler pour confirmer la nouvelle ? »

— Maman, comment as-tu osé ? ai-je hurlé.

Inutile de vous dire que je bouillais de rage.

— Voyons, ma chérie, une annulation à la dernière minute, ç'aurait été cavalier à l'égard des Swyre, et très embarrassant pour moi au village. J'ai simplement prévenu les gens un peu à l'avance…

— Les Swyre ne vivent même plus au château ! C'est un centre de conférences. Qu'y a-t-il d'embarrassant à annuler une réservation, dans ce genre d'endroit ? Plus jamais je ne te confierai de secret sur ma vie privée. D'autant que je n'ai rien annulé. Je m'interrogeais juste sur le bien-fondé d'un petit délai supplémentaire.

J'ai raccroché, ivre de colère. Qu'allais-je bien pouvoir faire, maintenant ? *Pour commencer, m'assurer que Zach ne soit jamais au courant de ce pataquès.* À ce moment-là, Julie a appelé, surexcitée à l'idée de rencontrer Charlie.

— J'ai mené ma petite enquête avec Google. C'est un réalisateur qui a le vent en poupe. Super beau parti.

— Quoi ? Tu as cherché son nom sur Google ? Julie !

— Ben, tout le monde fait ça, à New York. C'est devenu la procédure standard avant d'accepter un rencard !

Parfois, à l'entendre, j'ai l'impression que dans cette ville, les relations entre hommes et femmes sont pires que dans *Sex and the City* – et Dieu sait que cette série a toujours été pour moi le modèle du cauchemar en la matière.

— Bon, bref, a repris Julie. Charlie fait des films géniaux.

— Ah bon ! Tu les as vus ?

— Yeurkkk, nooon ! Ils ont l'air trop déprimants. Dis-moi, tu crois qu'il préfère les blondes avec ou sans balayage ? J'ai encore le temps de refaire un saut chez Bergdorf.

Le lendemain, j'ai passé la journée à annuler, en douce, toutes les annulations effectuées par ma mère. Le plus traumatisant, dans l'histoire, c'était qu'il ne me restait du coup plus une seule minute pour un faux hâle ou un maquillage par un pro – or je peux vous dire que tous ces soucis étaient une telle prise de tête que j'avais le teint plus blanc qu'un lys. Mais je n'avais qu'une seule priorité : éviter que Zach découvre un jour les manigances auxquelles ma mère s'était livrée dans son dos.

Cette journée n'a eu qu'un seul aspect positif : je l'ai passée chez moi, dans mon appartement, que j'adore. Lorsque je l'ai trouvé, je n'en croyais pas ma chance. C'était une affaire en or. Il est situé en plein West Village, à l'angle de Perry Street et de Washington Street, et il occupe tout le dernier étage d'un petit immeuble en brique du début du siècle dernier. J'ai de jolies fenêtres avec une double exposition et, au loin, j'aperçois le fleuve. J'ai peint tous les murs d'un bleu azur très pâle pour les assortir au miroitement de l'eau. L'appartement n'est pas très grand - une chambre, un salon avec cheminée et une alcôve dans laquelle j'ai installé mon bureau – mais les meubles et les objets que j'ai choisis lui donnent un charme fou. J'ai réalisé une déco dans l'esprit « boudoir vintage » – mais attention, rien à voir avec ces appartements de filles farcis de fringues et de falbalas qu'on voit parfois à New York. Je suis totalement allergique aux paires de chaussures qui traînent partout, et j'ai du mal à être amie avec ces nanas qui alignent les portants de fringues en guise de meubles. Moi, mon truc, c'est le vintage classe et minimaliste, si vous voyez ce que je veux dire. Par exemple, dans le salon, il y a un beau lustre acheté à Paris, des photos anciennes aux murs et un confortable canapé bleu pâle sur lequel je bouquine des heures entières en écoutant de la musique. Dans la chambre, j'ai tout drapé dans de beaux draps anciens que ma mère chine pour moi en Angleterre – lorsqu'elle n'est pas occupée à faire des boulettes, comme annuler mon mariage sans me prévenir. Bon sang ! Ma mère ! Un cauchemar à l'état pur.

Lexington Kinnicut n'a pas usurpé son titre de roi new-yorkais de la rose. Ce soir-là, il avait transformé la salle à manger de Muffy en un immense boudoir rempli de roses et d'orchidées roses qui exhalaient un parfum si délicieux qu'on avait l'impression de plonger tête la première dans un flacon de *Fracas*. Quant aux nappes, elles étaient d'une nuance de rose si parfaitement identique à celle des fleurs qu'on aurait pu croire qu'étoffe et pétales avaient vu le jour ensemble dans la même serre. Lexington avait réussi à dégoter également des coupes de nacre rose qui débordaient de fraises. Franchement, jusqu'à ce soir-là, j'ignorais qu'il existait de la nacre rose. Pas étonnant que ce type suscite un concert unanime de louanges.

Il avait dû se passer un truc depuis notre retour de L.A., car ce soir-là, Zach s'est montré on ne peut plus adorable. Il avait constamment le sourire aux lèvres, il m'embrassait affectueusement comme si nous étions allés au Brésil la veille et il n'a pas lâché ma main de toute la soirée. Bref, ce n'était plus le même homme. Dieu merci ! Je ne m'étais pas trompée : Zach était un vrai trésor, mais sujet à des sautes d'humeur, exactement comme toutes les personnes de ma connaissance à New York. Tandis que les invités arrivaient, il m'a attirée à l'écart dans la chambre pour m'offrir un sublime collier en améthyste rose, exécuté à sa demande spécialement pour moi car il savait que le rose est ma couleur préférée. Vous imaginez mon soulagement d'avoir finalement renoncé à tout ajournement temporaire.

De toutes les héritières présentes ce soir-là, Julie était la plus rayonnante. Elle a passé son temps à flirter avec Charlie. Je ne les avais pas plutôt présentés l'un à l'autre qu'il l'a invitée à dîner. Et ils ont quitté la soirée ensemble. A la différence de mon fiancé et moi-même, qui sommes rentrés chacun de notre côté. Zach devait partir le lendemain aux aurores à Philadelphie pour son boulot, et il ne voulait pas, m'avait-il expliqué, que je l'oblige à veiller tard. En toute franchise, je crois que ça m'a un peu contrariée, mais comment protester ? Il s'était montré tellement adorable tout au long de la soirée ! Il m'avait offert ce collier, il m'avait comblée d'attentions... Néanmoins, c'était déroutant de le voir s'éclipser *justement* ce soir-là. Mais j'imagine que c'était là tout son charme · avec Zach, on ne savait jamais à quoi s'attendre.

Quelques jours plus tard, c'était son anniversaire, et c'est à partir de ce moment-là qu'il a recommencé à se comporter bizarrement. Je l'avais plusieurs fois entendu dire qu'il détestait son anniversaire car lorsqu'il était gamin, sa mère oubliait systématiquement de le lui fêter. (Ce traumatisme avait néanmoins une conséquence positive : il entretenait chez lui un état de dépression chronique très bénéfique pour son travail. Toutes les ravissantes assistantes de son agent lui serinaient à longueur de temps combien il importait qu'il soit le plus déprimé possible pour réaliser de bonnes photos.) Je lui avais proposé de l'inviter à déjeuner au Harry's Bar et j'avais même commandé chez Cipriani un gâteau décoré de ses friandises préférées. Le matin, je l'ai appelé pour savoir à quelle heure je pouvais passer le chercher à son studio dans East Village.

— Je ne viens pas. Je t'ai dit que je détestais ces anniversaires à la con. Arrête de me harceler.

— Mais je fais ça justement pour te réconcilier avec ton anniversaire ! ai-je protesté, abasourdie. Pour que ça ne te perturbe plus.

— Tu ne captes donc pas ? Ça me plaît, d'être perturbé. C'est mon mode de fonctionnement. Comment pourrais-je faire mon boulot, si j'étais tout le temps heureux, hein ?

Et il m'a raccroché au nez. J'ai essayé de rappeler à deux ou trois reprises, mais la ligne était en permanence occupée.

Il me fallait absolument sortir faire un tour, histoire de me changer les idées. Je suis donc allée retrouver Julie au salon Bergdorf, où elle se faisait faire une French manucure (ça prend des heures – et d'un point de vue technique, c'est l'équivalent, en peinture sur ongle, de la Joconde).

— Tu ne peux savoir combien je suis excitée ! s'est-elle exclamée sitôt qu'elle m'a vue. Charlie est super-mignon ! Il m'envoie chaque jour des mails super-intellos auxquels je ne pige rien. C'est adorable, non ? Et il m'emmène en vacances en Italie. Il a dit que quand il serait de retour à L.A., il m'enverrait des fleurs tous les jours. Et à L.A., il connaît, genre, tout le monde. Je crois qu'il connaît même Brad Pitt, et tu sais à quel point je voudrais que Jennifer vienne faire du shopping chez Bergdorf. Cette relation est excellente pour ma carrière... Bon, d'accord, quand il m'a embrassée, ce n'était pas exactement *Neuf semaines et demie*, mais même dans une relation amoureuse parfaite, on ne peut pas tout avoir, n'est-ce pas ? Ben... tu devais pas déjeuner avec Zach ?

Je n'ai pas eu le temps de m'expliquer parce que avant même d'ouvrir la bouche, je me suis transformée en fontaine de larmes. Voulant à tout prix me remonter le moral, Julie m'a invitée à sortir le soir même avec Charlie et elle.

— Tu comprends, il est tellement cultivé que je ne comprends rien à ce qu'il raconte. Tu pourras peut-être m'éclairer un peu.

J'ai protesté que je ne voulais pas m'imposer dans un dîner

d'amoureux et qu'avec un peu de chance, je pourrais retrouver Zach, plus tard dans la soirée. Je ne l'avais pas revu depuis notre soirée de fiançailles chez Muffy et d'ici la fin de la journée, sa mauvaise humeur se serait forcément dissipée.

Ce soir-là, Zach n'a pas appelé, et à chacune de mes tentatives pour le joindre, je suis tombée sur sa messagerie. Après un troisième message disant « Bon anniversaire, s'il te plaît, rappelle-moi », j'ai sombré dans une déprime copieusement arrosée de larmes devant la télé. Même *Access Hollywood*, mon émission préférée, n'a pas réussi à me réconforter. Et tandis que les larmes coulaient, coulaient, le joli maquillage charbonneux que j'avais concocté en l'honneur du déjeuner d'anniversaire a commencé à ruisseler sur mes joues. J'en étais presque arrivée à me ficher de la quantité de Black Ink Gel Eyeliner de Bobbi Brown (le meilleur pour le regard noir charbon, je vous le recommande) engloutie en pure perte dans l'opération, quand Charlie a appelé. Il m'invitait à les rejoindre, Julie et lui, pour dîner.

— J'ai un souci de make-up, ai-je répondu en m'essuyant les yeux. Et si je sors, ça pourrait empirer.

Je me suis regardée dans le miroir. Les traînées de khôl avaient dévalé jusqu'au niveau de la bouche – deux rivières aux eaux sombres qui partaient des yeux et longeaient les ailes du nez, jusqu'aux lèvres. Mon visage ressemblait à une crevasse. Et franchement, même sur une fille aussi jolie que moi, ce look n'avait rien de génial.

— Tu n'as pas l'air dans ton assiette, a dit Charlie. Ecoute, je passe te prendre. Julie n'est pas prête. Elle nous retrouvera là-bas.

A la seconde où j'ai franchi le seuil de Da Silvano, sur la Sixième Avenue, mon moral est remonté en flèche. Quand bien même vous avez passé la pire des journées, il y a quelque chose dans ce restaurant qui vous requinque immédiatement. Vous avez l'impression d'être dans une petite trattoria en Italie – à cette différence près que dans la salle, vous ne manquez jamais d'apercevoir des gens passionnants, comme Patti Smith, Joan

Didion ou Calvin Klein, aussi décontractés que s'ils dînaient dans leur cuisine. Julie était déjà là, installée à la meilleure table, et « totalement trauma » car elle attendait un coup de fil capital de Mooki, sa conseillère personnelle chez Bergdorf. Verrions-nous un inconvénient à ce qu'elle prenne l'appel à table ? a-t-elle demandé. Sans blague ! Julie est la personne la plus mal élevée que je connaisse. Et heureusement pour elle, c'est un trait de sa personnalité que Charlie trouve tordant. Pour faire bonne mesure, j'ai demandé à Charlie s'il verrait un inconvénient à ce que je retouche mon maquillage charbonneux devant mon assiette de langoustines. (Pour ne rien vous cacher, j'avais tout l'air de l'un des cadavres de *Six Feet Under*.) Il a ri.

— Mesdemoiselles, tout le plaisir sera pour moi.

— Oh, mon chouuuu, je t'adore. Tu es tellement accommodant ! s'est extasiée Julie en l'embrassant. Avec lui, je peux toujours tout faire comme je veux.

— Ai-je bien le choix ? lui a rétorqué Charlie avec un sourire.

— Trop mignon ! Quel gentleman ! C'est insensé. Tu savais que Charlie est à moitié anglais ? D'où ses bonnes manières…

Julie s'est interrompue en sursautant car son téléphone était en train de sonner. Sitôt qu'elle a eu décroché, elle s'est mise à crier :

— Mooki ! C'est de la parano de ma part, ou bien il y a dans cette ville un complot pervers pour m'excommunier de la scène mondaine ? Vous ne pouvez pas imaginer la honte que je me suis payée ! La semaine dernière, quand je suis arrivée chez Lara avec ce pantalon *bootcut* que vous m'avez vendu… et que je me suis aperçue que les *bootcut* étaient *out*… Elles portent toutes des caftans d'Allegra Hicks, maintenant !

Puis Julie s'est tue pour écouter Mooki qui tentait de l'apaiser, et j'en ai profité pour bavarder avec Charlie.

A mes yeux, ce garçon était aussi anglais que la Maison Blanche. Quoique né en Angleterre et portant un nom – Dunlain – d'origine écossaise, m'a-t-il expliqué, il ne se considérait nullement comme britannique. Il avait six ans lorsque son père, gavé par le snobisme et les ragots de ses compatriotes, et l'épouvantable climat anglais, avait filé s'installer sur la côte Ouest des Etats-Unis.

— J'ai passé toute ma vie dans ce pays. C'est à peine si je me souviens de l'Angleterre. Même mon père n'en parle pas beaucoup – c'est un homme assez excentrique, et renfermé. Et toi, pourquoi as-tu quitté l'Angleterre ?

— Ma mère est américaine, et j'avais toujours eu envie de vivre ici. En plus, elle était obsédée par l'idée de me marier à un Anglais de sang bleu. Beurk ! Je déteste les aristos !

— Ils sont atroces, n'est-ce pas ?

— Effroyables. Je vis dans la crainte perpétuelle de finir dans un château glacial, mariée à un comte.

— Oh, il y a pire, dans la vie… Mais je comprends pourquoi tu préfères New York.

Tandis que nous papotions paisiblement, Julie avait le visage qui virait tout entier au même rose que celui de son gloss Nars.

— Mais c'était glauquissime ! J'ai cru que j'allais vomir ! J'étais tellement humiliée… Et ça n'a fait qu'empirer quand j'ai vu les jumelles Vandonbilt avec leurs nouveaux cheveux froissés. Personne dans cette ville n'a une nouvelle coiffure avant moi, Mooki, *personne* !

— Ça barde, dirait-on, a remarqué Charlie. Vous, les filles, vous avez la vie dure.

— Tu ne peux pas imaginer les traumatismes que ça engendre d'être aussi glamour que Julie.

— Oh, si ! m'a rétorqué Charlie avec un sourire en coin. Ce soir, vois-tu, j'ai eu le plaisir d'être témoin d'un traumatisme précis : il s'agissait de choisir *le* bon jean pour venir ici. Julie m'a assuré que c'était une tâche dont la difficulté pouvait se comparer à l'ascension du Kilimandjaro. Naturellement, je me suis bien gardé de la contredire, sinon, il lui aurait fallu deux heures au lieu d'une pour se préparer.

— Tu comprends tellement bien les filles !

Franchement, ce mec était le parti rêvé. Julie avait une chance folle.

— Ah, si seulement ! a soupiré Charlie. La seule chose que je comprends, chez les filles, c'est que si tu es toujours d'accord avec elles, alors tu les « comprends ». Je me souviens d'une fois où je n'ai pas « compris » une petite amie pour qui la seule vocation d'un *boyfriend* était de servir de carte de crédit humaine sur Rodeo Drive. Elle m'a largué.

J'étais outrée. Quelle misère d'apprendre qu'il existait *encore* de telles femmes en liberté dans les rues de L.A. ! Je croyais que l'espèce avait disparu en même temps que *Dynasty*.

A présent, j'avais des soucis de make-up pour la meilleure raison qui soit : j'avais attrapé un fou rire. Quel soulagement, après ce que je venais d'endurer au cours des jours précédents ! Pendant ce temps, Julie faisait les cent pas autour de notre table, telle une lionne enragée.

— … et ensuite, j'ai sorti mon portable et tout le monde m'a regardée comme si j'étais une extraterrestre ! Les jumelles communiquent par UMTS, et d'après elles, les téléphones GSM, c'est complètement *out* !

Charlie a contemplé tendrement mon amie et a murmuré :

— Des joies irrésistibles de sortir avec une accro du shopping !

Il traitait Julie avec une sorte d'admiration craintive, mêlée d'amusement. Même si, par le passé, il avait rencontré quelques soucis avec des petites amies accros au shopping, il semblait totalement séduit par la personnalité hors du commun de Julie. Décidée à en apprendre davantage sur sa mystérieuse vie de famille – et ce uniquement dans l'intérêt de Julie, il va de soi –, je me suis lancée dans une manœuvre un peu sournoise : je lui ai demandé de me parler de sa mère.

— Ah, a-t-il soupiré. C'est quelqu'un d'assez volage. On l'avait surnommée la Girouette. Elle est partie avec un ami de mon père et maintenant, elle vit en Suisse.

— Oh, je suis désolée.

Vous voyez ? On devrait toujours s'abstenir de poser des questions indiscrètes, car on exhume immanquablement une histoire triste et ensuite, il est trop tard pour faire marche arrière.

— De toute façon, je n'ai plus guère de contacts avec elle. On s'appelle juste de temps à autre. Mon père est remarié et il est heureux maintenant.

— Et tu le vois ? Il vit à L.A., c'est ça ?

— Il a une maison à Santa Monica. On se voit occasionnellement. C'est un original, il a l'art de disparaître. Nous sommes tous un peu déracinés…

Sa voix a déraillé, et il s'est interrompu, l'air troublé. *Mais pourquoi est-ce que je fouine ?* me suis-je dit. *Pourquoi ?* Je me suis juré à l'avenir de montrer plus de réserve envers des gens que je connaissais à peine. Charlie semblait si gentil ! J'espérais que Julie l'appréciait à sa juste valeur.

Quand cette dernière a fini par ranger son Nokia modèle « camouflage » – qui à mes yeux était toujours aussi *in*, n'en déplaise aux sœurs Vandonbilt – elle a attrapé son sac et sa veste, comme si elle s'apprêtait à partir.

— Je dois filer chercher un truc, a-t-elle annoncé. Ça ne vous ennuie pas de continuer sans moi ?

Et sans même attendre notre réponse, elle s'est engouffrée dans la porte à tambour. Je n'étais pas du tout surprise. Comme je l'ai déjà dit, Julie est effroyablement mal élevée, et j'ai l'habitude de jouer les remplaçantes. J'ai expliqué à Charlie qu'il n'y avait pas lieu de s'offenser de son départ et qu'il lui arrivait fréquemment de planter ses petits amis au beau milieu d'un dîner pour une virée shopping tardive. Charlie a haussé les épaules et s'est concentré sur son assiette de tagliatelles à la truffe. Heureusement, il n'était nullement vexé. Il m'a considérée avec un regard chaleureux, fraternel. Julie partie, l'atmosphère a changé, et je me suis sentie détendue pour la première fois depuis des semaines.

— Bon, je t'ai parlé de mes parents, alors maintenant, changeons de sujet. Raconte-moi comment Julie et toi vous vous êtes rencontrées…

Le lendemain matin, j'ai retrouvé Julie chez Portofino, sur West Broadway, pour une séance de faux hâle (ils ont des cabines doubles formidables pour bronzer en duo.) Les UV ayant selon elle des pouvoirs curatifs sur sa déprime, Julie en fait presque chaque semaine. Ce jour-là, elle devait être étourdie d'amour, car j'ai remarqué qu'elle n'utilisait qu'une crème indice 8.

— Charlie est *vraiment* adorable, a-t-elle dit en protégeant ses yeux sous un masque de satin rouge qui proclamait, brodé au fil de soie rose, « DRAMA QUEEN ». Mon petit ami pense qu'il est très bien pour moi.

— Ton petit ami ? Mais, Julie… C'est *Charlie*, ton petit ami, ai-je corrigé en tartinant mes jambes de crème indice 30.

— Charlie est l'*un* de mes petits amis. Navrée de briser tes illusions, chérie, mais beaucoup de femmes ont un mari *et* plusieurs petits amis. On ne peut pas mettre tous ses diamants dans un seul coffre.

Comment Charlie le prendrait-il, s'il apprenait qu'il n'était qu'un des nombreux diamants dans le coffre de Julie ? Bon nombre de New-Yorkaises sortent simultanément avec deux ou trois mecs, au cas où ça ne marcherait pas avec l'un. Julie avait prévenu Charlie qu'elle ne pouvait lui réserver aucune « exclusivité », mais sans reconnaître toutefois qu'elle avait deux autres petits amis, car c'était un aveu bien trop anti-romantique pour une romantique aussi invétérée que Julie. J'en ai eu de la peine pour Charlie ; ça me donnait envie de le protéger, et la conversation s'est un peu envenimée :

— Donc, toi non plus, tu n'as pas l'exclusivité ?

— Bien sûr que si ! s'est offusquée Julie, abasourdie par ma question. J'ai été très claire : il ne peut sortir avec moi que si je suis la seule et l'unique.

— Julie, tu ne peux pas coucher avec trois mecs en même temps ! Ce n'est pas hygiénique !

— Et pourquoi je m'en priverais, quand il est à L.A. ? Tu peux parler, toi, mademoiselle-je-n'ai-couché qu'avec-trois-mecs-dans-ma-vie, ce-qui-est-évidemment-un-mensonge-pour-te-faire-croire-que-tu-es-plus-vierge-que-moi.

— Julie ! C'est vrai ! Je n'ai couché qu'avec trois hommes.

Strictement parlant, c'était moins vrai, mais comme j'avais toujours soutenu que ça l'était, il m'était difficile de faire machine arrière maintenant.

La vérité, ai-je réfléchi en attendant que ma peau prenne la nuance idéale (café au lait très clair, rien n'est plus vulgaire qu'un visage trop bronzé en ville), c'est que je n'ai rien contre l'idée d'être une dévergondée, tant que tout ça reste dans l'intimité. En ce qui concerne le sexe, je suis convaincue qu'une fille moderne et libérée a tout intérêt à adopter la « vierge *attitude* » afin de pouvoir s'adonner à toutes sortes d'activités pornographiques en privé sans avoir de vilaine réputation qui lui colle au train. Ainsi, même si des langues étaient assez malveillantes pour répandre de fâcheuses rumeurs à son sujet, ce serait sans gravité car personne n'y ajouterait foi. Donc, ma morale, c'est : aie l'air d'une vierge, conduis-toi comme bon te semble et tu es certaine de t'éclater.

Non pas que cela me concerne *le moins du monde*, comprenez-moi bien. Mais si jamais je voulais multiplier les *rendez-vous** nécessitant du matériel contraceptif, c'est exactement ainsi que je procéderais. Tout ce raisonnement m'a brusquement remémoré qu'en fait de *rendez-vous**, Zach et moi n'en avions eu aucun de toute la semaine – avec ou sans matériel contraceptif, du reste.

En cas de dépression nerveuse

Je consulte :

1. Un acupuncteur – 99 $ les 90 minutes
2. Un prof de yoga Ashtanga – 70 $ les 60 minutes
3. Un ostéopathe – 150 $ les 25 minutes
4. Un chiropracteur – 100 $ les 15 minutes
5. Un guérisseur indien de Gujarat, qui ne coûte rien
6. Un gynéco – 350 $ la consultation, pour s'entendre dire
   « ce n'est peut-être pas l'ovulation, mais difficile de se prononcer avec certitude »
7. Un hypnothérapeute – 150 $ les 60 minutes
8. Un thérapeute spécialisé dans le comportement cognitif –
   200 $ les 55 minutes
9. Un psychothérapeute – 40 $ pour 90 minutes (trop bon
   marché pour espérer un résultat.)
10. Une voyante – 250 $ les 60 minutes
11. Une masseuse – 125 $ les 40 minutes

Non, non, je ne suis ni au Bliss Spa ni dans quelque autre
luxueux centre de remise en forme. Je suis en pleine dépression
nerveuse et j'habite à New York. Ça revient cher.

5

Jamais, même dans mes pires cauchemars, je n'ai rêvé d'une journée qui débuterait par une invitation à une vente privée Chanel, et se terminerait par une dépression nerveuse.

Par un beau matin du mois de mai, Julie et moi petit-déjeunions au café Tartine.

— Ne lui répète pas que j'ai dit ça, ou elle me prendra pour une menteuse hypocrite, a chuchoté Julie par-dessus son *café au lait**. Mais la soirée qu'organise K.K. pour le New York City Opera a beau être universellement considérée comme LE gala de bienfaisance le plus important de la ville, elle est à quatre-vingt-quinze pour cent moins excitante que la vente privée Chanel. Montre-moi une seule fille à Manhattan qui préférera aller entendre *Don Giovanni* plutôt qu'acheter du Chanel à prix cassés, et je renouvelle mon abonnement à Equinox Gym – et je m'y tiens plus ou moins.

D'après Julie, la vente privée annuelle de Chanel est L'Evénement phare new-yorkais . c'est la croix et la bannière pour obtenir une invitation, sauf pour quelques « très rares filles triées sur le volet ».

— Mais tu en es ! Ton nom est sur la liste, a poursuivi Julie en me tendant une enveloppe blanche qui renfermait un épais bristol blanc.

CHANEL
Vente privée
Le mardi 7 mai, à partir de 7 h 15.
Park Lane Hotel, 58ᵉ Rue
Veuillez vous munir d'une pièce d'identité avec photo
Entrée uniquement sur présentation de ce carton
à nos agents de la sécurité

A la lecture de ce bristol, j'ai senti une montée d'adrénaline tellement puissante que ça m'a inquiétée. J'adore Julie, mais son rapport au shopping n'est pas... comment dire ? sain. Je n'ai aucune envie de lui ressembler, et de devenir une de ces filles dont le système hormonal est gouverné par les bonnes occases du commerce. Mais apparemment, toutes les filles ont une flambée d'œstrogènes la première fois qu'elles reçoivent ce carton-là, donc l'excitation qu'il venait de provoquer chez moi n'avait rien d'alarmant.

(Soit dit entre parenthèses à propos des agents de la sécurité, on sait que chez Chanel, ils s'y entendent mieux que le département de la Sécurité nationale pour faire régner une discipline de fer. Franchement, le Président devrait demander quelques tuyaux aux filles de leur service de relations publiques.)

L'embêtant, c'est qu'une obligation professionnelle allait m'empêcher de profiter de cette invitation. Une carrière n'étant jamais définitivement assise, si on la néglige, elle s'écroule, tout simplement. Les New-Yorkaises qui sortent trop le soir, ou qui courent trop les ventes privées ont tendance à avoir des carrières en ruines, et pour rien au monde je ne voulais rejoindre le troupeau. Le jour de la vente Chanel, il était prévu que je me rende à Palm Beach – mon vol était réservé – pour interviewer une jeune jet-setteuse qui venait d'hériter d'une demeure Art déco sur le front de mer. Elle y vivait seule – ce qui était vraiment cafard mais d'un glamour absolu.

— *Idiote !* s'est indignée Julie quand je lui ai annoncé que j'avais un empêchement majeur. Tu ne peux pas louper ça !

Je savais bien que je devais donner la priorité à cette interview, mais comment résister à la perspective d'acheter du Chanel avec autant de désinvolture qu'un T-shirt chez Gap ? De temps à autre, inexplicablement, mon système de valeurs se fait la malle, et je commets des trucs que je ne ferais jamais dans mon état normal. Ecrasée de culpabilité, j'ai appelé ma rédaction pour expliquer que l'héritière de Palm Beach avait annulé notre rendez-vous car elle était fatiguée. Ma rédac' chef n'y a vu que du feu : les mondaines ont le chic pour se dédire de leurs engagements à la dernière minute, « épuisées » qu'elles sont par leur soirée de la veille. Cela dit, lorsque j'avais appelé l'héritière en question pour me décommander, la pauvre petite chose m'avait paru un peu au bout du rouleau, donc ce n'était pas à franchement parler un bobard – plutôt un sursis qui tombait à pic pour l'une et l'autre.

Ce lundi-là, j'ai eu un mal fou à me concentrer sur quoi que ce soit. Obnubilée par l'invitation Chanel et ses promesses de sacs matelassés à cent cinquante dollars au lieu de deux mille (quoi d'étonnant à ce que vos œstrogènes deviennent zinzins !), j'avais totalement oublié que Zach et moi n'avions eu aucun *rendez-vous** depuis très longtemps. Je m'étais habituée à l'absence de fiestas brésiliennes, mais c'en était arrivé au point où Zach ne semblait même pas prêt à trouver le temps de me voir pour boire un verre. Au cours des quelques jours qui avaient précédé, chaque fois que j'avais appelé à son studio, son assistante s'était contentée d'un « Il rappellera » laconique avant de raccrocher. C'était nouveau : avant, Zach prenait toujours mes appels.

Les ventes privées les plus courues de New York sont des lieux truffés de dangers – en comparaison, la bande de Gaza a l'air pépère. Sans rire : une fois, j'ai vu K.K. quasiment assassiner sa propre cousine parce qu'elles se disputaient le même caban en cachemire, dont il ne restait qu'un exemplaire. Rien d'étonnant donc à ce que, à la veille de telles occasions, Jolene Morgan planifie ses « raids shopping ». Elle nous a convoquées, Lara, Julie et moi, au restaurant du Four Seasons sur la Cinquante-cinquième Rue Est, pour un « déjeuner stratégie ». Parfois, la santé mentale de Jolene me donne du souci, je vous assure. Le Four Seasons est le genre de restaurant où déjeunent le maire et les patrons de presse, et il n'a rien de l'endroit rêvé pour tenir un sommet de mode. Mais sans doute Jolene souhaitait-elle s'entourer d'autres brillants stratèges.

Lorsque je suis arrivée, Lara et Jolene étaient déjà en train d'analyser la carte du restaurant pour traquer les glucides planqués. Elles avaient obtenu l'une des meilleures tables de la salle, et au milieu de cet océan de puissants attablés, mes copines avaient tout l'air de deux oiseaux exotiques. Jolene arborait une robe bleu pâle très sexy, avec une taille Empire pour souligner ses jolies courbes ; Lara, qui a les plus longues jambes de Manhattan, portait une microjupe blanche et un pull écarlate. Avec ses longs cheveux blonds tirés en queue-de-cheval, elle avait un petit côté garçon manqué qui lui allait à ravir – et qui faisait enrager d'envie Jolene, même si elles sont depuis toujours les meilleures amies du monde. Quelquefois, je me dis que si Jolene considère Lara comme sa meilleure amie, c'est surtout et avant tout parce qu'elle peut la mener à la baguette.

Je me suis assise et j'ai commandé une salade et une San Pellegrino. Jolene avait un comportement de folle monomaniaque – ce qui, pour tout dire, ne changeait guère de l'ordinaire : la fixation du jour portait sur le nouveau sac matelassé rose de la collection Chanel plage. Pour lui éviter une déception – dont les répercussions seraient terribles pour nous toutes –, je lui ai fait remarquer que Reese Witherspoon ayant exhibé exactement le même à la soirée des Oscars, elles allaient toutes se jeter dessus.

— Pas de souci, m'a-t-elle rétorqué. J'ai le plan de l'étage. Je sais exactement où seront les sacs pastel : au fond de la salle de bal, derrière les twin-sets cachemire en 38.

Avant une vente privée, toutes les New-Yorkaises achètent sous le manteau des plans de l'étage auprès des services de com'. C'est le seul moyen de rafler les articles les plus intéressants.

Jolene et Lara étaient toutes les deux exténuées et encore stressées par leur soirée de la veille – un dîner super-branché dans le loft de l'un des enfants des Pink Floyd, downtown.

— Ils étaient tous, genre, descendants d'un Rolling Stone ou d'un Mama and Papa. À côté de tous ces enfants de pop stars, je me sens archinulle. Je me suis payé la Crise de Honte du siècle.

— Et moi donc ! a renchéri Lara. Cela dit, je m'en tape une à presque toutes les soirées.

C'est hallucinant à quel point Lara peut manquer de confiance en elle. Mais bon, je suppose que c'est grâce à ça qu'elle est comme un poisson dans l'eau dans l'Upper East Side.

La Crise de Honte, c'est un peu la version intellectuelle du syndrome de Fargo, car elle ne concerne ni l'apparence, ni la beauté. Seules les filles qui habitent à New York ou à Paris en souffrent, et ces crises sont très redoutées parce que apparemment, elles prennent possession de votre tête et vous tiennent éveillée nuit après nuit. En cas de crise, Jolene prend toujours un Ambien 10 mg (le somnifère le plus tendance du moment). En général, chez elle, la crise frappe sur le coup des cinq heures du matin, quand elle est enfin sur le point de s'endormir après avoir gobé un premier comprimé d'Ambien vers une heure. En bref, voici ce qui, la veille, était à l'origine de sa Crise de Honte : pendant le dîner, elle avait délesté son voisin de table de sa Rolex (un modèle vintage en or), en lui proposant de la lui rendre le lendemain au Mercer, devant un cocktail. Le petit jeu était très sexy, limite flirt, et dans le feu de l'action, Jolene avait complètement oublié qu'elle était fiancée. Quant à Lara, sa Crise de Honte s'était déclenchée lorsqu'elle avait découvert qu'elle ignorait que la cellule terroriste la plus dangereuse du Moyen-Orient avait été démantelée la semaine précédente – et qu'elle avait réalisé par la même occasion qu'elle n'avait pas rouvert le *New York Times* depuis le 11 septembre. Du coup, elle avait flippé toute la nuit à l'idée que les gens puissent ne voir en elle qu'une Princesse de Park Avenue, obsédée par son nombril et totalement indifférente à ce qui se passait en Israël ou en dessous de la Soixante-douzième Rue. (Ce qui, à dire vrai, est assez proche de la vérité, mais jamais je ne serais assez cruelle pour faire remarquer à Lara à quel point la plupart d'entre nous la trouvent d'une rare indigence intellectuelle parce que cette fille a vraiment un cœur d'or.)

— Eh bien moi, je n'ai jamais eu de Crise de Honte, ai-je dit.

J'avais déjà connu des alertes, évidemment, mais aucune, je crois, n'avait atteint le stade de la crise déclarée.

— Jamais ? s'est écriée Lara, dont le visage est aussitôt devenu plus blanc que sa jupe.

— Pfff, regarde-la ! a fait Jolene. C'est clair qu'elle n'en a jamais eu. Ça se voit comme le nez au milieu de la figure.

— Je vais acheter un truc super-beau pour la maman de Zach à la vente Chanel, ai-je annoncé, histoire de changer de sujet.

Les ventes privées Chanel conduisent la plupart des fashionistas new-yorkaises à amasser frénétiquement autant de sacs matelassés qu'elles le peuvent pour leur pomme, sans penser un seul instant aux autres. (Après quoi, elles sont victimes d'une Crise de CSM – ou Culpabilité du Sac Matelassé.) Je venais de décider de prendre le contre-pied de cette attitude, et de mettre à profit la vente du lendemain pour faire un acte de gentillesse totalement gratuit : j'allais acheter le plus beau sac à l'intention de ma future belle-mère.

— Quelle idée adorable ! s'est extasiée Lara.

— Quel affreux gâchis, tu veux dire ! a rectifié Jolene. Elle ne captera pas. Elle habite dans l'Ohio.

Ignorant cette réflexion peu charitable, j'ai aussitôt appelé Zach pour lui demander quelle couleur serait susceptible de plaire à sa mère.

— Oui, j'écoute, a aboyé une voix revêche.

C'était Mary Alice, l'assistante de Zach, qui affectait ce laconisme pète-sec si prisé par toute une clique d'assistants new-yorkais branchés qui cherchent à imiter leurs collègues de la côte Ouest. (Mary Alice a beau avoir eu son portrait trois fois dans le magazine *Paper*, cette fille est malheureuse, c'est évident. Elle est toujours fagotée dans des machins informes dessinés par ces stylistes de l'avant-garde belge, qui feraient le malheur de n'importe qui. Un jour où, pour l'aider, j'ai tenté de lui expliquer qu'il valait mieux être pétillante comme une bulle de champagne que neurasthénique, elle m'a répondu : « Ouais, c'est clair », mais n'a rien fait pour remédier à son triste état.)

D'un ton résolument enjoué, j'ai lancé :

— Salut ! C'est *Moi**…

— Je prends uniquement des messages, m'a interrompue M.A. Il rappellera.

Depuis qu'elles ont découvert que c'était la procédure standard au Q.G. de Spielberg sur la côte Ouest, toutes les assistantes de Manhattan font le coup du « Il rappellera ».

— J'ai une question à poser à Zach… C'est urgent.

— Qui est à l'appareil ?

Depuis peu, M.A. feignait de ne jamais me reconnaître. Apparemment, c'est le protocole de rigueur dans les bureaux de Calvin Klein à New York.

— C'est *Moi** !

— *Moi** qui ?

— Sa *fiancée**.

— Il rappellera.

Elle a raccroché. Que se passait-il donc avec Zach ? Ça devenait vraiment bizarre. Quand j'ai relevé la tête, Jolene et Lara m'ont dévisagée avec compassion, comme si j'avais laissé pousser mes racines ou fait Dieu sait quoi d'atrocement déprimant.

— Ça va ? a demandé Jolene tout en examinant avec suspicion le steak qu'on venait de déposer devant elle.

— Très bien !

J'ai plaqué mon sourire le plus radieux sur mes lèvres - le sourire de la fille amoureuse, celui qui proclame : *Vous ne pouvez pas imaginer à quel point je suis heureuse !* Si Nicole Kidman s'est débrouillée pour ne rien perdre de son glamour pendant qu'elle divorçait de Tom Cruise, je pouvais bien encaisser avec le sourire quelques coups de fil demeurés sans réponse. Mais je peux vous dire que c'est vraiment dur. Ce jour-là, j'ai compris pourquoi les actrices de la trempe de Nicole méritent amplement ces tonnes de vêtements qu'on leur offre : je vous promets que donner l'air de nager dans le bonheur quand ce sont des larmes qui coulent dans vos veines, c'est un sacré boulot. Franchement, Nicole ne méritait pas l'Oscar, mais le prix Nobel.

— Pourquoi ne veut-il pas te parler ? a demandé Lara.

J'ai ressenti alors comme un début de nausée. Etait-ce M.A. qui bloquait mes appels, ou Zach qui me battait froid ? J'ai lutté pour basculer tous mes doutes d'un côté. Qu'allais-je imaginer ! Zach m'adorait. Pourquoi, sinon, m'aurait-il offert ce magnifique collier ? Une explication simple s'imposait : Mary Alice ne lui passait pas mes messages.

— Ça ne vient pas de lui, ai-je expliqué en élargissant mon sourire. C'est son assistante. Elle est très mère poule. Professionnelle en…

— Salut, les filles ! Je vous ai manqué ? a hurlé Julie depuis l'autre bout de la salle.

Tout en marchant vers nous, elle a salué de la main à droite et à gauche. Julie connaît tout le monde à New York, absolument tout le monde. Ce jour-là, elle arborait le look « coffre-fort ambulant » : pendentif en forme de cœur pavé de diamants, grosse bague en or ornée d'une fleur en perles de grenat, nouvelle paire de créoles en or, bracelet en platine serti d'émeraudes. Elle trimballait également sans le moindre embarras plusieurs de ces ravissants sacs-bijoux de Van Cleef & Arpels.

— Cadeaux ! a-t-elle lancé en se laissant choir sur la banquette et en lâchant son butin sur la table.

Elle nous a tendu à chacune un des minuscules sacs. A l'intérieur, se trouvait un pendentif identique à celui qui brillait à son cou.

— Julie, non ! Tu ne peux pas ! me suis-je étranglée.

J'étais sincère, mais en même temps, j'espérais de toute mon âme qu'elle passerait outre mes protestations. J'ai une passion pour les diamants, ils font des miracles pour l'image qu'une fille a d'elle-même, surtout quand la fille en question est légèrement déprimée.

— Oh, t'inquiète, mon chou. Ils étaient quasiment donnés. Je voulais fêter l'amour, alors je nous ai acheté un cœur à chacune.

Julie avait cet air de triomphe dont je ne connaissais que trop bien la signification : un shopping perpétré selon des voies illégales.

— Julie, tu as recommencé à faucher, n'est-ce pas ? a demandé Lara.

— Presque ! (Elle a jeté des regards furtifs alentour et s'est mise à chuchoter :) Je reviens de leur vente mégaprivée réservée aux clients préférés. C'est tellement privé que quasiment personne n'est invité. Et j'y ai dégoté des trucs si bon marché, vous n'y croiriez pas ! Ces cœurs, par exemple, ils me les ont quasiment offerts.

Lara a semblé tout d'un coup se transformer en bloc de sel. Elle est spécialiste de ces brusques revirements d'humeur. Pas un jour ne passe sans que, subitement, elle se mette à tirer la gueule sans qu'on sache pourquoi.

— Mais c'est moi, leur cliente préférée ! a-t-elle dit d'une voix basse, vibrante d'intensité. Si c'est comme ça, je me casse !

Elle a balancé sa serviette sur la table, ramassé son portable et quitté les lieux d'un pas plein de hargne. Ça ne devait pas être de la comédie de sa part, car pour oublier son sac Hermès qu'elle avait attendu pendant plus de quatre ans et demi, il fallait qu'elle soit vraiment traumatisée. Pauvre Lara ! Certaines filles n'arriveront jamais à accepter la cruelle hiérarchie qui régit le système des ventes privées. Et tout ça ressemble tellement à des magouilles politiques que parfois, je me dis que ça serait cool si Condoleezza Rice venait y mettre bon ordre.

— Oups ! a fait Jolene en rassemblant précipitamment ses affaires. Il y a de la Crise de Honte dans l'air. Je vais la rattraper. Mon chauffeur viendra te chercher demain à sept heures moins le quart, a-t-elle ajouté à mon intention. Ne sois pas en retard, et n'oublie pas de voir avec Zach quel sac choisir pour sa mère.

— Bon... C'est la vie ! a soupiré Julie une fois nos deux amies disparues. (Je peux vous assurer qu'elle était en pleine Crise d'Autosatisfaction.) Certaines sont invitées aux ventes Chanel et d'autres aux soldes de diamants. *Pauvre* Lara ! Elle a besoin de réviser un peu son système de valeurs. Et puis, il faudrait aussi qu'une âme charitable la prévienne que, si elle ne fait pas gaffe, elle va devenir la fille la plus superficielle de Park Avenue. Ça fait mal au cœur.

La franchise de Julie envers ses copines est rafraîchissante, mais c'est heureux pour elle que je ne sois pas du genre concierge car sinon, la plupart de ses amies basculeraient dans le camp des ennemies.

Brusquement, Julie a pris un air solennel – qui ne lui ressemblait guère – et elle a ajouté qu'elle avait quelque chose de difficile à me dire.

— Charlie est reparti à L.A. Je suis dégoûtée, évidemment, mais j'ai insisté pour qu'il m'envoie des fleurs une fois par semaine, et il a *immédiatement* accepté...

— Quel amour ! (Elle mène vraiment ce garçon par le bout du nez.) Il y a un problème ? ai-je demandé en surprenant son regard cinglant.

— Non, aucun, puisque c'est comme ça qu'un mec *devrait* se comporter. Et le tien ne se conduit pas bien, a-t-elle précisé en baissant la voix. Il te rend malheureuse. (Ne me demandez pas sur quoi Julie se basait pour ne pas voir que je nageais dans un bonheur délirant : je n'en ai aucune idée.) Regarde-toi, tu es *complètement* anorexique, a-t-elle poursuivi. Normalement, c'est le plus beau compliment que je puisse faire à une autre fille, mais en ce moment, tu l'es tout simplement trop.

Je n'en croyais pas mes oreilles ! Selon un consensus général à Manhattan, une fille n'est jamais assez riche ni assez anorexique. Mon anorexie à moi découlait au premier chef du facteur suivant : une fille aussi follement amoureuse que je l'étais ne peut rien avaler, c'est bien connu. Cependant, j'avais passé sous silence un autre facteur – en partie responsable de l'évaporation de quelques kilos supplémentaires : la dernière fois que j'avais vu Zach, soit lors de nos fiançailles, il m'avait dit qu'il partait le lendemain à Philadelphie pour un shooting. Or, le lendemain en question, Jolene l'avait croisé au Bungalow 8, sur la Vingt-septième Rue. Quand j'ai entendu ça, je vous jure que j'ai perdu trois kilos d'un coup. Pourquoi m'avoir dit qu'il partait quand ce n'était pas le cas ?

— Tu ne peux pas épouser ce mec, a repris Julie qui ne voulait pas lâcher prise. Imagine un peu à quoi ta vie ressemblerait ! Tu as déjà pratiquement fondu d'inquiétude. Quand on est fiancée, on devrait être détendue, et heureuse.

Sur ce point précis, Julie avait tout faux. Tout le monde s'accorde à dire que la période des fiançailles est une source infinie de stress.

— Julie, en ce moment, il est sous pression. Shooter cette campagne pour Luca Luca l'a vidé, et en plus, il est très contrarié à cause de cette nouvelle photographe dont s'occupe son agent, et qui rafle tous ces papiers dans la presse.

— C'est bien ce que je disais ! Tu veux vraiment épouser un mec qui se préoccupe du nombre d'articles consacrés à la concurrence ? Que dirais-tu d'épouser plutôt quelqu'un qui se préoccupe de toi, et qui te donne la première place dans sa vie ?

— Mais il se préoccupe de moi, Julie. Et c'est l'homme de ma vie.

— Non, faux ! Et de toute façon…

Julie a poursuivi sur sa lancée. Elle parlait, parlait, et ne s'est même pas interrompue pour savourer la *panna cotta* qu'on venait de lui servir. Je voyais bien ses lèvres remuer, mais j'avais coupé le son. Je n'entendais plus un seul mot, absorbée que j'étais dans une crise de profonde introspection. Comment pourrais-je oublier les pivoines, les cadeaux, les dîners ? D'après les lois que j'avais étudiées devant des films d'une importance historique tels que *Nuits blanches à Seattle*, on ne rencontre le Grand Amour qu'une fois, et face à lui, on est frappé d'impuissance. (C'est comme Jackie et JFK : entre eux, c'était inévitable. Imaginez un peu si elle l'avait éconduit ! C'est tout le cours de l'histoire de l'Amérique qui s'en serait trouvé changé.) Je suis entièrement d'accord avec Jean-Paul Sartre, sa théorie du libre-arbitre et tout le tremblement, mais quand il s'agit de l'homme de votre vie, vous n'avez tout simplement plus voix au chapitre, même s'il vous adresse à peine la parole.

Dieu soit loué ! Tout devenait parfaitement clair dans ma tête. Ça, c'est le truc génial de l'introspection : vous vous y lancez avec le sentiment d'être aussi paumée qu'une nouille chinoise égarée dans un plat de lasagnes, et au bout du tunnel, vous pensez plus droit que la Cinquième Avenue.

La voix de Julie est revenue à mes oreilles.

— … donc, c'est ce que j'ai entendu à son sujet. Ce n'est pas un mec bien. Il a la réputation de torturer psychologiquement ses copines d'une façon super-perverse. Chérie, c'est peut-être un psychopathe ! Les gens ne racontent pas des trucs pareils sans raison.

— Je suis entièrement d'accord avec toi.

J'ignorais avec quoi j'étais d'accord, mais au moins, j'avais l'intelligence de ne pas la contredire. Avec un peu de chance, ce plaidoyer anti-Zach touchait à sa fin.

— Julie, faut que je me sauve. A demain, aux aurores.

Nous avions assez passé de temps comme ça au Four Seasons. Et je ne voulais pas entendre un mot de plus quant aux raisons pour lesquelles je devais renoncer à ce mariage. En quittant le restaurant, j'étais fermement décidée à prouver à Julie qu'elle se trompait.

J'ai rappelé Zach à la minute où je suis arrivée chez moi. Quand j'ai composé le numéro, mon doigt tremblait imperceptiblement.

— Il rappellera !

Cette fois, M.A. ne m'avait même pas laissé le temps d'articuler un son. Trop, c'était trop.

— Ecoutez, c'est gentil de proposer qu'il me rappelle, mais je voudrais une mise en relation immédiate, ai-je dit, de mon ton le plus aimable.

— Je ne suis pas une opératrice des télécom'.

— S'il vous plaît, dites à Zach que c'est sa fiancée, et que j'ai besoin de lui parler. C'est une urgence.

— Je vais prendre le message.

— Mais Mary Alice, vous ne lui passez jamais mes messages. Il n'a répondu à aucun de ceux que j'ai laissés la semaine dernière.

— Tous les messages sont notés sur son tableau. Il les a tous vus.

Je ne pense pas que M.A. était cent pour cent fiable quant à ses talents pour noter des messages. Je la plaignais d'être perpétuellement déprimée, mais ce n'était pas en « oubliant » de communiquer mes messages à Zach qu'elle allait s'en sortir.

— S'il vous plaît, l'ai-je suppliée. Passez-le-moi.

Elle a couvert le combiné de la main, et j'ai entendu un échange étouffé. Et puis – ô félicité ! – j'ai reconnu la voix de Zach :

— Quoi ?

Vous voyez ? J'avais raison, au sujet de M.A. *Evidemment* que Zach avait envie de bavarder avec moi. Mais le truc terrible, c'est qu'une fois que je l'ai eu à l'autre bout du fil, je n'ai plus su quoi lui dire.

— Quoi ? a-t-il répété.

— Rien, rien, chéri !

— Si tu n'as « rien » à dire, pourrais-tu t'abstenir de me déranger quand j'essaie de bosser ?

Ah si ! Ça me revenait. Le sac pour sa mère !

— Je voudrais acheter un cadeau à ta maman. A ton avis, elle préférerait un matelassé Chanel rose, ou bleu layette ? Ou peut-être jaune pâle ?

— Aucune idée. C'est ça, ton « urgence » ?

— J'adorerais qu'on dîne ensemble.

Silence. Intérieurement, Zach devait être très perturbé car ce jour-là, un des clichés de la nouvelle photographe recrutée par son agent avait fait la une du *Herald Tribune*. Et je le savais tellement débordé de boulot que je culpabilisais de le déranger. *Bon, je connais un moyen de lui remonter le moral*, me suis-je dit.

— Et si je t'invitais chez JoJo ce soir pour un dîner romantique ?

— C'est quoi, ton problème avec les restaurants les plus chers de la ville ? Comment suis-je supposé boucler mon travail dans les temps si je dois constamment te servir de baby-sitter ?

Parfois, je me demande si Zach me comprend. Il doit tout de même savoir que les restaurants les plus chers de Manhattan sont aussi ceux qui servent les meilleures frites ? Et en plus, je ne lui demandais même pas de régler l'addition.

— Tu n'as donc pas envie de me voir ? ai-je demandé timidement.

— Je te rappelle plus tard.

Il a raccroché.

Bon, au moins avait-il accepté de me rappeler. C'était un progrès… enfin, une sorte de progrès. Sans doute était-il juste débordé. Zach dit souvent qu'être le jeune photographe le plus en vue de New York fait peser une énorme pression sur ses épaules, alors je comprends *tout à fait* qu'il ait du mal à dégager du temps pour dîner. Mais si je réussissais à lui prouver que je pouvais me comporter en adulte et renoncer à un dîner chez JoJo, peut-être m'y emmènerait-il pour me récompenser ?

Donc, ce soir-là, même si j'étais invitée :

1. à la première du nouveau film avec Cameron Diaz,
2. au vernissage de l'expo Rothko au Guggenheim,
3. au cocktail pour la sortie du dernier ouvrage en date consacré à Lexington Kinnicut,
4. au dîner que donnait Jolene pour son analyste de peau,

j'ai décidé de me tenir tranquille, histoire d'être le plus fraîche possible le lendemain pour la vente Chanel. Je voulais aussi être chez moi quand Zach rappellerait. Comment prétendre avoir besoin d'aller chez JoJo si j'étais à quatre soirées différentes quand il se manifesterait ? Quand il appellerait, je lui dirais que je décompressais devant un DVD, car j'avais bossé comme une folle toute la journée – ce qui n'était pas entièrement faux. Cela dit, je dois vous avouer un truc : je ne possède pas de lecteur de DVD. J'ai même des objections morales et sociales puissamment argumentées envers ce type d'appareil : rien n'est plus déprimant qu'une New-Yorkaise célibataire, un lecteur de DVD et une pile de films déjà vus – c'est l'aveu que la popularité de la malheureuse a chuté dans un effroyable abîme. Si on reçoit autant d'invitations qu'une fille doit en recevoir à Manhattan, c'est à peine si on se souvient de l'adresse de son appartement, alors pour ce qui est d'avoir le temps d'y regarder des films…

J'ai résolu d'étrenner pour l'occasion mon nouvel ensemble de lingerie Agent Provocateur en résille noire rebrodée de rubans roses. Tant qu'à passer la soirée à mater un DVD qui n'existe que dans votre imagination, autant le faire dans une tenue sexy, au cas où quelqu'un vous surprendrait. Mais à minuit et demi, j'étais toujours sans nouvelles de Zach. Il devenait difficile de nier plus longtemps que l'homme de ma vie ne m'accordait pas plus d'attention qu'à un morceau de blini resté en rade sur le bord d'une assiette au Cirque. Pour la toute première fois, une pensée vraiment alarmante s'est insinuée dans mon esprit : et si Zach ne m'aimait pas ? Et si, pour reprendre le terme de Julie, j'étais bel et bien tombée sur un « psychopathe » ? Creuser plus avant la question était au-delà de mes forces. Je ne pouvais rien imaginer de plus douloureux que a) rompre avec Zach, et b) admettre devant Julie qu'elle avait eu raison à son propos. Bon sang, le b) était presque plus horrifiant que le a) !

La sonnerie de l'interphone m'a fait sursauter. Je ne reçois jamais de visites passé minuit – sauf en cas de liaison illicite, or je ne me souvenais pas en avoir commencé une ces derniers temps. J'ai décroché le combiné.

— Qui est-ce ?

— Moi, a dit Zach. Tu fais quoi ?

Qui n'aurait pas exulté à ma place, hein ? Julie avait zéro idée de l'adoration que me vouait Zach ! J'ai adopté l'attitude de la fille totalement détendue et j'ai répondu avec une indolence étudiée :

— Rien de spécial, je regarde un DVD. Monte, chéri, ai-je ajouté en déclenchant l'ouverture de la porte.

Dieu merci, je portais la tenue la mieux adaptée qui soit pour un embarquement immédiat à destination du Brésil. Me souvenant que la nonchalance était la clé du succès, je suis allée m'étendre sur mon canapé bleu pâle, dans une pose avantageuse. Et j'ai allumé une cigarette, même si je ne fume pas.

Zach est entré. Il ne m'a pas embrassée. À mon avis, il était de mauvais poil à cause de sa journée, et dans ces cas-là, il était réfractaire à toute discussion. Mais nom d'un chien, qu'est-ce qu'il était canon ! Ça m'a immédiatement coupé l'appétit, comme d'habitude.

— Rhabille-toi. Faut que je te parle.

Qu'avait-il donc de si sérieux à me dire ? Pour l'obliger, j'ai jeté sur mes épaules cette petite merveille de manteau en chinchilla – un prêt de Valentino qui se prolongeait depuis un an. Zach s'est assis sur le canapé. Il fut un temps où ma tenue de Vénus à la fourrure l'aurait amusé. Mais ce soir-là, c'est à peine s'il m'a accordé un regard. J'ai commencé à flipper.

— Je peux regarder le DVD avec toi ?

Bon sang, il était vraiment déroutant. Au moment où je me faisais la réflexion qu'il y avait peut-être un problème, voilà qu'il voulait se lover contre moi pour regarder la télé. Tout en me souvenant incidemment que je *n'avais pas* de lecteur DVD, j'ai répondu avec une assurance sans faille :

— Bien sûr, j'ai le dernier Scorsese. Ça te dit ?

Son visage s'est éclairé. Zach adore les films de Scorsese – que pour ma part je trouve atroces.

— Et si je nous préparais d'abord un mojito ?

Je peux vous assurer que c'était le branle-bas de combat dans ma tête. Maintenant que j'avais fait carton plein avec le film de Scorsese, le principal était de faire en sorte que Zach croie que j'avais *à la fois* le film *et* un lecteur de DVD, sans lui laisser l'occasion de découvrir que je ne possédais ni l'un ni l'autre. Et que le réalisme décapant de Scorsese ne m'inspirait que du mépris.

— Non, je préfère juste regarder le film.

— Comme tu voudras ! ai-je lancé d'une voix enjouée.

Mets-toi dans la peau de Nicole Kidman, me suis-je dit. *Joue le rôle de la belle et parfaite petite amie capable de dépasser son trauma et exécute une performance digne de remporter un Oscar.* J'ai enfilé une paire de Manolo à talons vertigineux et j'ai laissé glisser le chinchilla de mes épaules. Zach n'allait tout de même pas insister pour regarder un film en me voyant en lingerie affriolante et talons aiguilles, non ? Je me suis dirigée vers le placard où je « rangeais » le lecteur de DVD, et là, bingo ! j'ai senti une main m'effleurer le dos. Ah, ah ! Ce petit ensemble en résille finissait par m'emmener quelque part. Un tour de poignet plus tard, nous étions emmêlés sur le canapé, et toutes mes inquiétudes appartenaient à l'histoire ancienne. Comment avais-je pu nourrir autant de suspicion à propos de ce prétendu déplacement à Philadelphie ? *Je retire tout ce que j'ai pu penser*, me suis-je dit. Après cette soirée, ça va redevenir aussi bien qu'avant.

Zach a multiplié les marques d'attention à tous les points sensibles et stratégiques. S'il vous plaît, ne répétez ce qui va suivre à personne, sinon on dira que je suis une horrible frimeuse et que je n'ai eu que ce que je méritais. Mais voilà : je brûlais d'envie d'annoncer à Julie que mon histoire d'amour redémarrait de plus belle et que nous étions en train de fouetter un sacré tiramisu sur le canapé. Pendant que Zach visitait le Brésil, j'ai attrapé mon portable et, discrètement, j'ai envoyé un texto à mon amie (Daphne m'avait montré comment s'y prendre tout en étant physiquement limitée dans ses mouvements) :

génial sur toute la ligne zach fait tiramisu d'amour xxx

La réponse est arrivée immédiatement :

tu me prêtes la prada ourlée lapin pour la soirée frick ?

Parfois, Julie se plante du tout au tout dans ses choix vestimentaires. Je savais bien que la robe Fendi en mousseline s'accorderait mieux avec ses cheveux, mais je craignais que Zach ne remarque mon manège si j'envoyais un autre message.

— Mon cœur, allons sur le lit, ai-je soufflé en lui prenant la main. Nous avons toute la nuit devant nous.

Mais pour toute réponse, il a fait une drôle de tête, puis il s'est levé et a commencé à se rhabiller. Après un moment, il a lâché :

— On ne va pas se marier. Voilà ce que je suis venu te dire.

— Mais… On vient juste de… Enfin, tu sais bien…

— Et alors ? a-t-il rétorqué en regardant fixement par la fenêtre.

J'ai renfilé mon string et mon chinchilla et je me suis accroupie contre le mur, sous la « Noyade » que j'avais accrochée quelques semaines auparavant. Qu'avais-je fait ? Comment avions-nous basculé en aussi peu de temps de la phase « crème de corps parfumée et lingerie coquine » à ça ? Qu'avait-il bien pu se passer depuis la dernière fois que nous nous étions vus ?

— Mais… pourquoi ? ai-je demandé dans un filet de voix.

— Ecoute, on s'est bien amusé, considérons qu'on est quitte et passons à autre chose, m'a-t-il répondu sans même me regarder.

— C'est à cause d'une autre fille ?

— Non, c'est à cause de toi. Tu es trop égoïste pour moi. Je n'ai plus envie de quelqu'un comme ça. J'ai besoin d'une fille vraiment indépendante. De quelqu'un qui ne réclame pas constamment de l'attention.

Tandis qu'une larme solitaire coulait le long de ma joue, mon téléphone a émis un bip.

— Excuse-moi, ai-je murmuré en pianotant pour faire apparaître le message.

génial ! le bonjour à Zach julie.

— Julie te dit bonjour, ai-je transmis d'une voix étranglée tout en commençant à grelotter, alors qu'il ne faisait pas froid.

— Comment peut-elle savoir que je suis là ? a répliqué Zach, acerbe. Personne n'est au courant de mes faits et gestes.

Sourcils froncés, il m'a dévisagée d'un air suspicieux.

— Eh bien… Mmm, je crois… j'ai dû…

Je n'ai jamais pu m'expliquer vraiment car Zach m'a arraché le téléphone des mains. Le moment était bien plus critique que lorsqu'il avait failli découvrir que je n'avais pas de lecteur de DVD.

— « Tiramisu » ? Tu envoies des textos à tes copines pendant qu'on baise ? Egoïste est un mot trop faible pour toi ! a-t-il hurlé.

— Je peux m'améliorer, chéri, ai-je plaidé en me relevant. Je sais, je suis affreusement égoïste, mais je peux faire des efforts.

— Non, tu ne peux pas ! Avec toi, c'est toujours Moi, Moi, Moi ! Il t'arrive de penser à quelqu'un d'autre que toi ? Il t'arrive de penser à *moi* ?

— Mais je ne fais que ça, penser à toi ! Ma seule et unique préoccupation, c'est comment te rendre heureux…

— Et c'est sans doute pour ça que tu as oublié de me demander comment s'était passé mon rendez-vous chez le toubib aujourd'hui ?

— Mais tu refuses de me parler, lui ai-je rétorqué d'une voix implorante. Ton assistante fait systématiquement barrage.

— A ma demande !

Je pleurais à présent comme une madeleine. Une rivière de larmes hystériques et aussi grosses que des diamants Harry Winston ruisselait le long de mes joues.

— Comment je peux savoir ce que tu veux, si tu ne me permets pas de te parler ?

— Arrête de toujours demander ! a-t-il crié. Tu devrais le savoir, c'est tout.

Je me suis laissée choir sur le canapé, mais mes jambes m'ont lâchée et je me suis affalée sur ma peau de zèbre, moitié agenouillée, moitié gisante aux pieds de Zach. Les femmes mariées doivent être sacrément futées si l'une des obligations du mariage est d'être capable de penser à tout ce dont leur mari a besoin sans avoir à communiquer avec lui. Zach s'est dirigé vers le placard et l'a ouvert d'un geste brusque. Comme je m'en doutais, il n'y avait pas l'ombre d'un lecteur de DVD là-dedans.

— Tu n'as même pas de lecteur de DVD, hein ? Tu as des « objections sociales » contre eux, c'est ça ? Tu n'aimes pas Scorsese non plus. Tu n'as jamais vu *Apocalypse Now*.

— Ça, c'est de Francis Ford Coppola, chéri.

— Pourquoi faut-il toujours que tu me contredises ? s'est-il remis à hurler. Quand tu aimes quelqu'un, tu partages ses opinions. Mais c'est ça le problème, hein ? Tu es incapable d'aimer quelqu'un à part toi. Sans compter que tu ne t'aimes pas toi-même ! Tu ne sais même pas qui tu es. Et tu serais infichue de reconnaître une apocalypse, à moins qu'elle ne porte une étiquette Gucci.

— En fait, je préfère Chloé, ai-je murmuré, accablée de tristesse.

Vous voyez ? Zach ne savait rien de moi, même pas un détail aussi essentiel.

Il m'a contemplée d'un regard vide, puis il a déverrouillé la porte d'entrée et il est parti. On pourrait dire que j'ai appris ce soir-là ce qu'était une « Crise de Honte ». Mes larmes coulaient maintenant plus vite qu'une avalanche ne dévale les pistes d'Aspen. Et comme si cette situation n'était pas déjà assez terrible en soi, il allait sans dire que jamais plus de ma vie je ne pourrais revoir *Le Talentueux M. Ripley*.

6

J'entendais des chuchotements :

— Elle doit vraiment être au fond du trou, pour louper la vente Chanel. Peut-être était-elle vraiment amoureuse...

— Moi, j'ai toujours trouvé ses photos glauquissimes. Pas question que j'épouse un mec qui s'extasie sur la beauté d'un camion noyé dans un lac !

Une porte s'est ouverte.

— Chuuuut, vous deux ! Vous allez la réveiller. Je descends à la pharmacie acheter du Xanax. Surveillez-la, mais *en silence.*

La porte s'est refermée.

Où étais-je ? Remuer les jambes, ou les bras, ou encore ouvrir les yeux me demandait un effort surhumain. Mon corps me faisait l'effet d'être un morceau de brie qu'on aurait oublié de ranger dans le réfrigérateur. Toutes les deux ou trois minutes, une douleur insoutenable me vrillait le crâne, comme si une aiguille s'enfonçait au-dessus de mon sourcil droit.

J'ai entendu des soupirs, puis les messes basses ont repris :

— Non, mais regarde-la ! Elle est complètement anorexique. Mais rien à voir avec les super top models. Elle, ce serait plutôt Karen Carpenter[1]. Ça craint !

— D'après ce que je sais, elle s'est pointée ici à cinq heures

---

1. Célèbre chanteuse pop des années soixante-dix, morte à trente-deux ans des conséquences de longues années d'anorexie. *(N.d.T.)*

du mat', en larmes, en se plaignant d'une Crise de Honte phéno-ménale et en racontant que son mariage était à l'eau. Julie m'a dit qu'elle portait juste un string et un manteau en chinchilla volé.

A l'évidence, il s'était produit une catastrophe nuptiale. Mais la magie des anxiolytiques comme le Xanax, c'est qu'on peut être à l'épicentre de sa propre tragédie sentimentale sans même le remarquer.

— Elle aurait été extraordinaire en robe de mariée. Ooooh, quelle misère ! Vera Wong va flipper un max. Il paraît qu'elle est allée trois fois en Inde pour superviser personnellement les broderies de perles sur le voile. Ce devait être le voile le plus exclusif qu'elle ait jamais créé. Ç'allait prendre une année entière pour le broder. Que va-t-elle en faire, maintenant ?

— Pourquoi ne l'aides-tu pas ? Tu pourrais racheter le voile pour ton mariage. Ce serait sympa. Et en plus, ce serait toi, la mariée avec le sublime voile de Vera.

— Ah ouiiiiii ! Je pourrais le racheter à titre de bonne action spontanée.

— Et tu passerais aux yeux de tous pour la plus généreuse de ses amies. Bon sang, tu imagines un peu, l'humiliation d'un mariage annulé ? Tu imagines, être la fille qui a *failli* se marier ? Comment osera-t-elle se montrer à nouveau chez Cipriani pour boire un Bellini ? Yeurkkk, la honte !

Avec un peu de chance, ces âmes secourables m'avaient fait admettre dans un charmant asile de fous, comme le Service des Fiançailles rompues de l'hôpital Mont Sinaï.

— Tu sais à quel point je déteste les ragots, et tu dois me jurer de ne répéter ça à personne, mais j'ai entendu dire que ça a cassé parce qu'il l'avait surprise en train d'envoyer un texto à Julie pendant qu'il la… enfin, tu vois…

— Quoi ?!

Les murmures ont repris de plus belle, ponctués par des *pssst*, *chhhhhpsssst*, *pssst*.

— Noooooon !

— Siiiiiii !!!

— Oh, mon Dieu, mais c'est génial ! Tu crois qu'elle pourrait m'apprendre la technique ?

J'ai entrouvert un œil. La pièce était plongée dans une obscurité quasi-totale, mais j'ai vaguement distingué deux chevelures blondes qui s'agitaient frénétiquement.

— Daphne vous apprendra, ai-je soufflé.

Les deux têtes se sont redressées d'un coup, et Lara et Jolene m'ont dévisagée.

— Dieu merci, elle est vivante ! s'est exclamée Jolene.

— Où suis-je ?

— Chez Julie. Dans la chambre d'amis, celle que vient de refaire Tracey Clarkson, tu sais, la décoratrice qui refait absolument tous les intérieurs d'Hollywood. C'est tellement chic que ça dépasse l'imagination.

— Pourquoi je suis là ?

— Ton fiancé t'a larguée sans pitié après avoir baisé et…

— Yeurkkk ! a crié Lara. Quel besoin de s'étendre sur les détails sexuels intimes ?

Même le Xanax, hélas, n'a pas le pouvoir d'effacer de tels souvenirs. Chaque seconde de cette effroyable scène était imprimée au fer dans ma mémoire. J'étais encore sous le choc, et cela me donnait la nausée. Maintenant, je sais exactement ce qu'a dû ressentir cette malheureuse fille dans *L'Exorciste*.

— Chérie, il faut que tu manges, a dit Lara. Que voudrais-tu ? On va commander au service d'étage.

— Un couteau à dessert en argent suffira.

— Quoi ?

— Un couteau à dessert, en argent. Pour me trancher les veines avec style.

— Elle est complètement clinique, a chuchoté Jolene à l'oreille de Lara.

Oh, parfait, me suis-je dit. En ce cas, on allait sans tarder me transférer au *We Care Spa*, ce superbe centre de thérapie en Californie. Les publicitaires new-yorkais sont régulièrement cliniques, car ça signifie qu'ils peuvent s'y octroyer des vacances presque une fois par mois et y soigner leurs R.P. Il paraît qu'on y pratique les massages japonais dernier cri, ceux avec des pierres chaudes.

Ce qui est tragique avec le Xanax, c'est que quelqu'un – Julie, dans mon cas – finit toujours, à un moment donné, par vous annoncer que vous en avez assez pris. Et lorsque quelques heures plus tard, les effets des cachets se sont dissipés, j'ai senti la terreur se faufiler jusque sous les draps, la solitude m'étreindre et m'envelopper comme les fragrances d'une des bougies Diptyque de Julie. J'ai commencé à transpirer, mon visage est devenu moite, ma peau brûlante. Je venais de prendre conscience d'une évidence vraiment glauque : quel que soit le talent et la renommée de celui qui avait pensé la déco de la chambre d'amis qui l'a recueilli, un cœur brisé reste un cœur brisé. Et il me fallait prévenir de toute urgence Julie que, hélas, en dépit de leurs quatre cent soixante-treize fils par centimètre carré, ses draps Frette n'offraient aucune protection contre les tragédies sentimentales. Je pouvais en parler de triste expérience. J'ai appelé mon amie, qui est arrivée sur la pointe des pieds.

— S'il te plaît, laisse-moi téléphoner à Zach, l'ai-je suppliée d'une voix éraillée. Je dois tirer tout ça au clair.

Julie avait veillé à ne laisser aucun téléphone à portée de mes mains.

— Dans la vie, il n'y a que les fiançailles et les divorces qui rendent les gens heureux, m'a-t-elle répondu. Tu as du bol d'avoir échappé au pire. Ne l'appelle pas, ça ne ferait qu'aggraver ton état.

— Mais je l'aime ! ai-je protesté faiblement.

— Tu n'es pas amoureuse de lui. Tu es juste en manque. Comment pourrais-tu aimer quelqu'un que tu as à peine vu ? Mon psy dit que tu es amoureuse d'un idéal romantique. C'est l'idée que tu t'es faite de lui, et non pas qui il est réellement que tu désires. Parce que la réalité, c'est que ce mec est un monstre.

Rien ne m'agace davantage que recevoir un avis professionnel non sollicité. Qu'est-ce que le psy de Julie pouvait savoir de l'homme de ma vie ?

— Mais alors, pourquoi tous ces cadeaux ? Pourquoi m'avoir dit que j'étais la fille la plus spirituelle de Manhattan ? M'avoir demandé de l'épouser ? Ça n'a pas de sens.

— Tu sais quoi ? Au contraire, ça fait pleinement sens. Pour un mec tel que Zach, qui a un peu de fric et de style, c'est facile d'emballer une fille. Ce qui est bien plus compliqué, c'est d'être vraiment avec elle et de lui faire une place dans sa vie. C'est simple : il préfère la chasse à la prise, a-t-elle conclu.

Julie se prenait pour Oprah, ou quoi ?

— S'il te plaît, laisse-moi l'appeler…

— Chuuuuut, repose-toi…

Elle est repartie, en oubliant son portable sur le lit. Ni une ni deux, j'ai composé le numéro de Zach. Après les inévitables négociations avec son assistante, j'ai réussi enfin à l'avoir en ligne.

— Ouais, j écoute.

Il avait l'air tout à fait normal. Avais-je rêvé ? Peut-être ne s'était-il rien passé…

— Zach, on devrait se voir pour… discuter…

— Je suis charrette.

— Mais c'est important ! On devrait parler de tout ça.

— Je pars en déplacement. Je te rappellerai.

Il a raccroché, et j'ai replongé dans le désespoir. J'avais beau savoir qu'il s'était comporté de façon effroyable, je crois bien que je l'aimais toujours. Quoi de plus intolérable qu'être folle amoureuse d'un mec qui n'est plus fou amoureux de vous ? Comment avions-nous pu passer de « C'est tellement craquant que tu ne saches pas cuisiner » à *ça* ? Il me semblait avoir échoué dans l'un de ces films suprêmement déprimants avec Meryl Streep, où les personnages habitent en banlieue, portent des fringues moches et ne comprennent rien au naufrage de leur couple.

— Jamais il ne reviendra vers moi, ai-je geint quand Julie a repassé la tête par la porte de la chambre un moment plus tard. Je l'ai appelé, il m'a dit qu'il partait en déplacement.

— Pourquoi t'obstines-tu ? a-t-elle riposté avec exaspération. Je ne comprends pas ! Je te l'ai dit, ce type est un monstre, et là, il te le prouve.

Je savais pertinemment que Julie avait raison, mais ça ne rendait pas la situation plus facile à gérer pour autant. Il existe à New York un schéma de comportement irrationnel très répandu chez les filles : plus un homme leur en fait baver, plus elles désirent le récupérer. Si elles réussissent, le type se montre en général encore plus odieux qu'avant. Du coup, elles le larguent

sous prétexte qu'il est odieux – comme il l'avait toujours été –
et ensuite elles recouvrent un air sain et équilibré. Le principal
objet de cet exercice consiste à devenir celle qui rompt au lieu
de celle qu'on largue. Vu que Julie est sans doute la fille la plus
irrationnelle de cette ville, j'aurais cru pouvoir compter sur un
peu de compréhension de sa part.

Cela dit, elle n'a pas ménagé sa peine pour me remonter le
moral. Malheureusement, ses bons offices ne faisaient qu'ac-
croître ma détresse. Par exemple, quand elle m'a dit : « De toute
façon, il ne méritait pas une fille aussi géniale et jolie que toi »,
je me suis enfoncée d'un cran supplémentaire dans la déprime.
N'est-ce pas précisément ce qu'on dit aux filles qui ne sont ni
particulièrement géniales, ni jolies pour essayer de les consoler
quand elles viennent de se faire larguer ?

J'ai passé trois jours claquemurée dans la chambre d'amis de
Julie. Zach n'a jamais rappelé, et j'ai fini par développer un cas
sévère de rupturexie – cette maladie dont souffrent toutes les
filles de New York et L.A. après une séparation, et qui vous rend
tellement anorexique que vous flottez dans du trente-deux.
J'étais incapable d'avaler une seule bouchée – pas même une
miette de ces madeleines à la vanille que j'aime par-dessus tout
et que Julie avait commandées chez Magnolia Bakery. Je
n'avais plus que la peau sur les os et croiser mon reflet dans un
miroir me sapait ce qui me restait de moral. Pour tenter de me
requinquer, Lara répétait que si seulement elle pouvait, elle
aussi, contracter une rupturexie, elle arrêterait de se ruiner en
consultations de nutritionnistes et séances de gym avec des
profs particuliers. La vérité, c'est que je ressemblais à une
baguette et que je me sentais aussi écorchée qu'un sushi de
turbot chez Nobu. Sauf que le sort d'un sushi de turbot est plus
enviable, car au moins, il fait envie à tout le monde, alors que
moi, je n'intéressais personne. Et croyez-moi, quand vous vous
sentez moins désirable qu'un morceau de poisson cru, vous ne
pouvez plus ignorer que vous venez de prendre pension à l'hôtel
des Cœurs Brisés.

D'autres signes indiquaient que j'allais vraiment *très**, *très**
mal. Par exemple, les seuls CD que je supportais d'écouter étaient
ceux de Mariah Carey – ce qui, avec le recul, était presque aussi

inquiétant que les symptômes de rupturexie. Lorsque Julie m'a proposé un rendez-vous avec Xenia, la manucure polonaise attitrée des shootings du magazine *W*, la fille qui lime tous les ongles célèbres, j'ai décliné l'offre d'un « non, merci » geignard. Quand on sait combien je suis accro aux manucures, et que j'ai mal aux ongles s'ils ne sont pas vernis en rose transparent avec le Candy Darling de NARS, on mesure à quel point j'étais à côté de mes Manolo. Mais vous voulez que je vous dise ? Le mal aux ongles, c'est *peanuts* en comparaison de la souffrance que j'endurais à ce moment-là.

Le quatrième jour, Julie a annoncé que nous sortions. Les jumelles Vandonbilt donnaient un déjeuner afin de récolter des fonds pour une école de filles qu'elles finançaient au Guatemala. Les jumelles avaient le don de mettre à mal l'image que Julie avait d'elle-même car, même si elles étaient bien plus riches que mon amie, elles se comportaient en filles fauchées et cool qui passaient leur temps à aider leur prochain.

— Elles m'exaspèrent, a fulminé Julie. Elles ont cette manie d'incliner la tête, pour montrer qu'elles t'écoutent attentivement, et de ne jamais prononcer un mot plus haut que l'autre, comme si elles étaient la perfection incarnée. Et après, dans un moment de faiblesse, elles débarquent chez Barneys et claquent des milliers de dollars en maquillage et autres conneries dont tu n'as même pas idée.

— Je ne veux pas y aller. J'ai trop honte pour oser ressortir un jour de cette maison.

— Ecoute, ma belle, je ne meurs pas d'envie d'y aller moi non plus, mais je veux prouver à ces jumelles que moi aussi je sais être charitable. Je ne comprendrai jamais pourquoi elles s'obstinent à vivre dans cet appart qui ne ressemble à rien et à porter des fringues médiocres quand elles pourraient se payer ce que Dolce & Gabbana font de mieux. Et toi, tu ne peux pas rester cloîtrée ici jusqu'à la fin des temps, a-t-elle ajouté affectueusement. A un moment donné, il te faudra bien mettre le nez dehors.

Je me suis extraite du lit au prix d'un gros effort et, tant bien que mal, j'ai réussi à m'habiller. Mais lorsque je me suis vue dans le miroir, avec mes cheveux raplapla, mon visage bouffi et marbré et mon pantalon à deux doigts de glisser des hanches, j'ai paniqué. Je ressemblais à une de ces groupies neurasthéniques de Marc Jacobs qu'on croise dans ses boutiques de Bleeker Street le samedi. A cette différence près qu'elles, elles dépensent des fortunes pour avoir l'air à ce point sous-alimentées. Julie, toute pimpante en robe bain de soleil d'un rose optimiste, a adoré mon look neurasthénique.

— Tu es « héroïne chic » à mort. Les jumelles vont se suicider en te voyant.

Bon… Cette visite aurait au moins une conséquence positive, me suis-je dit.

Julie tenait absolument à s'arrêter boire un *latte* décaféiné à la brasserie Pastis, dans l'ancien quartier des abattoirs, avant d'affronter le déjeuner, « pour se mettre dans l'ambiance *downtown* », m'a-t-elle expliqué.

Cette seule perspective m'a emplie de terreur : Pastis est pour ainsi dire l'endroit le plus branché de New York. Que se passerait-il si jamais j'y croisais des gens susceptibles de détecter que mes fiançailles étaient rompues ?

— T'inquiète ! a fait Julie en remarquant mon air alarmé. On ne tombera sur personne qu'on connaît. Qui se pointe dans West Village avant midi ?

Une fois dans la voiture, j'ai commencé à reprendre du poil de la bête. C'était pas mal d'être enfin sortie du lit et assez amusant de rouler dans le nouveau 4×4 de Julie, tout capitonné de cuir caramel. Les crises de larmes s'étaient calmées, et tandis que nous descendions la Cinquième Avenue, j'ai même réussi à bavarder.

— Tu veux venir à la plage, ce week-end ? a demandé Julie. Tu aurais la maison d'amis pour toi toute seule. Et papa serait ravi de te voir.

— L'idée est tentante !

— A la bonne heure ! Tu vas te remettre d'aplomb si vite que tu ne t'en apercevras même pas.

Mais voilà bien tout le problème, avec un cœur en mille morceaux : au moment où vous sentez que l'hystérie cède du terrain, elle revient vous mordre la cheville, et vous replongez dans une crise pire que les précédentes. Tandis que nous foncions sur la Cinquième Avenue, j'ai aperçu une pub pour le bijoutier De Beers, une immense affiche. Cette énorme photo de bague sertie de trois diamants, accompagnée du slogan : POUR LUI DIRE TROIS FOIS JE T'AIME, a déclenché ma première crise de larmes de la journée. A quoi donc jouaient-ils, chez De Beers ? Ignoraient-ils que ces pubs étaient extrêmement traumatisantes pour la population en rupture de bans ?

— Oh, mon Dieu ! s'est écriée Julie, paniquée. Qu'est-ce qui se passe ?

— C'est cette photo de bague, ça m'a rappelé…

— Mais ma puce, tu n'as jamais eu de bague de fiançailles, donc ce n'est pas vraiment pertinent.

— Je sai-ais, ai-je pleurniché. Mais imagine si j'a-avais eu une ba-ague à quel p-point je serais tr-aumatisée. Bon sang, c'est insupportable.

— Tiens, prends donc un mouchoir en papier Versace, ils font un bien fou.

Une fois mouchée, j'ai tenté de me concentrer sur un sujet neutre – l'habitacle de la voiture, par exemple. Mon regard s'est posé sur le vide-poches en face de moi, et l'exemplaire du *New York Magazine* qui y était glissé. « Les vingt-cinq demandes en mariage les plus romantiques de Manhattan », annonçait l'un des titres de couverture. J'ignore qui était le rédac'chef de ce magazine, mais c'était forcément un pervers. De fil en aiguille, ça m'a fait penser à mon travail et à cette interview de la fille de Palm Beach que j'avais totalement oublié de reprogrammer. Mais dans l'immédiat, je n'avais pas la force de remédier à cette négligence. J'ai fermé les yeux, pour ne les rouvrir qu'à l'instant où le chauffeur nous a déposées devant Pastis.

Ainsi que l'avait prédit Julie, la brasserie était déserte. Nous nous sommes installées sur une banquette d'angle pour siroter nos cafés. La crise était passée, je me sentais mieux. Pastis est un endroit absolument formidable et notre serveur était super-canon. Pendant que Julie feuilletait un magazine *people*, j'ai essayé d'avaler quelques bouchées d'œufs Benedict.

— Julie, tu crois que c'est vraiment vrai, ce qui m'est arrivé ?

— Ben, a fait Julie en brandissant son magazine, c'est écrit là, et une fois que c'est là-dedans, ça devient officiel.

J'ai carrément manqué de m'étrangler. Comme vous le savez, question potins, je suis croyante. Si ma tragédie s'étalait dans les pages d'un magazine *people*, tout était forcément vrai. C'était monstrueux.

— Oh non ! Ce n'est même plus un secret ? C'est atrocement gênant !

— Regarde le bon côté de la situation : puisque tout le monde est déjà au courant, tu n'auras pas besoin d'expliquer aux gens que le mariage est annulé. Franchement, c'est mieux ainsi. La publicité négative gratuite a parfois des avantages.

— Hé, saluuuuuut ! a piaillé une voix haut perchée.

C'était Crystal Field – une fille bien trop jolie pour mes nerfs présentement en lambeaux. Elle était toute bronzée et transportait un cabas riquiqui d'où dépassait une tête de chuhuahua nain ornée d'un nœud pap' rouge. Le « teacup » est le nouveau toutou branché – parce qu'on peut le trimballer en bagage à main dans ces mini-cabas de Chinatown qui font fureur actuellement quand on prend l'avion pour Paris. En fait, Crystal est l'archétype de la fille parfaite, et c'était tout simplement tragique qu'elle apparaisse dans ma vie pile à ce moment-là. Elle rayonnait tellement que c'en était déprimant. Quelques secondes plus tard, Billy, son petit ami, l'a rejointe. Billy est un garçon splendide, et super-branché lui aussi. Ils se sont pris la main, tel un couple ouvertement « amoureux ». Mais ce détail-là ne me minait pas outre mesure : Crystal et Billy formaient un couple trop tendance pour avoir une vraie relation. Ça n'allait pas durer.

— Vous êtes super-bronzés, tous les deux, a remarqué Julie.

— On rentre de notre lune de miel, a expliqué Billy.

Pourquoi les couples qui nagent en pleine félicité nuptiale éprouvent-ils ce besoin injuste de s'afficher et de maltraiter les célibataires comme moi ? C'est du pur égoïsme.

— Alors, c'est pour quand, ton mariage ? a lancé Crystal de but en blanc.

Je l'ai dévisagée avec des yeux de merlan frit. Jamais, de toute ma vie, je n'avais enduré de situation à ce point humiliante. J'allais devoir expliquer, devant témoins, que je n'avais plus de fiancé. Il m'a fallu un petit moment avant de pouvoir répondre – un si long moment, en fait, que Crystal et Billy se sont regardés nerveusement et que le chien s'est mis à japper.

— C'est annulé, me suis-je contentée de dire.

— Yeurkkk !!! a fait Crystal.

— Ouais, yeurkkk !!! a renchéri Billy.

A New York, même les mecs supposés hétéros ont commencé à pousser ces grincements suraigus pour imiter leurs copines. Billy et Crystal se sont excusés précipitamment, avant de détaler comme des lapins. Personne n'avait envie de s'attarder à proximité d'un fiasco sentimental tel que *Moi**, par crainte de la contagion. L'amour était partout à New York, mais hors de ma portée. J'avais déjà éprouvé un sentiment similaire l'année où Gucci avait ressorti son sac « bambou », le sac culte de Jackie K. Tous les exemplaires avaient été vendus en neuf minutes chrono, et tout le monde avait le sien, sauf *Moi**. Refusant de perdre espoir, je m'étais inscrite sur la liste d'attente, mais en vain : Gucci n'avait tout simplement pas mis assez d'exemplaires en vente – de la même façon qu'il n'y avait pas assez d'amour en circulation.

Julie m'avait promis que chez les jumelles, je ne croiserais aucune fille accompagnée d'un joli mari. Néanmoins, quand nous avons débarqué chez elles, j'avais autant d'assurance que Chelsea Clinton avant qu'elle ne découvre l'existence du fer pour raidir les cheveux. Les jumelles habitaient dans une ancienne confiserie reconvertie en appartement en bas de Mulberry Street. Les invitées se prélassaient sur des coussins de sol géants en sirotant des tisanes antioxydantes. Veronica et Violet Vandonbilt – qui arboraient l'une et l'autre des vestes customisées avec le slogan « CE MONDE EST À NOUS ET VOUS NE FAITES QU'Y PASSER » imprimé dans le dos nous ont fondu dessus sitôt qu'elles nous ont aperçues.

— Oooh ! Nous sommes teeeellement navrées ! se sont-elles écriées en inclinant la tête de côté. Dès que nous avons su, nous avons fait venir notre acupuncteur, spécialement pour toi.

Immédiatement, Julie a été assaillie de questions de toutes parts : Que s'était-il passé ? de quoi les jumelles étaient-elles à ce point navrées ? L'instant d'après, j'étais encerclée par une meute compatissante de filles qui voulaient toutes me serrer dans leurs bras. Heureusement, Julie a eu la présence d'esprit de m'entraîner vers un coussin isolé dans un coin de la pièce.

— Ne laisse pas l'acupuncteur des jumelles t'approcher ! a-t-elle fulminé. Pourquoi faut-il qu'elles en fassent toujours des tonnes ? C'est débectant, de dégouliner à ce point de *bonté* ! Elles te connaissent à peine et elles t'offrent des aiguilles. Et tu as vu cette manie de faire des effets de chevelure ? C'est d'une vulgarité !

Les jumelles sont venues s'asseoir avec nous.

— Alors, quoi de neuf ? leur a demandé Julie avec un grand sourire.

— J'ouvre un spa de deux mille huit cents mètres carrés dans le Bowery, a annoncé Veronica.

— Et moi, je rachète une joaillerie dans Elizabeth Street, a ajouté Violet.

— Génial ! s'est exclamée Julie. C'est vachement généreux de la part de papa.

Et les jumelles de répliquer à l'unisson :

— En fait, nous sommes financées par LVMH.

— J'adore ton bracelet, a répondu Julie en s'empressant de changer de conversation. (Elle a attrapé le poignet de Veronica.) C'est de qui ?

Veronica a incliné la tête de côté et contemplé la plaque de sa gourmette, gravée du nombre 622.

— Oh, John a le même, a-t-elle roucoulé. C'était le numéro de notre suite nuptiale au Cipriani.

Comment allais-je m'en sortir si même des filles aussi sensibles et gentilles que ces jumelles ne pouvaient pas s'empêcher de me rappeler que je n'avais pas eu de lune de miel, ni à Venise ni ailleurs, et que je n'en aurais sans doute jamais ? J'ai essuyé une larme sur ma joue.

— Oh noooon ! se sont récriées nos hôtesses en se précipitant sur moi pour me prendre dans leurs bras.

Là, c'en était trop. Un spasme de douleur m'a traversé le corps, et j'ai eu l'impression que même mes ongles se mettaient à saigner. Dieu merci, Julie a réagi au quart de tour. Elle nous a précipitamment excusées et m'a évacuée jusqu'à sa voiture pour un rapatriement d'urgence en lieu sûr, chez elle. La situation prenait des proportions alarmantes et j'ai compris alors qu'il me fallait vite trouver un fiancé de remplacement – sinon, la vie à Manhattan allait devenir tellement intolérable que je serais obligée d'envisager un exil en territoire étranger, à Brooklyn, par exemple.

Le lendemain, j'ai réintégré mon domicile. Un seul message m'attendait sur mon répondeur. De ma mère. « Nous avons appris la nouvelle. Es-tu bien certaine de rompre ? Franchement, c'est très embarrassant pour moi de devoir annuler *une fois de plus* auprès du château, alors *tu* pourrais peut-être t'en charger, cette fois ? Bon, tiens-moi au courant. »

L'appartement semblait vide, totalement désolé. Le téléphone ne sonnait pas. *Aucune* invitation n'arrivait par coursier. Ainsi que je m'en étais doutée, maintenant que j'étais en rupture de fiancé, plus aucun créateur ne m'envoyait gracieusement de vêtements. J'ai erré en chemise de nuit (une pièce vintage assez sublime, cela dit) tout en cherchant une solution qui me permettrait de rendre mon papier dans les temps. La rédaction me réclamait l'interview de l'héritière de Palm Beach dans les plus brefs délais, mais je n'étais capable de rien, sinon de broyer du noir. Je commençais à me sentir un lien de parenté avec ces pauvres filles qui possèdent un lecteur de DVD et, puisqu'il semblait acquis que je ne serais jamais plus invitée nulle part, j'ai décidé d'aller en acheter un et de consacrer le restant de mes jours à regarder des films.

Rien de tel qu'une virée au Wiz, le mégastore du son et de l'image à Union Square, pour mettre vos ongles au supplice, même au meilleur de votre forme. Pendant que je traversais une allée remplie de téléphones portables par millions, j'ai réalisé combien la petite bulle de champagne qui vous parle avait perdu de son pétillant. C'était un pur moment de déprime. J'ai choisi un appareil et, tandis que je rejoignais la queue à la caisse, mon téléphone a sonné. C'était Julie, qui voulait savoir où j'étais. Quand elle a eu la réponse, elle a flippé.

— Quoi ? Au Wiz ? Et tu achètes un lecteur de DVD ? Mais tu es en pleine dépression !

— Non ! me suis-je récriée en éclatant en sanglots. Je vais magnifiquement bien.

Julie est arrivée un quart d'heure plus tard ; elle m'a embarquée dans sa voiture, et nous avons foncé chez Bergdorf – elle ne pouvait pas annuler son rendez-vous avec Ariette, m'a-t-elle expliqué.

Je me suis installée dans un coin et j'ai observé Ariette qui, tout en s'occupant des cheveux de Julie, essayait de la cuisiner, avide d'apprendre quelques détails juteux sur ma rupture. En amie loyale, Julie l'a envoyée sur les roses :

— Ariette, laissez donc de côté les déboires sentimentaux de mes amies et faites-moi un blond scandinave, s'il vous plaît. Le blond de CBK – pas celui de Courtney Love, hein ? Mon chou, a-t-elle ajouté en se tournant vers moi, tu as besoin d'une thérapie, sur-le-champ. Tu es en dépression. Crois-moi, je sais de quoi je parle, je suis déprimée vingt-quatre heures sur vingt-quatre, sept jours sur sept.

— Consulter un psy ? Hors de question !

Franchement, quand on voit les ravages de l'analyse sur Julie… Une vraie anti-pub vivante pour le divan.

— O.K., comme tu voudras.

J'étais sidérée de m'en tirer à si bon compte.

— Non, non ! a repris Julie. J'ai une meilleure idée. Tu sais ce que je fais, chaque fois que je sombre dans la dépression ?

J'ai secoué la tête.

— Une cure de remise en forme au Ritz.

D'après Julie, un séjour au Ritz, à Paris, peut guérir toutes les maladies mentales, même les plus carabinées comme la schizophrénie. Mais *Paris* ? Avec le cœur brisé ? Non, c'était le meilleur moyen de m'achever.

— Je veux juste rester dans ta chambre d'amis pendant les six prochaines années, lui ai-je répliqué.

— Sûrement pas. Tu es mentalement malade, tu ne peux pas savoir ce qui est bon pour toi, donc je te mets en lieu sûr et je t'emmène à Paris. Tant qu'à devenir folle, autant que ce soit dans un endroit chic. Après, tu auras de quoi tenir des dîners entiers, et pendant des mois, en racontant à quel point tu es devenue folle à Paris. (J'ai surpris une étincelle dans ses yeux, et j'ai compris qu'elle songeait déjà à tirer parti du filon que peut représenter une meilleure amie avec un système nerveux en lambeaux.) Oh non, ne pleure pas ! Tu as réchappé à un mariage atroce avec un psychopathe qui prend des photos super-malsaines. Bon sang ! a-t-elle soupiré lourdement. J'aimerais bien être à ta place.

Julie avait vu juste. Quoique noyée dans les abysses de mon chagrin d'amour, j'étais consciente de l'intérêt de souffrir d'un effondrement ultra-sophistiqué à Paris, avec plein de boutiques de chaussures dans les parages. Tant qu'à m'effondrer quelque part, autant que ce soit là-bas, plutôt que dans un lieu mortel comme le service psychiatrique du Centre Medical Beth Israël, où, pour ce que j'en sais, il n'y a pas de boutiques. Restait cependant un obstacle – oh, un détail infime... – mais qui me rendait complètement paranoïaque : la date de remise de mon papier. Donc, j'ai pris une décision parfaitement irresponsable : je ne parlerais de mon voyage en France que quand j'en serais revenue – ainsi, personne ne m'empêcherait de partir au motif que j'avais un papier à écrire d'urgence.

Le lendemain soir, en embarquant à bord d'un appareil d'Air France, j'ai trouvé que cette *crise de nerfs**, comme disent les Français, prenait finalement une tournure assez géniale. J'avais presque recouvré ma bonne humeur. Même lorsque j'ai aperçu ce jeune couple branché, à quelques sièges de nous, qui cherchait à me filer le cafard en partageant une bouteille de jus d'échinacée – vous voyez le cinéma, une goutte pour lui, une pour elle... –, j'ai souri en songeant : « Tiens, la prochaine fois que je serai vraiment amoureuse, je ferai pareil. » Incontestablement, il y avait de l'amélioration dans l'air.

Le matin, à notre arrivée, le staff du Ritz était absolument ravi de nous voir, à commencer par M. Duré, le concierge. C'est toujours lui qui s'occupe de satisfaire tous les caprices de Julie quand elle séjourne chez eux, et il la connaît « par cœur ».

— Soyez les bienvenues, *mes chéries** !

— *Merci, monsieur**, ai-je répondu dans mon français semi-courant par intermittence, qui s'avérait néanmoins bien pratique.

Je ne comprends pas pourquoi les Français ont une réputation à ce point détestable. Ils sont tellement gentils à l'égard des gens dépressifs ! Jamais je n'ai rencontré quelqu'un d'aussi adorable et serviable que M. Duré.

— Alors, Duré, où allez-vous nous loger ? s'est enquise Julie. Dans un petit paradis, j'espère. Oh, et pourriez-vous nous faire monter immédiatement du *café au lait**, très cher ? Avec un *petit** morceau de *foie gras**, ce serait divin.

Duré nous a conduites au premier étage, jusque devant une double porte laquée en bleu œuf de canard sur laquelle était écrit à la feuille d'or SUITE 106. Cette *crise** me rendait déjà très, très heureuse.

— *Et voilà** ! a fait M. Duré en ouvrant les portes d'un geste théâtral. Notre suite la plus romantique ! Nous étions si heureux d'apprendre vos fiançailles.

Ce qui est dommage, c'est que je n'ai pas eu le loisir d'admirer la suite 106, ayant trépassé sur son seuil. Quelque part, c'était une chance, car les femmes de chambre ont ainsi eu le temps de substituer aux roses rose pâle réservées aux fiancées des roses violettes. Lorsque je suis revenue à moi, j'ai entendu Julie briefer M. Duré, à voix basse et avec agacement.

Notre suite avait beau être magnifique, ça ne m'a pas empê-chée de passer les dix minutes suivantes à épuiser le stock de mouchoirs en papier Versace de Julie. Le salon – immense et doté d'un balcon qui dominait la place Vendôme – ouvrait sur deux chambres avec salles de bains individuelles. En temps normal, la vue des savonnettes, flacons de shampooing et de gel douche estampillés aux armes du Ritz aurait suffi à me remonter le moral. Mais ce jour-là, tout le glamour de ces luxueux pro-duits de toilette est demeuré sans aucun impact sur mon humeur.

Le problème des états d'esprit négatifs, c'est qu'ils sont à peu près aussi prévisibles que des ex-petits amis – on ne peut jamais prédire à quel moment ils vont vous tomber dessus sans crier gare. A un instant donné, vous pouvez être aussi heureuse qu'une star de rap vautrée dans une limousine extralongue aux vitres teintées, et l'instant d'après, tout bascule, et vos états d'âme sont catapultés dans un endroit presque aussi monstrueux que le hall d'entrée de la Trump Tower.

Fallait-il que je sois complètement à côté de mes pompes pour m'être imaginé que mon état s'améliorerait à Paris ! J'ai passé mes journées à suivre Julie chez Hermès et chez Jar, où elle a acheté une bague sertie d'un diamant cognac taille coussin pour la bagatelle de trois cent trente-deux mille dollars (elle avait entendu dire que Roman Polanski avait offert la même à sa splendide jeune épouse française – qui ne la portait jamais car la bague n'était assurée que lorsqu'elle se trouvait au coffre).

Je trouvais le Ritz plus déprimant que les pires tenues de Laura Bush. M. Duré avait du mal à me reconnaître. Les femmes de chambre me lançaient des regards apitoyés, même lorsque je leur glissais en pourboire un billet de cinquante euros emprunté dans le porte-monnaie de Julie. Ici non plus il n'y avait de Mari Potentiel nulle part en vue – or j'étais persuadée que seul un nouveau MP serait à même de dissiper ce sentiment d'être bonne à rien. J'en étais arrivée à la conclusion funeste qu'en dépit de tout ce que Gloria Steinem, Camille Paglia et Erica Jong avaient écrit de brillant sur le sujet, ma vie à New York serait *très** embarrassante sans fiancé. Mon esprit partait tragiquement en vrille : pourquoi, de toute façon, un homme aurait-il envie de m'épouser ? Je n'étais pas intéressante, je n'étais pas vraiment jolie (quelques personnes le prétendaient uniquement par bonté d'âme), et les seuls petits amis que j'avais eus n'étaient sortis avec moi que par charité. Jamais plus je n'aurais l'occasion de m'asseoir à la table ronde de Da Silvano ; je pouvais faire une croix sur les pâtes à la truffe blanche de Cipriani, une spécialité que le chef réservait à ses clients préférés. Quant à la carte platine gracieusement mise à ma disposition par Bergdorf, elle me serait retirée à la minute où la direction du magasin apprendrait ce qui s'était passé ; quand ils verraient les proportions prises par ma rupturexie, les couturiers cesseraient de me prêter des vêtements livrés à domicile ; je deviendrais persona non grata dans la salle VIP du Bungalow 8 ;

et jamais plus je ne verrais un film avant tout le monde parce que je ne recevrais plus d'invitations aux avant-premières. Si j'avais de la chance, tout ce que je pouvais espérer, c'était une projection réservée aux amis et à la famille.

D'ailleurs, je ne pouvais même plus passer les journées avec Julie. Le matin du troisième jour, elle avait repéré le seul MP disponible de tout l'hôtel – Todd Brinton II, vingt-sept ans, héritier des plateaux-télé surgelés Brinton. Il arborait l'uniforme des jeunes jet-setteurs européens – chemise blanche, boutons de manchettes en or, jean et mocassins souples. Selon Julie, ce garçon avait de faux airs de coureur automobile italien – ce qui était un détail sexy – tout en étant américain – grâce à quoi elle pouvait le comprendre. Depuis que ces deux-là s'étaient rencontrés, je ne voyais plus Julie qu'entre deux portes.

— Et Charlie, dans tout ça ? lui ai-je demandé un soir où nous buvions des cocktails au bar du Ritz.

— Charlie est un amour ! Il m'appelle sans arrêt. Il m'adore. Je pense qu'il va venir nous rejoindre. Il est très inquiet à ton sujet… Et arrête de me regarder comme ça, il n'y a rien de mal à fréquenter deux mecs à la fois. D'après mon psy, c'est au contraire très sain, parce que comme ça, je ne suis obsédée ni par l'un ni par l'autre.

Dans la journée, je devenais carrément clinique, et les dorures qui ornaient le moindre recoin de ce palace pour invités payants ne faisaient qu'empirer mon cafard. Je voyais des allusions morbides partout. Les femmes qui petit-déjeunaient à L'Espadon, la salle à manger tout en miroirs de l'hôtel, avaient tellement forcé sur le Botox qu'elles semblaient embaumées. La baignoire de ma salle de bains était si vaste que j'avais peur de m'y noyer. Et puis, il y avait les peignoirs : chaque fois que mes yeux se posaient sur l'une de ces somptueuses sorties de bain, je ne pouvais m'empêcher de penser combien ce serait chic d'être retrouvée sans vie, parée seulement de ce vêtement d'éponge rose pêche avec les mots « RITZ – Paris » brodés au fil doré. C'était tragique, vraiment, car à une époque, le peignoir d'un hôtel aussi exclusif que le Ritz m'aurait fait délirer de bonheur. Je me souviens que la toute première fois où je me suis glissée dans un des peignoirs gris perle du Four Seasons Maui à Hawaï, c'était aussi bon que les *très rares* fois où j'ai pris de la cocaïne.

C'était l'évidence : mon destin était de quitter ce monde vêtue d'un peignoir du Ritz. Voilà la seule pensée qui, depuis des jours et des jours, réussissait à me rendre heureuse : j'allais mettre un terme à ma souffrance dans des conditions d'un glamour fabuleux. Je comprenais enfin tous ces scénarios romantiques – Sid et Nancy, Romeo et Juliette... Oui, plutôt la mort que la douleur de vivre avec un cœur brisé. J'allais tirer ma révérence en peignoir du Ritz et Manolo – je passais ma vie en Manolo, alors franchement, il était hors de question que je parte sans eux. Le lendemain, j'ai demandé à Julie comment la nièce de Muffy s'était suicidée.

— O.D. d'héroïne. (Allons bon ! Comment savoir où l'on vendait de l'héroïne à Paris ?) Pourquoi cette question ? Tu n'as tout de même pas des envies suicidaires, hein ?

— Oh non ! Je me sens beaucoup mieux, aujourd'hui.

Ce n'était pas entièrement un mensonge, car depuis que j'avais pris le parti de mourir, j'avais repris goût à la vie.

— Je ne comprends pas pourquoi ces gamines ne font pas tout simplement une O.D. d'Advil, a poursuivi Julie. C'est tellement plus facile que de se procurer du crack...

Advil ? L'Advil pouvait tuer ? J'en avais justement un plein flacon dans ma chambre. Quelle pouvait bien être la dose létale ?

— ... Et à mon avis, au-delà de deux, tu es bonne pour une overdose, a précisé Julie.

N'était-il pas terrifiant de songer que trois de ces petites pilules contre le mal de tête pouvaient vous endormir pour l'éternité ? J'ai décidé d'en prendre huit, histoire de ne courir aucun risque.

— Tu veux venir chez Hermès, cet après-midi ? a demandé Julie.

— Mais tu y es déjà allée hier. Tu ne crois pas que tu devrais espacer tes visites ? Tu vas devenir accro.

Puisque je n'allais bientôt plus être là, la moindre des attentions était de laisser à Julie quelques directions morales.

— Oui, mais moi, au moins, je ne suis pas accro à Harry Winston comme Jolene, m'a-t-elle rétorqué. Parce que là, je serais vraiment dans de sales draps. Bon alors, tu viens ?

— Non, je crois que je vais plutôt aller au Louvre. Ne t'inquiète pas pour moi.

Julie partie, j'ai regagné ma chambre. Avant mon grand départ, j'avais du pain sur la planche. Je devais 1) mettre au point les détails de ma tenue vestimentaire, 2) écrire ma lettre d'adieu, 3) rédiger mon testament. Avec un peu de chance, j'allais arriver à tout boucler et à passer de vie à trépas avant le retour de mon amie. Je savais qu'elle devait retrouver Todd en sortant de chez Hermès, et qu'ensuite, ils partiraient faire la fête toute la nuit. Ces jours-ci, Julie rentrait rarement avant six heures du matin.

J'ai commandé deux mimosas et une assiette de foie gras au service d'étage. Certains aspects de la vie allaient me manquer – le service en chambre du Ritz, par exemple, si redoutablement diligent qu'à peine ai-je eu prononcé le mot « mimosa », que les verres étaient devant moi ; ou encore, cette sonnette, à côté de la baignoire, pour appeler la femme de chambre en cas de besoin urgent – une panne de bain moussant, ou une furieuse envie de *café crème**.

A présent, je comprenais enfin pourquoi j'aimais tant ce poème de Sylvia Plath, celui dans lequel elle dit que mourir relève d'un art, comme toute chose. J'ai rédigé ma lettre d'adieu sur le luxueux papier à en-tête du Ritz. Ce serait Virginia Woolf à mort – tragique, mais d'une élégance folle. Virginia a écrit la plus belle lettre d'adieu qui soit avant un suicide – pas une once d'apitoiement sur soi, un courage admirable – et ça a marché génialement bien. Tout le monde la considère aujourd'hui comme un génie, non ? J'ai commencé à écrire. Je comptais être brève :

A l'intention de tous mes proches, et tout particulièrement de Julie, Lara, Jolene, maman, papa ; de Cluesa, ma bonne, en qui j'ai toute confiance, et qui (je le sais) ne détournera pas mes affaires personnelles comme le majordome de la princesse Diana ; de mon comptable, dont j'implore le pardon pour cet arriéré de mille cinq cents dollars que je n'ai jamais honoré ; et de Paul, chez Ralph Lauren, à qui je reconnais pleinement avoir chipé un second pull en cachemire la saison dernière...

Il ne s'agissait que de faire un dernier coucou aux gens que je connaissais et déjà, cette énumération était aussi longue que la *guest list* de la Suite 16. J'ai poursuivi :

Lorsque vous lirez ces mots, je ne serai plus de ce monde, mais je suis très* heureuse ici au paradis. Vivre avec le cœur brisé était au-dessus de mes forces, et je ne pouvais pas demeurer plus longtemps un tel fardeau pour vous tous. J'espère que vous comprenez la raison de mon geste – la perspective d'une vie de solitude m'était insupportable. Pour ne rien dire de l'humiliation de ne jamais plus obtenir de bonne table chez Da Silvano.

L'allusion à Da Silvano était spécialement destinée à Julie. Elle comprendrait forcément mon geste : elle aussi se tuerait si elle ne pouvait pas avoir la table d'angle chez Da Silvano.

Je vous aime toutes et tous et vous me manquez. Dites bonjour pour moi à tout le monde à New York.
Votre amie sincère.

Ensuite, j'ai rédigé mon testament. C'est étonnant à quel point c'est facile pour peu qu'on se concentre.

DERNIÈRES VOLONTÉS ET TESTAMENT
D'UNE ~~BLONDE~~ BRUNE BERGDORF

Je lègue :

A ma mère – Mon prochain rendez-vous avec Ariette. Même si ce rendez-vous interfère avec un événement de force majeure comme mes obsèques, je te conseille vivement de te rendre à New York car il est impossible au commun des mortels d'obtenir un rendez-vous avec Ariette.

– Mes cartes de remise : Chloé (–30 %) ; Sergio Rossi (–25 % – un peu rat, mais ça vaut tout de même le coup si on achète les paires par deux) ; Scoop (–15 % – archi-rat, mais tu pourrais contacter la conseillère d'achat qui s'occupait de CBK et peut-être acceptera-t-elle de t'aider dans ton shopping). Tu vois, maman, tu pourrais être <u>splendide</u> si seulement tu payais quelqu'un pour choisir tes vêtements à ta place.

A mon père – Le bail de mon appartement à New York, comme ça tu auras un endroit pour échapper aux griffes de maman.

A Jolene et Lara – La ligne privée du Pastis – 212-555-7402. Demandez la table 6 (voisine de celle où s'assied toujours Lauren Hutton). Et donnez mon nom, sinon jamais ils ne prendront la réservation.

A ma rédactrice en chef – les notes pour mon portrait de l'héritière de Palm Beach. Vous les trouverez dans le dossier « v.riche.doc » dans mon ordinateur portable. (PS : merci de m'avoir accordé un délai supplémentaire et toutes mes excuses pour n'avoir pas rendu ma copie.)

A Julie, ma meilleure amie, et la sœur de la plus irréprochable élégance que j'ai jamais eue
– Mon smoking blanc Givenchy Couture avec revers en dentelle de Chantilly que j'ai volé *backstage* lors du défilé de printemps.
– Ma prescription d'Ambien (valable encore pour quatre renouvellements de trente cachets, et le Dr Blum n'en saura jamais rien).
– Mes vêtements préférés dont : 1 veste en cuir McQueen ; 16 jeans Chloé ; 32 paires de Manolo ; 3 sacs à main YSL, 2 Prada ; 1 robe en soie froissée Rick Owens ; les 12 paires de chaussettes en cachemire que tu as volées pour moi dans le magasin de Londres ; 1 bague de cocktail James de Givenchy (je sais qu'en fait elle est à toi, mais ça t'était sorti de la tête).

La seule pensée d'abandonner derrière moi tous ces sublimes vêtements me donnait presque envie de rester. J'ai signé le testament et j'ai demandé à la femme de chambre de le contresigner, à titre de témoin – je ne voulais pas que quelqu'un le conteste après coup. Ensuite, j'ai tout recopié sur ma messagerie électronique et j'ai classé le courrier dans la boîte ENVOYER PLUS TARD. Les mails ne partiraient que douze heures plus tard, soit à 7 h 30. Cette option du nouveau Mac Titanium G4 est carrément géniale, et je la recommande vivement à quiconque programme un suicide. Qui a envie d'être découvert et réveillé de force après s'être donné tant de mal pour mourir ? Vous imaginez un peu la Crise de Honte ?

Puis, je me suis occupée de ma tenue de départ : le peignoir était incontournable, et j'ai décidé que ma paire de Manolo en cuir argenté ourlé de strass irait parfaitement avec l'éponge pêche. J'ai disposé ma tenue sur le lit, j'ai sorti le flacon d'Advil de ma trousse de maquillage, j'ai tiré les rideaux, je me suis entièrement déshabillée et j'ai enfilé mes Manolo – je dois dire que l'ensemble faisait un effet bœuf. Puis j'ai avalé mes huit Advil en même temps qu'un mimosa et je me suis allongée sur le lit.

Il ne se passait rien. J'étais sans aucun doute encore vivante puisque je voyais les strass étinceler sur mes orteils (dont les ongles – comble de l'horreur – étaient vernis en rouge et non en rose chair, ce qui aurait été bien plus chic avec ces sandales). Huit cachets, peut-être était-ce une dose trop circonspecte ? Alors j'ai gobé un autre Advil, puis encore un autre, et un autre, jusqu'à finalement vider le flacon. *Oups !* ai-je songé. *Ne pas oublier d'enfiler le peignoir avant de mourir. Mais je vais d'abord m'accorder un petit somme, juste une minute, et ensuite, je mettrai le peignoir…*

Hou ! Hooooouuu. Ce que je pouvais avoir mal aux ongles ! Et ma tête ! Et cette nausée… Je sentais une démangeaison sous la peau. Tout mon corps était parcouru de frissons. J'ai ouvert les yeux et me suis empressée de les refermer. Mer… credi ! Quel désastre ! Apparemment, je n'avais pas bougé de ma chambre au Ritz. *A moins que ce ne soit le paradis ?* Peut-être le paradis était-il en fait une suite du Ritz. J'ai entraperçu une silhouette d'homme.

— *Excusez-moi, monsieur**, suis-je morte ? ai-je murmuré, complètement groggy.

— Pas du tout, m'a-t-on répondu.

Voilà qui était vraiment *très** contrariant. Pourquoi n'étais-je pas morte ? Qu'est-ce qui avait foiré ?

— Je t'ai trouvée avant, a dit l'homme.

— Mais qui êtes-vous ? me suis-je écriée, furieuse.

— C'est moi, espèce de folle !

J'ai ouvert les yeux. Debout à mon chevet, Charlie Dunlain me contemplait avec un air sévère. Comment osait-il me traiter de folle ? J'étais on ne peut plus saine d'esprit et si par hasard ce n'était pas le cas, le moment était vraiment mal choisi de sa part pour m'accoler l'étiquette d'aliénée. J'ai vu qu'il tenait mon testament dans la main. Mais de quoi se mêlait-il ?! J'ai essayé de le lui arracher, mais ma tête tournait trop.

— Rends-moi ça ! C'est archi-perso !

J'ai réussi à me redresser contre les oreillers ; cette position atténuait quelque peu la nausée.

— Je suis vexé que tu ne m'aies rien laissé.

— Comment diable es-tu entré ici ?

— Eh bien, par la porte, qui était grande ouverte.

J'ai cru apercevoir une ébauche de sourire sur ses lèvres.

Ce type était malade, complètement malade. Une vraie caricature de réalisateur hollywoodien, un mec incapable du moindre sentiment, qui tourne tout en dérision. J'ai regardé l'heure : 7 heures du matin. Non seulement c'était scandaleusement tôt pour quelqu'un qui, comme moi, n'émerge jamais avant 10 h 30 – mais en plus, j'étais censée ne pas me réveiller du tout.

— Charlie, tu peux m'expliquer ce que tu fabriques à 7 heures du mat' dans ma chambre ?

— J'arrive tout juste de l'aéroport et je me suis dit que j'allais passer te voir pour te sauver.

A l'évidence, Charlie n'avait jamais entendu parler des acquis du M.L.F. Ignorait-il donc que depuis les années soixante-dix, il est illégal de sauver des femmes qui n'ont rien demandé ?

— Je ne veux pas être sauvée. Je veux mourir.

— Mais non !

— Mais *si* ! ai-je protesté d'une voix éraillée. Je te hais ! Comment oses-tu te pointer et me sauver sans me demander mon avis ! C'est impardonnable.

— Comment j'ose ? Comment oses-tu, *toi* ! (Il était en rogne maintenant et, brusquement, il me flanquait la frousse.) La seule chose impardonnable, c'est ce que tu viens de faire.

Se mettre en colère après tout ce que je venais d'endurer était de sa part une indélicatesse inouïe. *Hé ! Coucou ! Ça te ferait mal de me témoigner quelques marques de sympathie ?*

— A quoi bon sauver les gens, si c'est pour les maltraiter ensuite ? ai-je gémi.

— Arrête de faire ton enfant gâtée et conduis-toi en adulte, m'a-t-il rétorqué.

Vous voyez ? Ce mec ne savait absolument pas se montrer gentil.

J'ai baissé les yeux. Le peignoir du Ritz était sur le lit, à côté de moi. Et un manteau gris me couvrait le corps. Un manteau qui ne m'appartenait pas. J'ai commencé à réaliser un truc vraiment glauque : ce manteau devait être à Charlie... La situation devenait de plus en plus embarrassante.

— Charlie, est ce que j'étais... euh, nue, quand tu m'as trouvée ?

— Non.

Vous ne pouvez pas imaginer mon soulagement ! Mais celui-ci a été de très courte durée :

— Tu portais des chaussures, a ajouté Charlie.

Bon, ça ira comme ça, me suis-je dit. *Jamais plus je ne me suiciderai.* Cette entreprise n'allait se solder que par une humiliation insensée. A présent, j'allais être aux yeux de tout le monde la fille qui n'avait pas réussi à se marier *ni* à se suicider. Autant oublier tout de suite Da Silvano : même John's Pizza sur Bleecker Street allait me refuser sa porte. Soudain, je me suis souvenue du mail. Je pouvais encore annuler l'envoi : la planification automatique ne s'exécuterait que dans trente minutes.

— Charlie, passe-moi l'ordinateur. Vite.

L'icône de la BOÎTE D'ENVOI clignotait. J'ai cliqué sur ANNULER L'ENVOI, soulagée, puis j'ai remarqué que l'icône BOÎTE DE RÉCEPTION clignotait elle aussi. Dévorée de curiosité, je l'ai ouverte. J'avais un mail de ma mère :

Ma chérie, je suppose que ton mail était une plaisanterie et j'espère que tu n'as commis aucun acte inconsidéré. Tu sais

*que je n'ai pas une grande admiration pour le style de
mèches qu'ils font à New York ; quant à l'idée de faire mon
shopping avec des cartes de remise, elle ne me plaît guère
non plus. Mais si tu te débarrasses de certaines choses, je
dois avouer que j'ai toujours eu un faible pour ton pull en
vison tricoté de John Galliano. Ce n'est qu'une suggestion,
naturellement. Je t'embrasse, maman.*

Hélas, Dieu sait comment, le testament avait été envoyé. Je
n'ai jamais su maîtriser toutes les finasseries de mon Mac. Il y
avait plusieurs autres e-mails dans la boîte de réception, mais
j'ai décidé de remettre leur lecture à plus tard – pour le quart
d'heure, ç'aurait été trop d'humiliation à encaisser.

— Oh, Charlie, quel désastre ! Pourrais-tu me commander un
Bellini, s'il te plaît ?

— Non.

J'ai cligné des yeux, comme pour dire : *Je te demande pardon.*

— Le dernier truc dont tu as besoin, c'est d'alcool. Tu te sentirais encore plus mal.

— Personne ne peut se sentir plus mal que moi en ce
moment, même pas moi. Que penses-tu de ma lettre d'adieu ?

— *Qu'est-ce que je pense de ta lettre d'adieu ?* Tu te prends
pour qui ? Pour Sylvia Plath ?

Pour une fois, Charlie et moi étions exactement sur la même
longueur d'onde. Au moins, si j'étais morte, tout le monde
aurait réalisé que j'avais lu quantité d'œuvres littéraires importantes, comme *Mrs. Dalloway* et *La Vallée des poupées*.

— Tiens, c'est drôle que tu dises ça parce que en fait, j'étais
en plein dans un trip à la Virginia Woolf.

Charlie m'a alors empoigné les épaules et m'a secouée sans
aucun ménagement. J'ai protesté, évidemment.

— Tu dois grandir, et cesser ces enfantillages débiles !

— Arrête ! ai-je pleurniché. Arrête d'être aussi désagréable avec
moi ! Je ne me sens pas très bien, en ce moment. La vie est dure.

Il m'a relâchée.

— O.K., la vie est dure. Mais as pensé-tu à ceux qui t'aiment ?
Tes parents, Julie, tes amies ? As-tu seulement pris le temps de
songer à quel point ce serait terrible pour eux si tu te suicidais ?

— Bien sûr. (Ce n'était pas entièrement vrai. Depuis ma rupture, j'avais concentré mes pensées sur une seule personne : *Moi**.) Ils seraient bien mieux sans moi. Je ne suis qu'un boulet.

— Tu dois te reprendre. Et arrête d'être aussi complaisante vis-à-vis de toi-même !

— Mais je ne peux pas me reprendre ! Je suis trop malheureuse.

— C'est normal d'être malheureux, de temps en temps. C'est la vie. Les cœurs se brisent. Des malheurs arrivent. Mais tu les surmontes. Tu ne te défiles pas en faisant un truc aussi égoïste qu'une O.D. Si tu étais tout le temps heureuse, tu animerais un talk-show à la télé. Comme Katie Couric[1].

J'ai commencé à pleurer. Pourquoi les gens étaient-ils aussi vaches avec Katie ? Est-ce sa faute si elle est payée quelque soixante millions de dollars pour sourire jusqu'en 2010 ?

— Ne m'engueule pas, ai-je gémi. J'ai besoin de gentillesse.

— Gentillesse ? Tiens, enfile ça et essaie de dormir un peu, m'a rétorqué Charlie en me tendant le peignoir.

— Non ! C'était ma tenue de suicide ! Tu sais quoi ? Pourquoi ne m'emmènerais-tu pas prendre un petit déjeuner au Café de Flore ? J'adore Saint-Germain-des-Prés. Ça me remonterait le moral.

— Tu n'iras nulle part. Tu vas rester ici, et dormir.

— Bon, alors plus tard, tu pourrais m'emmener dîner dans un restaurant super-sélect. Chez Lapérouse, par exemple. Ils ont une *tarte Tatin flambée** absolument renversante.

— Quand bien même ils feraient flamber la tour Eiffel, j'en ai rien à cirer, et tu ne sortiras pas d'ici.

Pour un soi-disant bon ami, Charlie se montrait vraiment hostile. Ne lui avait-on jamais dit qu'on ne malmenait pas les suicidés ?

— Tu es malade et tu as besoin de repos, a-t-il poursuivi. Tu vas passer la journée et la nuit sans bouger d'ici. Tu boiras du lait chaud et tu mangeras du riz, un point c'est tout.

Du *riz* ? Décidément, ce garçon me haïssait. Juste à ce

---

1. Journaliste et animatrice de l'émission très populaire *The Today Show*, sur la chaîne NBC. *(N.d.T.)*

moment-là, on a frappé à la porte, et Julie est entrée, Todd sur les talons.

— Hé ! Coucou, toi ! a-t-elle piaillé en serrant Charlie dans ses bras. Tu es là ! Je te présente Todd. On va s'amuser comme des petits fous ! (Elle ne semblait nullement gênée de présenter ses petits amis l'un à l'autre, mais quand son regard s'est posé sur moi, elle a changé de visage.) Oh, mon Dieu, ma puce ! Qu'est-ce qui s'est passé ? Pourquoi tu es habillée comme ça ? On dirait n'importe qui qu'on croise dans la rue.

— Pourrions-nous passer à côté ? a demandé Charlie. Et peut-être Todd pourrait-il revenir plus tard ? J'ai à te parler, Julie.

Tandis que Todd sortait en traînant les pieds, l'air embarrassé, Charlie a entraîné Julie au salon et a refermé la porte derrière eux. Typique. Pile au moment où Julie allait me manifester cette compassion dont j'avais tant besoin, Charlie la kidnappait. Pourquoi ne se mêlait-il pas de ses affaires ? Pourquoi ne repartait-il pas à L.A., dans son environnement naturel, à lui et à tous ces autres insupportables réalisateurs constipés et autoritaires ? Brusquement, j'ai eu l'impression que j'allais vomir et j'ai titubé jusqu'à la salle de bains. Je vous ferai grâce des détails.

La situation ne s'est pas améliorée de la journée. Julie a adoré tout ce que je lui avais légué par testament et a demandé si, bien que je ne sois pas morte, elle pouvait tout de même hériter de la prescription d'Ambien. Quant à ma mère, lorsqu'elle a eu pleinement réalisé que j'avais réussi à louper mon suicide, elle m'a dit qu'elle était très mécontente de ma franchise concernant ses compétences limitées en matière de mode. La seule personne à être ravie de son legs, c'était mon père.

Le lendemain soir, pendant que Julie se faisait faire un brushing au spa de l'hôtel, Charlie m'a invitée à le rejoindre au bar. Il avait fini par comprendre qu'une fille en convalescence de tentative de suicide n'avait pas besoin de leçons de morale, mais de champagne. La veille, je m'étais sentie horriblement mal – barbouillée, faible et triste – mais là, je commençais à me requinquer et je n'avais plus qu'une idée en tête : me distraire, pour m'empêcher de penser à ce que j'avais fait. Vous imaginez bien que j'étais atrocement embarrassée. Mais lorsque je suis arrivée au bar, Charlie n'a même pas remarqué la nouvelle tenue que Julie, pour me convaincre de ne retenter aucun geste suicidaire, m'avait achetée chez Chloé. Il avait les sourcils froncés et l'air grave.

— Ça va mieux ?

— En fait, je suis totalement, désespérément seule et j'ai le cœur brisé. Pourrais-tu me commander un cocktail au champagne ?

Charlie a hélé le serveur.

— Une vodka pour moi, et un Perrier pour mademoiselle, s'il vous plaît.

Bon sang ! Les filles ont raison de dire que les mecs sont de fieffés égoïstes !

— Il te faut garder les idées claires, si tu dois mettre de l'ordre dans ta vie, a-t-il ajouté.

— Les idées claires ne vont pas me donner un nouveau fiancé.

— Tu n'as pas besoin de fiancé.

Charlie ne comprenait rien à rien : sans un nouveau fiancé à mon bras, ma vie à New York allait tourner au cauchemar. Tout ce qui importait aux gens dans cette ville, c'était qui était marié avec qui, ou allait l'être. Ne savait-il donc pas que c'était encore le XIXe siècle, là-bas ? Ignorait-il ce qui était arrivé à cette pauvre Lily Bart[1] ?

— Avant de tomber amoureuse de quelqu'un d'autre, a pour suivi Charlie, tu dois d'abord faire le point sur ta vie.

— Jamais plus je ne tomberai amoureuse, ai-je riposté, boudeuse.

— Ne sois pas si cynique. Evidemment que tu retomberas amoureuse, a-t-il protesté, avant d'ajouter de but en blanc : Est-ce que Julie voit quelqu'un d'autre, à Paris ?

Ouais, et tu l'as rencontré. Je n'avais pas envie de mentir à Charlie, mais lorsque, question loyauté, on est tiraillé entre deux personnes, je dis toujours : Mentez, quoi qu'il arrive

— Non, ai-je répondu avec un sourire rassurant.

— Sois honnête.

---

1. Héroïne de *Chez les heureux du monde* d'Edith Wharton. *(N.d.T.*

Puis-je être super-honnête et vous avouer un truc vraiment affreux ? Je n'accordais plus grande attention à cette pénible conversation car il s'est passé quelque chose de totalement inattendu : je suis tombée amoureuse.

Pendant tout le temps que je bavardais avec Charlie, un très joli garçon s'efforçait d'établir avec moi ce que je ne peux décrire que comme un contact oculaire subtropical.

— Elle est raide dingue de toi. Elle parle sans arrêt de toi, l'ai-je assuré, ultra-sincère.

Le garçon a tourné la tête de côté et oh ! là, là ! Qu'est-ce qu'il était sexy, avec ses cheveux blond foncé et son front doré par le soleil. Sans doute rentrait-il d'un week-end dans le sud de la France, sur la Côte d'Azur.

— Elle sort avec Todd, n'est-ce pas ?

Un serveur est venu nous interrompre.

— Pour vous, mademoiselle, a-t-il dit en déposant une coupe de champagne devant moi. De la part du prince Eduardo de Savoie, a-t-il ajouté en se tournant vers le joli garçon.

J'ai articulé un *merci** muet ; mon bienfaiteur a hoché la tête.

— Todd est *gay*, ai-je assené avec un aplomb sidérant tout en me demandant si les parents du prince y trouveraient à redire quand celui-ci leur annoncerait notre mariage.

— Todd est aussi gay qu'Eminem, m'a rétorqué Charlie. (Il a contemplé son verre en silence.) Je pense que c'est fini, entre Julie et moi.

J'essayais de toutes mes forces de me concentrer sur le dilemme de Charlie, mais c'était peine perdue : je venais de me souvenir avoir lu que ce prince possédait une sublime villégiature en Sardaigne, ainsi que des propriétés dans toute l'Italie. J'avais à portée de main un MP en puissance.

— Je rentre à L.A. demain soir, a annoncé Charlie.

J'ai bien vu à son regard qu'il attendait de moi des paroles rassurantes. C'était une situation curieuse, comme si le vent avait tourné et que c'était au tour de Charlie d'avoir besoin de mes conseils et de mon soutien. Tandis que je rassemblais mes idées pour me lancer dans un grand discours sur les qualités de Julie, je me suis demandé si ces deux-là étaient finalement bien assortis.

Charlie aimait tout régenter, et Julie n'en faisait jamais qu'à sa tête. J'ai tout de même amorcé une tentative de plaidoirie :

— Mais Julie et toi, vous allez, euh… super bien ensemble…

Ma voix a déraillé car je venais de remarquer que le prince lisait Proust. Dieu que c'était sexy ! Et tellement classe ! Le serveur est revenu et m'a glissé un papier plié : « Dîner, 20 h 30 au Voltaire. » Charlie m'a arraché le mot de la main et m'a fusillée du regard avant de se tourner vers le serveur, qui attendait une réponse.

— Pourriez-vous dire, s'il vous plaît, à ce jeune homme que *mademoiselle** ne se sent pas assez bien pour sortir dîner ce soir ?

Comment osait-il ? Juste au moment où je commençais à reprendre du poil de la bête ! Mais je voyais clair dans son jeu : il voulait que je sois malheureuse simplement parce que lui l'était.

— *Monsieur**, dites au prince que je le retrouverai ici, ai-je déclaré en rassemblant mes affaires.

Charlie m'a lancé un regard courroucé, mais s'est abstenu de tout commentaire. À présent, il me haïssait pour de bon. Et comme je le haïssais moi aussi, nous étions quittes.

7

Quelle chance que ma petite combine avec l'Advil ait échoué ! Eduardo a cité Proust tout au long du dîner. Quoi de plus intellectuellement stimulant qu'un homme qui vous susurre « *Il n'y a rien comme le désir pour empêcher les choses qu'on dit d'avoir aucune ressemblance avec ce qu'on a dans la pensée* » par-dessus un verre de château-lafite plus vieux que vous ? Même si mon français semi-courant ne me permettait pas de comprendre toutes les nuances de ces citations, je me doutais bien qu'elles étaient d'un romantisme insensé.

Lorsque nous sommes sortis du restaurant, le chauffeur d'Eduardo nous attendait.

— Guiseppe, à la maison, s'il vous plaît.

Comme je l'ai expliqué après coup à Julie – qui a piqué une crise parce qu'elle ne m'avait pas trouvée le matin en rentrant à l'hôtel – je vous jure que lorsque Eduardo a dit « à la maison », j'étais à mille lieues de me douter qu'il parlait de la demeure familiale sur les rives du lac de Côme. Tout au long du trajet entre Paris et Côme, soit huit cents kilomètres environ, Eduardo m'a embrassée tel un démon. Le voyage aurait dû durer huit heures, mais avec un chauffeur tel que Guiseppe, vous êtes rendus en cinq heures. Cela dit, j'espérais à part moi ne plus jamais avoir recours à ses services. Personne n'a besoin de se déplacer à 185 km/heure, pour quelque destination que ce soit.

Eduardo était tout bonnement la perfection faite homme. Il avait bien plus de pulls en cachemire de chez Malo que toute une montagne peuplée de chèvres ne peut en produire, sa maman était une ancienne actrice d'Hollywood, et son père aurait été roi de Savoie si la Savoie était encore un royaume. Normalement, la famille royale n'a pas droit de cité sur le territoire italien, mais la dévotion du gouvernement à l'endroit de sa mère est telle qu'Eduardo a obtenu une dérogation qui l'autorise à entrer et sortir à sa guise du pays. Il avait étudié la littérature française à Bennington, et vivait à New York, où il « travaillait pour la famille », quoi que cela signifie. Notez bien que je me suis abstenue de poser des questions : ayant vu *Le Parrain* et tout un tas d'autres films sur le même sujet, je savais que ça ne se fait pas de demander à des Italiens de préciser comment ils gagnent leur argent.

L'intérieur du palazzo battait celui du Frick à plates coutures. Le lendemain matin, je me suis réveillée dans un sublime lit à colonnes, drapé de dentelles italiennes exactement comme celles que Dolce & Gabbana utilisent pour leurs corsets. Les persiennes étaient ouvertes, et le paysage du lac et des montagnes s'offrait à moi dans un bleu en technicolor. Rien d'étonnant à ce qu'on ne croise aucun Italien dans les Hamptons.

J'avoue que j'étais assez sidérée par la tournure que prenait ma vie. Non seulement j'étais vivante et j'avais réussi, sans la moindre intention de me défiler, à échapper à une scène de rupture potentiellement pénible entre Julie et Charlie, mais en plus je prenais mon petit déj' au lit, dans un palais qui ravalait le Ritz au rang d'un quelconque quatre-étoiles de chaîne hôtelière. Où que ce soit dans le palazzo, un majordome en livrée noire et gants blancs se matérialisait pour me proposer un gâteau aux amandes tout juste sorti du four ou une autre douceur du même genre. J'avais du mal à croire à quel point je me sentais déjà requinquée. Qui se serait douté qu'on pouvait se remettre d'une tentative de suicide en trente-six heures chrono ?

Je dois absolument penser à envoyer une carte postale aux copines à New York, me suis-je dit. Elles devaient savoir. Nous sommes descendus à pied jusqu'au village pour faire quelques emplettes. Au moment de quitter la maison, j'ai vu apparaître deux Italiens à la peau tannée, vêtus à l'identique en bombers de marins, pantalons sombres et lunettes de soleil. L'un et l'autre étaient équipés d'oreillettes et, au vu de leur carrure, j'aurais volontiers parié qu'ils avaient passé toute leur vie dans une salle de sport. *Des gardes du corps*, ai-je songé. Quoi de plus glamour que d'avoir sa propre protection rapprochée ? Ne voulant évidemment pas qu'Eduardo devine à quel point j'étais impressionnée par son service de sécurité, j'ai joué la fille superblasée, et j'ai salué les deux hommes d'un « *Ciao* » décontracté censé signifier : *Tous les gens que je connais ont des gardes du corps armés.*

Ils nous ont escortés jusqu'au village, puis nous ont reconduits à la maison tout en chuchotant dans les micros reliés aux oreillettes. Les probabilités que nous encourions un danger immédiat d'assassinat dans le village semblaient pourtant minces – nous n'avions croisé, en fait d'être humain, qu'un fermier solitaire qui tirait son âne le long de la grand-rue. Mais ensuite, j'ai réalisé que si quelqu'un avait voulu éliminer le prince, rien n'aurait été plus aisé que de l'identifier et de le prendre pour cible puisque les rues du village étaient désertes ce jour-là – si on fait exception de deux gardes du corps ostentatoires et d'une fille en talons hauts et robe du soir en satin noir.

Vous savez ce qui est vraiment sensass, dans le fait d'être une Altesse Sérénissime qui possède plus de personnel que la première dame des Etats-Unis ? C'est que vous pouvez décider du menu du déjeuner tout en vous baladant. Il vous suffit d'appeler à la maison, où un chef plus étoilé que Jean-Georges Vongerichten est à votre disposition vingt-quatre heures sur vingt-quatre et sept jours sur sept, et sitôt de retour, vous vous attablez devant un plat de *melanzane* et des coupes de *panna cotta*. Vous imaginez sans peine ce que j'ai écrit au dos de ma carte postale :

Très chères Lara et Jolene,

Franchement, je ne comprends pas pourquoi les princesses se plaignent autant de leur sort princier. C'est 150 % luxe. Un seul conseil : dégotez-vous l'une et l'autre une Altesse Sérénissime sans délai.

Baisers

Je sais bien que Jolene avait déjà programmé son mariage, mais avant de franchir le pas, elle devait savoir ce qu'elle ratait.

Après le déjeuner, tandis que nous dégustions un expresso, un domestique a fait irruption dans le salon pour tendre un téléphone à Eduardo. Après un bref échange en italien, celui-ci a raccroché et s'est levé. Il semblait soudain en état d'alerte maximale.

— O.K., nous partons, a-t-il annoncé. Nous rentrons à New York ce soir.

— Mais pourquoi ?

Nous passions des instants tellement paradisiaques ! C'était de la folie de regagner New York, même si au cours des derniers jours, l'idée m'avait effleurée qu'il me fallait vraiment recontacter cette héritière de Palm Beach.

— Des affaires de famille dont je dois m'occuper, *carina*. Mais nous reviendrons ici cet été, je te le promets.

J'adorais quand Eduardo m'appelait « *carina* », qui veut dire « chérie » en italien.

— Le problème, ai-je dit, c'est que j'ai laissé toutes mes affaires à Paris. Mon passeport inclus.

— Avec moi, tu n'as pas besoin de passeport.

Waouh ! Le comble du glamour ! Même le Président a besoin d'un passeport.

Cette nuit-là, lorsque je suis arrivée chez moi à New York, six e-mails de Julie m'attendaient. Je redoutais de les ouvrir – jamais Julie ne me pardonnerait de l'avoir abandonnée seule à Paris – ou plutôt, seule *et répudiée* par un homme à Paris. Ç'allait être son tour de connaître les affres de la dépression. J'ai ouvert le premier mail :

Mon chou,
Tout va SUPER BIEN *avec Charlie. Il m'adore. Il est reparti bosser à L.A. Je reste quelques jours de plus à Paris pour faire du shopping. Je suis tellement contente que tu te sois enfuie avec ton Altesse Truc-Muche ! Il paraît que c'est un pur canon. J'ai réexpédié Todd à New York – je l'adore, mais il était un peu trop dans mes pattes.*
Bises

Dieu soit loué ! Julie avait toujours Charlie. Même s'il s'était montré indéniablement odieux à mon égard lors de ce fâcheux incident avec l'Advil, et que j'avais pris la ferme décision de ne plus jamais lui adresser la parole, il rendait Julie heureuse. Rien d'autre ne comptait.

Dans les e-mails suivants, Julie me faisait le compte rendu de ses divers achats avec un luxe de détails digne de Dickens. Pour l'essentiel, elle avait dévalisé le stock Marc Jacobs chez Colette. Je trouvais la démarche curieuse puisqu'elle aurait pu acheter les mêmes articles bien meilleur marché dans la boutique de Mercer Street, une fois de retour à New York. Mais d'après elle, « à devoir absolument porter du Marc Jacobs parce que c'est trop génial, autant se démarquer du troupeau en disant qu'on a tout acheté à Paris ». En réponse à ses mails, je lui ai demandé d'avoir la gentillesse de me rapporter mon passeport et mes vêtements. Je savais que ce service ne lui coûterait pas grand-chose ; comme toutes les Princesses de Park Avenue, Julie dispose de quelqu'un pour faire ses bagages à sa place – et les expédier par fret aérien parce qu'ils sont toujours trois fois plus lourds que le poids des bagages autorisé.

Vous vous souvenez à quel point j'étais désespérée et vexée de ne plus recevoir aucune invitation après la rupture de mes fiançailles ? Eh bien, à la minute où tout le monde a su, à Manhattan, que j'avais été l'invitée du prince au palazzo, les bristols blancs ont recommencé à s'accumuler sur le manteau de ma cheminée, et il y en avait tant qu'il m'aurait fallu une grue pour les évacuer. Naturellement, je n'étais pas dupe : ces invitations trahissaient des manœuvres transparentes *au cas où* je deviendrais princesse. Mais j'ai pris le parti de me comporter comme si je ne les devais qu'à mon authentique popularité. Sinon, j'aurais replongé tête la première dans mon flacon d'Advil. Le déni peut avoir des effets très bénéfiques sur votre vie sociale.

A New York, rien ne vaut de sortir avec un « de » Machin Chose. Outre le fait qu'Eduardo était une pure merveille tant du point de vue de son physique que de celui de sa personnalité, toutes les filles à New York rêvent d'épouser un « de » quelque chose : Felipe d'Espagne, Pavlos de Grèce, Max de Suède, Kyril de Bulgarie – tous ces sublimes garçons ont des petites amies et des épouses américaines au babil strident. La plupart des familles royales en exil adorent New York, car c'est une ville où elles se sentent appréciées. (À ce qu'il semblerait, les Européens sont bien moins amicaux que nous à leur égard.) Ici, tout le monde s'en fiche que ces princes n'aient plus de royaume. De toute façon, quand ils entendent parler de la Savoie, la plupart des New-Yorkais croient qu'il s'agit du Savoy, ce vieil hôtel londonien archiguindé. Mais cette confusion ne les empêche nullement d'adorer Eduardo. Peu importe *d'où* vous êtes, ce qui compte, c'est d'être « de » *quelque part*. Une jeune New-Yorkaise serait prête à tuer pour épouser un prince sans terre et se faire appeler princesse. Les seuls à prendre à cœur ces histoires de royaume fantôme, ce sont les princes eux-mêmes.

Eduardo vivait dans une garçonnière immaculée sur Lexington et la Quatre-vingtième Rue. C'était l'endroit rêvé pour des rendez-vous galants tard dans la nuit. Chaque fois que je peinais à traduire dans ma tête ces citations d'écrivains français qu'Eduardo affectionnait tant, je me distrayais en contemplant les murs, où se bousculaient des peintures et des photographies sépia, des portraits de ses ancêtres en couronnes et imposantes tiares brillant de mille feux. Qui se serait douté qu'ils étaient tous autant accros à Harry Winston, dans l'ancien temps ? Si seulement ces détails étaient mentionnés dans les manuels scolaires, les lycéennes new-yorkaises manifesteraient bien plus d'intérêt pour l'histoire de l'unification italienne.

Sitôt que Julie a eu posé les pieds à Manhattan, nous nous sommes retrouvées pour un *latte* décaféiné au café Gitane, sur Mott Street. Le café Gitane est un repaire de top models qui se déguisent en bohémiennes à prix d'or chez Marni. Tout le monde trouve ça supercool. Je reconnais avoir déjà piqué quelques idées vestimentaires aux habituées qui traînent là. A mon grand étonnement, avec son nouveau treillis « français » Marc Jacobs qui lui allait génialement bien, Julie se fondait ce jour-là admirablement dans le paysage. A mon arrivée, elle était déjà installée dans le coin le moins éclairé de la salle. Le choix de cette table était déconcertant puisque d'ordinaire, où que ce soit, Julie veut toujours la place la plus en vue.

— Oui, je sais, a-t-elle dit en surprenant mon regard étonné. Je ne devrais pas accepter de m'asseoir à une table aussi nulle, mais… disons que je recherche la discrétion.

Là, j'étais carrément déroutée. Julie est contre la discrétion, c'est quasiment une opinion politique de sa part.

— Pourquoi ? Ça ne te ressemble pas.

— Chuuuuut ! a-t-elle sifflé en mettant ses lunettes de soleil. On ne doit pas nous entendre !

— Mais pourquoi ?

— Tu es en observation post-T.S.

— Je vais bien ! L'Advil n'est plus qu'un souvenir et je ne pense à rien d'autre qu'à Eduardo. Regarde-moi ! Tout le monde me trouve radieuse !

— On connaît toutes le secret d'un visage radieux après une rupture new-yorkaise – Portofino. N'imagine pas une seconde pouvoir nous berner.

— Nous ?

— Moi, Lara et Jolene. Tu es sous surveillance vingt-quatre heures sur vingt-quatre. Tu viens habiter chez moi, et tu ne discutes pas.

— Pas question. Tracey a réalisé une déco renversante dans ta chambre d'amis, mais je ne veux pas y vivre.

— Ecoute, tu as le choix entre deux options : soit tu viens habiter au Pierre avec moi ; soit tu pars en thérapie.

Parfois, Julie pouvait se montrer aussi transparente qu'un verre de San Pellegrino. Vivre avec elle, cela allait cinq minutes lorsque j'étais malade, mais au-delà… Je ne voulais pas qu'elle me pique mes vêtements. Or je savais pertinemment que c'était là sa vraie motivation. Et Julie ne rend jamais, jamais rien, même des pièces importantes telles qu'un tailleur-pantalon Versace. Question fringues, Julie est un trou noir et, franchement, personne n'a envie de laisser traîner ses affaires à portée de ses mains.

Quant à la thérapie, j'étais convaincue qu'elle me rendrait malade. Il n'y a pas plus infréquentable que les New-Yorkaises qui suivent une thérapie. Elles parlent non-stop de leur enfance.

Julie pense que la thérapie a réponse à tout ; elle adore se rendre malade en décortiquant son enfance, et en essayant de découvrir le pourquoi du comment de ses incessantes explosions de colère. Admettre simplement que ces crises ne sont que la version adulte des caprices de sale mioche pourri-gâté dépasse son entendement. Elle se croit sincèrement traumatisée parce que, entre quatre et dix ans à Palm Beach, sa mère l'obligeait à porter des robes de petite fille modèle quand toutes les autres gamines avaient la permission de s'habiller en jeans CK. D'après son psy, c'est dans cette humiliation publique que s'enracine son rapport de dépendance au shopping.

— Julie, ce ne sera ni l'un ni l'autre. Je vais bien. Je vais mieux. Je suis tombée follement amoureuse d'un autre mec.

— Mais tu ne le connais que depuis quelques jours ! Tu te montes la tête. Même si ce rejeton royal est le bon, tu as besoin de comprendre pourquoi tu es restée avec Zach alors qu'il te traitait plus mal que la crotte sous les semelles de ses baskets.

— Enfin, Julie, tout ça, c'est oublié. C'est comme si jamais je n'avais été fiancée à Zach. Comme s'il ne s'était rien passé, ou que cette histoire était arrivée à quelqu'un d'autre, dans un film. Mais pas à moi.

— Ah bon ? Et à qui, alors ? Tu ne peux pas prétendre que cette histoire n'a pas eu lieu. Si tu ne tires pas ça au clair maintenant, tu finiras piétinée sous les baskets d'un autre.

Pourquoi Julie trouvait-elle intelligent de se remémorer des événements odieux que j'avais si bien réussi à expulser de mon esprit ? Elle avait vraiment consulté trop de psys. D'après moi, le meilleur moyen de gérer les trucs glauques, c'est de les oublier.

— Tu as failli mourir il y a une semaine à peine, et tu prétends « aller bien » ? Alors que tu aurais pu devenir une maniaco-dépressive bipolaire ou je ne sais quelle autre horreur ? C'est très grave. Passe au moins un scanner.

Comme la plupart des New-Yorkaises, Julie passe une IRM chaque fois qu'elle a mal à la tête. Quant au système de gradation de la dépression, il lui est si familier qu'elle pourrait établir des diagnostics sans l'aide d'un toubib.

— Eduardo est-il au courant de ce qui s'est passé ? a-t-elle
poursuivi.

— Bien sûr ! Je lui ai tout raconté.

Si Julie apprenait que je lui avais servi un mensonge éhonté,
j'en aurais été malade, mais *évidemment* que je n'avais rien dit à
Eduardo de mes errements parisiens ! Il s'imaginait que j'étais à
Paris pour faire des emplettes, comme toutes les Américaines.
Vous comprenez, mon comportement stupide ne m'avait attiré
que de la haine : je me haïssais de ma bêtise, Charlie me haïssait, Julie n'était pas spécialement ravie non plus. Avouer la
vérité à Eduardo si tôt dans notre idylle n'aurait pas été très futé
de ma part, car il aurait bien pu me haïr lui aussi.

— Bon, ça me rassure un peu à son sujet, a dit Julie. Mais
s'il te plaît, accepte de voir le Dr Fensler. Même si tu te sens
bien, ça ne peut pas te faire de mal.

— Et si on parlait d'autre chose ?

*Entre nous** soit dit, lorsque Eduardo s'absentait de New
York – ce qui se produisait assez souvent, en raison de ses affaires –, je sentais parfois renaître en moi cet état d'esprit qui avait
manqué de me coûter la vie à Paris. J'avais jeté tous les compri-
més d'Advil qui se trouvaient chez moi, mais le soir quand
j'étais seule, les peignoirs du Ritz et le cortège d'idées qui leur
était associé revenaient me hanter, et ça me faisait flipper.
Chaque fois que je pensais à Zach, ne serait-ce qu'une seule
seconde, il me prenait l'envie irrépressible de courir jusqu'à la
pharmacie pour acheter le plus gros flacon d'Advil disponible
sur le marché. Dans ces moments épineux, je ne risquais pas
d'appeler Eduardo car c'est à peine si son portable captait les
appels dans ces fichus endroits comme l'Iowa où le réclamaient
ses affaires. Quant aux week-ends, il n'était jamais à New York
non plus. Pour couronner le tout, lorsque j'avais rappelé l'héritière de Palm Beach afin de convenir d'un nouveau rendez-vous,
elle m'avait appris que le magazine avait envoyé quelqu'un
d'autre, et que l'interview était faite.

Un dimanche – les dimanches sont mortels, vous ne trouvez

pas ? – j'étais à deux doigts de galoper jusqu'au Wiz pour m'acheter un lecteur de DVD. Eduardo était une fois encore en déplacement, injoignable. J'ai passé la journée à contempler la photo de Zach sur mon mur, jusqu'à remarquer un détail qui m'avait jusque-là échappé : la mise au point semblait légèrement floue. Peut-être cette « Noyade » n'était-elle pas finalement une œuvre si géniale que ça... J'ai entrepris de la dépendre du mur, mais l'opération ayant laissé des trous béants dans le plâtre, je n'ai eu d'autre choix que de la remettre en place, ce qui m'a rendue encore plus malheureuse. Quand j'ai fini par appeler Julie, il était quatre heures du matin, mais elle ne dormait pas : elle suivait un régime à base de myrtilles, et les fringales la maintenaient éveillée.

— Julie, je suis triste à mourir.

— Mais pourquoi, mon chou ? Je croyais qu'entre Eduardo et toi, c'était la félicité absolue.

— J'adore Eduardo, mais c'est Zach que je veux. Je crois que je vais l'appeler. Il me manque.

— Hooooou ! Ne quitte pas ! J'appelle immédiatement le Dr Fensler et je te prends rendez-vous. Sinon, tu ne l'auras jamais.

Le Dr Fensler a la salle d'attente la plus glam' de tous les psys de la ville. L'endroit n'a absolument rien de ces maisons de santé que fréquentent, d'après ce que j'ai entendu dire, la plupart des New-Yorkais friqués comme Julie. Toute la pièce est décorée dans un ton gris gorge-de-pigeon, y compris la table de Christian Liaigre sur laquelle sont disposés des magazines de mode super-branchés, même ceux qui sont vraiment durs à trouver comme *Numéro*. Quant à l'assistance, c'était mieux que le premier rang à un défilé de Michael Kors. Toutes les filles qui patientaient là avaient une allure incroyable, on aurait dit des actrices ou des mondaines. Je suis certaine d'avoir reconnu Reese W. – enfin, presque, car avec ces lunettes qui lui mangeaient le visage, il était difficile d'en être sûre à cent pour cent. Le détail qui tue à propos de cette salle d'attente, c'est que les

filles avaient l'air *très** heureuses : elles étaient toutes magnifiques, plein de sacs de shopping posés à leurs pieds, et elles portaient toutes ces nouvelles Tod's à brides impossibles à se
procurer et qui sont idéales pour ces tièdes journées de juin. Les
sujets de conversation n'avaient strictement aucun rapport avec
la thérapie – il n'était question que des prochaines vacances à
Capri, ou du dernier Noël à Saint-Barth. Ces filles ne semblaient pas avoir l'ombre d'un souci en tête – et à n'apercevoir
aucun sourcil froncé, aucun visage renfrogné, j'étais même
prête à parier qu'elles ignoraient jusqu'au sens de ce mot.
J'étais sans conteste la personne la plus malheureuse et la plus
mal sapée de cette assemblée. Et ce Dr Fensler était à l'évidence
un toubib génial. Je piaffais d'impatience de le rencontrer, même
si j'étais certaine que ses consultations n'étaient pas prises en
charge par l'assurance maladie.

Une dizaine de minutes après mon arrivée, une jeune et jolie
infirmière vêtue d'un ensemble en velours éponge blanc m'a
introduite dans une salle de consultation. Le Dr Fensler était un
thérapeute new look : pas de vieux divan en cuir, pas de bouquins de psychanalyse sur les étagères, rien d'autre qu'une
lumière vive et un de ces lits de repos hauts sur pieds comme
ceux qui entourent la piscine du Mondrian Hotel à L.A. Je me
suis assise et j'ai attendu. J'étais un peu tendue. Ceux qui sont
passés par l'analyse savent combien il est exténuant de devoir
tout révéler de soi à un parfait inconnu pour s'entendre dire
qu'on ferait mieux d'essayer de changer. Quand on y réfléchit
bien, la démarche n'a rien de séduisant. Mais si je ressortais de
cette consultation aussi canon et rayonnante que les filles que
j'avais croisées dans la salle d'attente, je me prêterais de bon
cœur à l'exercice.

La porte s'est ouverte, et le Dr Fensler – le visage bronzé et
un calot sur la tête – est entré.

— Bonjour, bonjooooour ! Comment allez-vooooous ? Ravi
de faire votre connaissance !

Il me semblait totalement surexcité. Manifestement, il n'avait
pas remarqué que je n'avais fait aucun effort vestimentaire pour
venir chez lui – à la différence de ses autres patientes qui n'auraient pas déparé dans un cocktail.

— Mais vous avez une mine splen-di-de ! Et cette *peau*, mon Dieu ! Vous avez passé votre vie dans un *réfrigérateur*, ou quoi ? Bien, bien, a-t-il gazouillé sans se soucier d'attendre une réponse. Le temps d'injecter deux lèvres, et dans *dix secondes*, je suis à vous. Personne ne pique plus vite que le Dr Fensler.

Il s'est éclipsé, tel un lézard. Julie était complètement dérangée ! Elle ne m'avait pas envoyée chez son analyste, mais chez son dermato. J'ai sorti mon portable et je l'ai appelée immédiatement.

— Julie ! Le Dr Fensler est un dermato esthétique !

— Je sais. Il est génial. Tous les gens qui comptent refusent de se montrer à une fête sans avoir fait d'abord un saut chez lui.

— Mais Julie, je ne vais pas à une fête ! C'est déjà ma fête, c'est pas marrant et j'essaie d'en partir ; je ne suis pas certaine que le Dr Fensler soit la bonne personne pour m'aider à fermer la porte. Moi, j'avais compris que j'avais besoin d'une psychothérapie.

— Mais chérie, la dermatologie *est* la nouvelle thérapie. (Ça, c'est du Julie tout craché : tout ce qui est nouveau est bon, uniquement parce que c'est nouveau.) As-tu remarqué à quel point ceux qui voient un psy sont pathétiques ? Les psys rendent les gens malheureux. Mais c'est là que le Dr F. est génial – tu vas le voir pour une innocente injection de Botox et tu repars plus heureuse que si tu avais suivi dix ans de thérapie. Tu es jolie, tu te sens super bien. Simple comme bonjour. Quelques filles à New York sont devenues un peu compulsives avec ça, elles y vont tous les jours. Bon, je ne veux pas que tu empruntes le même chemin, mais sincèrement, une petite thérapie dermatologique te serait très bénéfique. C'est un peu de la triche, mais dans le bon sens du terme.

À présent, je comprenais mieux pourquoi ces filles dans la salle d'attente avaient l'air si heureuses : c'étaient toutes de banales junkies accros au Botox. Pas de front plissé, aucune expression, juste des sourires.

— Julie, ce n'est pas de ça dont j'ai besoin. Je veux parler de ce qui s'est passé avec quelqu'un. Je ne veux pas de cet air pétrifié que donne le Botox et que tout le monde trouve si *in*.

— Qui te dit de faire des injections de Botox ? Suis mon

conseil, fais un peeling, ou une injection d'enzymes. Tu peux
tout dire au Dr F. Il pratique des injections cinq pour cent de
son temps, et le reste, il se contente d'écouter. Je te promets
qu'il pige tout des relations amoureuses à Manhattan mieux que
n'importe quel conseiller conjugal, et je te jure que j'ai consulté
tous ceux, sans exception, qui exercent dans l'Upper East Side.
T'enverrais-je ailleurs que chez le meilleur spécialiste ?

— Non.

La tentation était vraiment très* grande. Comprenez-moi :
c'était la première fois que j'entendais parler d'une thérapie qui
vous transformait en mannequin de Michael Kors. Tant qu'à
devoir être malheureuse, autant que ce soit avec panache. Je m'ef-
force de ne pas être aussi effroyablement vaine que Julie, mais
parfois, quand il y va de sa santé mentale, on n'a pas trop le choix.

— Bon, alors, c'est entendu, a repris Julie, tu vas essayer.
C'est moi qui te l'offre. Ah, au fait, tu n'aurais pas croisé K.K.
dans la salle d'attente ? Je suis sûre qu'elle se fait ces nouveaux
masques au Botox qui arrivent de Paris. Elle m'a juré que son
visage ne doit son immobilité qu'à cette huile de rose persane
dont elle se frictionne tous les soirs pendant vingt minutes, mais
c'est une sacrée menteuse. Personne n'obtient une mine aussi
resplendissante avec des traitements aux plantes…

— Julie, je dois te laisser, ai-je dit en voyant réapparaître le
Dr Fensler.

— Bien, racontez-moi tout, a-t-il fait en trottant jusqu'à moi
pour commencer à examiner ma peau. Vous avez rompu avec
votre petit ami ?

J'ai hoché la tête.

— Je vais vous rendre belle et heureuse, comme toutes mes
filles. Jamais plus vous ne penserez à lui. Ne vous inquiétez
pas ! Vous pouvez venir tous les jours, si besoin est. Beaucoup
de filles font ça après avoir vécu un tel traumatisme. Yeurkkk !
a-t-il glapi. Je vois un bouton. Avez-vous pris l'avion, récemment ? Avez-vous été en Europe ?

— Oui…

Peut-être cet homme était-il un génie, tout compte fait ?

— L'acné du jet lag. Personne n'y coupe. C'est nouveau,
entièrement nouveau. Vous êtes déprimée, stressée, vous passez

votre temps à faire le tour de la planète, vous n'arrivez pas à récupérer du décalage horaire, vos hormones sont totalement déboussolées, et bang ! poussée d'acné. Vous savez, quand elles rentrent de Paris, les top models viennent *directement* ici en sortant de l'aéroport. Un petit peeling, une petite injection, et hop ! elles sont de nouveau sublimes, elles ont une mine resplendissante et elles se sentent *plus heureuses*. Bon, parlez-moi donc de ce petit ami que vous avez perdu.

Je lui ai raconté toute l'histoire, en enjolivant certaines parties pour la rendre plus distrayante. Naturellement, j'ai passé sous silence les points les plus humiliants – comme les annulations à la chaîne des voyages au Brésil. Je ne tenais pas à mettre le Dr F dans la confidence des détails vraiment intimes.

— Tttt, ttt, il n'y a pas que ça. Vous me cachez quelque chose.

A contrecœur, je lui ai narré ma tentative de suicide parisienne, mais dans une version expurgée. J'ai également admis ce qui était l'insupportable vérité : après le séjour à L.A., Zach et moi n'étions plus jamais allés à Rio.

— Eh bien, il était soit aveugle, soit gay, a plaisanté le docteur. Ce type de rejet est très déstabilisant.

— J'ai un vrai souci d'estime de soi. J'ai beaucoup de mal à m'en remettre.

— Rien ne résiste à un peeling Alpha-Bêta, m'a rétorqué le docteur en enfilant ses gants en plastique.

Il a préparé plusieurs fioles d'un liquide transparent qui sentait très fort, et m'a demandé de m'allonger. Par effleurements du bout des doigts, il a étalé une première solution sur mon visage. Ça piquait.

— Aïe ! ai-je crié.

— Ah ! Parfait ! Je vous garantis une peau de bébé en sortant d'ici. Chaque cellule sera la perfection même. Jamais plus vous ne laisserez quelqu'un vous blesser de la sorte. Vous devez vous demander pourquoi vous êtes restée aussi longtemps avec un personnage aussi déplaisant.

J'ai hoché la tête. Les émanations du produit chimique étaient si fortes qu'elles m'empêchaient de parler.

— Vous savez à quoi cela tient, de rester avec un salopard ?

J'ai secoué la tête, encore sous le choc de ce que je venais de réaliser : je m'étais attachée à un homme qui s'était montré atrocement odieux avec moi.

— A une relation sentimentale dysfonctionnelle. Ces gens-là font tout pour vous donner le sentiment que sans eux, vous n'existez plus. Personne ne comprend pourquoi vous restez, sauf vous. Mais cet homme a piétiné votre confiance en vous. C'est typique. Soyez sans crainte, mon petit, vous allez la reconstruire, et plus personne ne pourra vous faire de mal. Et ensuite, les hommes seront irrésistiblement attirés vers vous. L'estime de soi exerce sur l'autre une puissante attraction sexuelle. Vous devez vous aimer avant qu'un homme digne de ce nom puisse vous aimer à son tour. Je vais révéler votre beauté extérieure, mais vous devez tout faire pour révéler celle qui est en vous. Bon, la leçon est terminée. Passons à l'application de la seconde solution.

Celle-ci brûlait plus encore que la première. J'avais du mal à imaginer comment un tel produit pouvait être bénéfique pour la peau, ou pour l'esprit.

— Je crois que je suis en train de reprendre confiance ,n moi, ai-je réussi à articuler en dépit des démangeaisons. J'ai rencontré un garçon qui prend soin de moi comme si j'étais la chose la plus précieuse au monde.

— Où est-il ?

— Oh, il voyage. Pour son travail. Il voyage beaucoup.

— Bon, bon, assurez-vous juste qu'il n'est pas marié et père de trois enfants, avec une épouse qui l'attend dans le Connecticut !

J'ai gloussé. Le Dr Fensler était vraiment un marrant.

— O.K., nous laissons cette dernière application en place pendant cinq minutes et ensuite, vous allez briller de mille feux, chère enfant. Vous êtes une fille fabuleuse. Ne craquez pour personne d'autre que celui qui vous traitera comme la princesse que vous êtes. Fini les salopards, les invalidateurs, les pompeurs d'énergie.

Je n'avais pas la moindre idée de ce qu'était un invalidateur, mais j'allais les éviter comme la peste. Et si Julie avait raison ? Et si à New York, le secret du bonheur résidait dans le fait d'avoir le bon dermato ?

Le Dr Fensler s'est mis à farfouiller sur sa paillasse, puis après un moment, il a repris :

— Et le sexe ? Comment était-ce, avec votre ex-fiancé ?

Les gens posent des questions incroyablement personnelles ! C'est tellement indiscret, cette façon de vous parler du Brésil comme s'ils vous demandaient des nouvelles de vos dernières vacances à Palm Springs.

— Eh bien, euh... Mmmm. Quand nous... C'était... formidable, ai-je répondu, gênée.

— Ooooh ! *Attention !!!* Ne jamais épouser le meilleur coup de votre vie ! En général, si le sexe est torride, c'est que ce garçon est très dangereux pour vous. C'est passionné, excitant, mais cela indique généralement que chacun pousse chez l'autre les mauvais boutons. Méfiez-vous des hommes qui exercent sur vous une attirance sexuelle irrésistible. Toute analyse, sous une forme ou une autre, le dit.

Le moment était donc particulièrement mal choisi pour admettre qu'avec Eduardo, le sexe était un million de fois mieux qu'avec Zach. Qu'étais-je supposée faire ? En finir avec lui justement parce qu'il m'attirait ? Sortir avec un garçon qui me répugnait ? C'était là que tout le système de l'analyse s'invalidait lui-même puisqu'en réalité, on demeure impuissant à remédier à ce à quoi l'on devrait remédier. Le Dr Fensler m'a tendu un miroir.

— Regardez-vous. C'est phénoménal.

Il avait réussi une étonnante prouesse. Ma peau rayonnait d'un éclat intérieur. J'avais plus l'air d'une fille qui rentrait d'un mois de vacances aux îles que d'une convalescente réchappée d'une tentative de suicide. Brusquement, je me suis sentie assaillie par une déferlante de confiance en moi et envahie de ce même bien-être que celui que j'avais connu le jour où j'avais étrenné mon premier foulard Pucci sur un yacht, noué à la manière de Christina Onassis.

— Je me sens merveilleusement bien. Merci infiniment, ai-je dit en me levant.

— Parfait, accrochez-vous à ce sentiment, ne le laissez pas filer. A la seconde où vous le perdez de vue, revenez immédiatement et nous envisagerons une intervention encore plus merveilleuse. Compris ?

Toute la différence entre une visite chez le dermato et une

consultation chez un psy, c'est que la première vous requinque immédiatement. Lorsque j'ai retraversé la salle d'attente, je vous le promets, j'ai salué d'un geste de la main les sublimes créatures qui s'y trouvaient. Eduardo m'adorait, Zach appartenait à l'histoire, et j'étincelais comme un sou neuf.

Franchement, si j'avais entendu parler plus tôt des peelings Alpha-Bêta, jamais, pour commencer, je ne serais sortie avec un type aussi nase que Zach.

C'était de bon augure que le Dr F. ait remplumé mon épiderme car, Eduardo devant rentrer en ville ce soir-là, je comptais bien m'adonner encore un peu au meilleur Proust de ma vie, n'en déplaise au docteur. Aerin van Orenburg – une fille solitaire, cadette du milliardaire Gustav van O. qui prétendait que sa collection d'art battait celle des Getty – avait décidé de sortir de sa retraite et de donner une grande fête costumée. D'après la rumeur, depuis qu'elle avait quitté la fac, Aerin n'avait rien fait d'autre que tricoter des pochons en lurex doré pour son impressionnante collection d'escarpins Christian Louboutin. Tout le monde voulait aller à cette fête, mais Aerin, par esprit de contradiction, n'avait invité que la moitié des convives potentiels.

Aerin, qui adorait déconcerter son monde, avait choisi pour sa soirée un thème pour le moins obscur et déroutant : « Robert et Ali ». En gros, l'idée était la suivante : les garçons devaient se déguiser en Robert Evans, le nabab de l'industrie cinématographique des années soixante-dix, et les filles en Ali MacGraw, son épouse. L'éternel problème, quand on tient à donner une fête costumée à New York, c'est qu'il faut se montrer super-original. J'ai entendu dire que quelques New-Yorkaises impitoyables brûlent leur invitation si elles jugent le thème d'une soirée costumée « ringard ». Apparemment, les thèmes suivants sont aujourd'hui proscrits : « Mick et Bianca » ; « Boogie Nights » ; « Bill et Monica ». Quant au thème « cuir et léopard », il est lui aussi banni, parce que tout le monde triche et fonce directement chez Roberto Cavalli.

En apprenant le thème choisi par Aerin, Lara, Jolene et Julie ont grimpé au lustre. À moins de porter une perruque, aucune des trois ne pouvait se déguiser en Ali.

— En ce cas, mets une perruque, ai-je dit à Julie lors d'un sommet costume par téléphone.

— Il est *hors de question* que je cache ce sublime blond sous une mocheté de cheveux châtains. Ariette en *mourrait*. Comment Aerin peut-elle me faire ça, après la façon dont j'ai veillé sur elle au lycée ?

Il est rare qu'une brune comme moi ait un avantage social sur une blonde new-yorkaise, or pour une fois, c'était le cas. J'étais dévorée d'impatience à la perspective de la fête qui aurait lieu ce soir-là.

— Pourquoi ne demandes-tu pas à Ariette de te faire une teinture éphémère, juste pour la soirée ? ai-je demandé à Julie.

— Yeurkkk ! Ça va pas, non ? Imagine qu'ensuite mes cheveux repoussent châtains ! (Le fait est que les cheveux de Julie repoussent légèrement bruns, mais je me suis abstenue de le lui rappeler.) Je serai une Ali MacGraw blonde. Elle aurait été bien mieux en blonde, d'ailleurs. Pourquoi Aerin est-elle aussi chiante ? Tout ce qu'elle cherche, c'est rendre tout le monde malade et décrocher le titre de Princesse de Park Avenue la plus originale dans les chroniques mondaines.

— Julie, tu n'es pas obligée d'y aller.

— Tu plaisantes ? *Personne* n'est invité. Je *dois* y aller. C'est le clou de ma semaine. Même si on n'est que lundi et que ma semaine n'a pas encore réellement commencé, a-t-elle précisé avant de raccrocher.

Quelques secondes plus tard, le téléphone a sonné de nouveau.

— Mon chou, ne répète pas à Aerin que j'ai dit que sa fête était le clou de ma semaine, hein ? Je ne veux surtout pas qu'elle le sache.

Eduardo avait prévu de me rejoindre chez Aerin, et pour ma part, j'admettais sans problème que ce serait le clou de ma semaine. Julie avait décidé que Todd serait son cavalier : Charlie étant rentré à L.A., le jeune héritier était manifestement de retour sur sa liste extensive de petits amis. L'absence de Charlie était une aubaine. La seule idée de le voir m'observer d'un air soucieux dans une pièce bondée de sosies de Robert et Ali était un cauchemar.

Bien décidée à ne pas regarder à la dépense, Aerin avait fait transformer son appartement en une réplique de la fameuse maison de Robert Evans à Beverly Hills. *Love Story* passait en boucle sur un écran géant. Le buffet avait été préparé par Matsuhisa, spécialement convoqué de Los Angeles pour l'occasion. Apparemment, les vrais Robert et Ali étaient quelque part par là, car si j'avais bien compris, Ali était la marraine d'Aerin. Mais le hic, c'est qu'il était impossible de les repérer parmi tous leurs clones.

Vers le milieu de la soirée, il s'est passé une chose étrange Alors que je m'accordais quelques instants de répit sur un canapé, Todd est venu s'asseoir à côté de moi. Avec ses pattes d'ef en velours et ses immenses lunettes de soleil à monture d'écaille, il était quasi méconnaissable. Il me paraissait agité. Effectivement, à un moment donné, il m'a dévisagée avec intensité et il a lâché :

— Il me faut ton numéro.

Beurk ! ai-je pensé. Todd était le mec de Julie. Bas les pattes !

— Ah bon ? Pourquoi ? ai-je fait d'un ton détaché.

— Pour t'appeler. Je veux te…, a-t-il bégayé avec un regard furtif. J'ai quelque chose à te dire.

Franchement, ce garçon me dégoûtait !

— Todd, je ne veux pas que tu m'appelles, O.K. ?

J'avais été ferme. Il est parti, l'air gêné.

Cette fête était incroyable. J'avais l'impression d'être là depuis cinq minutes, quand brusquement, j'ai vu qu'il était une heure du matin. Le temps passe de façon tellement insidieuse, dans les meilleures soirées – mais jamais dans celles qui sont loupées, c'est trop bête. Quand Julie a quitté les lieux avec Todd, j'ai décidé de partir moi aussi.

Une fois dans le taxi, un autre sentiment insidieux m'a peu à peu envahie. Où était Eduardo ? Il n'était pas venu me rejoindre. J'ai écouté la messagerie de mon portable. Aucun message. J'ai appelé mon répondeur à la maison. Pas de message non plus. J'ai appelé Eduardo sur son portable. Pas de réponse. J'ai appelé chez lui. Rien.

Ce que je ressentais n'avait rien à voir avec le désespoir, je vous assure. Simplement, je ne voulais pas être traitée de la sorte. Eduardo m'avait posé un lapin, et à cause de lui, Todd m'avait harcelée. Mais que grâce en soit rendue au Dr Fensler ! Ma toute nouvelle confiance en moi était ce soir-là tellement dopée que j'ai pris une décision : j'allais dire à Eduardo que tout était terminé entre nous, histoire de lui montrer qui j'étais – une fille qui se respectait, qui entendait être traitée comme la plus belle émeraude de l'une des tiares de sa grand-mère. Une fois qu'il m'aurait suppliée de revenir sur ma décision, je consentirais, mais en traînant les pieds, contre la promesse d'amender à l'avenir son comportement. Après tout, il ne s'agissait là que de son premier faux pas. N'était-ce pas la procédure légale de laisser les criminels en liberté après une première incartade ?

Le temps que j'arrive chez moi, ma confiance en moi était *presque* intacte, ce que je considérais comme un excellent résultat, compte tenu de l'affront qu'elle venait d'essuyer. Je me suis dirigée directement vers le téléphone, où le voyant clignotant indiquait que j'avais des messages. Eduardo avait intérêt à avoir une excuse en béton. Mais ce n'était pas lui. Il y avait trois messages de Todd (comment diable s'était-il procuré mon numéro ?) me demandant de le rappeler. C'était nul, franchement ! C'est quasi de l'inceste de courir après les amies de sa petite copine. Sans compter que Todd savait que je sortais avec Eduardo, et qu'ils étaient de vieilles connaissances puisqu'ils avaient fréquenté la même école.

J'ai été réveillée le lendemain matin à 6 h 30 par la sonnerie du téléphone. Et bien que je juge contraire à mon éthique d'avoir des contacts avec le monde extérieur avant 10 h 30, j'ai décroché.

— Allô ? C'est Todd.

— Todd ! Mais tu as vu l'heure ?

— Je dois te parler.

Le Dr Fensler avait fait un boulot phénoménal sur ma confiance en moi, et le résultat était entièrement positif, mais avais-je vraiment envie d'exercer une attraction sur Todd ?

— Ecoute, Todd, tu es mignon, mais tu es à Julie. On ne va pas se voir. Tu as perdu la tête.

— Mais…

— Laisse-moi finir ma nuit, s'il te plaît, l'ai-je coupé avant de raccrocher.

A croire que c'était la matinée des coups de fil car dix minutes plus tard environ, le téléphone a re-sonné. *Hou*, me suis-je dit, *je ne vais pas pouvoir supporter ce cirque plus longtemps.*

— Oui ? ai-je fait d'un ton peu amène.

— C'est toi, ma *carina*, mon doux pétale ? a chuchoté Eduardo.

Aucun homme ne m'avait appelée sa *carina* ou son doux pétale, mais j'étais déterminée à ne pas me laisser détourner de mes résolutions : tout en sachant que je finirais par baisser pavillon, l'heure de la clémence n'avait pas encore sonné. Et d'une voix solidement campée sur les plus hautes cimes de la confiance en moi, j'ai répondu :

— Eduardo. Je suis déçue. Tu m'as posé un lapin, hier soir.

Ma déception était sincère. Je m'étais donné un mal de chien pour ressembler à Ali MacGraw au sommet de sa gloire, et il n'en avait rien vu.

— Je crois que nous devrions arrêter de nous voir.

— *Non** ! Ma chérie, si tu savais ! Je suis coincé sur ce maudit aéroport en Floride. Tu as entendu parler de cet ouragan qui dévaste les côtes, ici ? L'aéroport est pile sur sa route. Ils ont refusé à mon pilote l'autorisation de décoller. J'ai dû passer la nuit dans un hôtel Sheraton, c'était un cauchemar. Je suis épuisé, et toutes les lignes téléphoniques étaient coupées jusqu'à maintenant. Je suis tellement navré de n'avoir pas pu te prévenir hier soir ! Tu sais bien que *je t'adore**.

J'ai aussitôt été attaquée par une mégacrise de culpabilité. Comment avais-je pu me montrer aussi soupçonneuse alors qu'Eduardo dormait dans d'atroces draps synthétiques ? Néanmoins, je n'ai rien dit.

— Laisse-moi t'inviter à dîner ce soir. Chez Serafina. Les meilleures pâtes de tout New York. Comment pourrais-tu refuser ?

Effectivement, je ne le pouvais pas. Si vous aviez déjà goûté aux pâtes aux palourdes et au champagne de Serafina, je vous garantis que la confiance en soi se mettrait en veilleuse chez vous aussi.

Situé de façon fort pratique à un jet de pierre de chez Barneys sur la Cinquante-sixième Rue Est, Serafina est le Q.G. new-yorkais des têtes couronnées. Il paraît qu'Albert de Monaco s'y rend directement en descendant de son avion pour y manger une pizza aux champignons, et que les « de Grèce » et « de Belgique » se sustentent rarement ailleurs lorsqu'ils sont ici. Partout où vous regardez dans la salle, vous voyez des « de quelque chose ». Tous font assaut de courtoisie les uns à l'égard des autres, mais Eduardo m'a dit que les « de Grèce » sont férocement jaloux de la famille belge parce que celle-ci possède encore un pays, même s'il s'agit d'un pays où personne n'aurait envie de mettre les pieds, serait-il le dernier endroit existant sur cette planète. Je trouvais ça insensé. Franchement, mieux vaut ne pas avoir de pays du tout et vivre dans une ville excitante comme New York, plutôt que d'en posséder un comme la Belgique et être obligé d'y rester.

Pour ce dîner chez Serafina, j'ai arrêté mon choix sur une sublime robe en satin vert menthe de Louis Vuitton. En y repensant, je crois que je tentais de communiquer à Eduardo par messages subliminaux que j'étais la candidate idéale au titre de la princesse de Savoie. C'était exactement le genre de robe qu'aurait porté Grace Kelly si elle avait été brune, et également la tenue idéale pour piquer une colère homérique contre Eduardo : il serait incapable de se concentrer sur mes paroles et avec un peu de chance, il accepterait sans discuter mes termes, à savoir :

1. Abaisser son taux d'absentéisme. Déplacements professionnels acceptables uniquement du lundi au vendredi.
2. Remplacer cette catastrophe de téléphone Motorola par un appareil digital fonctionnant partout, même sur le jet de papa.
3. Une autre visite au *palazzo*, très bientôt.

À la seconde où j'ai passé la porte du restaurant, j'ai aperçu Eduardo qui m'attendait ; ses cheveux lissés en arrière mettaient en valeur son visage bronzé.

— *Carina mia*, mais tu es *bellissima*, ce soir.

J'en ai oublié aussi sec tous mes reproches, comme s'ils s'étaient échappés de ma tête et enfuis par la porte du restaurant. Fort heureusement, j'avais anticipé le coup : sachant que je pourrais bien oublier mes griefs à la seule vue d'Eduardo, j'avais pensé à griffonner une antisèche à l'intérieur de ma main.

Nous avions une excellente table, qui offrait une très bonne vue sur l'ensemble de la salle. Ce soir-là était placé sous le signe des sublimes princesses suédoises : il y en avait une pleine tablée au centre du restaurant, et tous les regards étaient rivés sur elles. Je suppose que cette fascination tenait au fait que ce sont de vraies blondes – les gens avaient du mal à y croire. Il y avait aussi des « de Grèce » disséminés un peu partout dans la salle, accompagnés de leurs jeunes, jolies et blondes épouses américaines. Un peu à l'écart, j'ai aperçu Julie et Todd – Yeurkkk ! – et toute une tablée de « d'Autriche ». Dans un coin de la salle, il y avait aussi un ado comme on en croise beaucoup dans East Village, qui arborait la panoplie gothique intégrale, avec tous les accessoires qu'on peut se procurer sur la Neuvième Rue. Il me semblait totalement décalé dans ce cadre, jusqu'à ce qu'il s'approche de nous pour saluer Eduardo, qui me l'a présenté comme Iago du Danemark. *Hamlet*, ai-je songé. *Que c'est mignon !*

Iago a dîné avec nous. (Ce dernier point n'était pas sur ma liste de récriminations : j'avais omis d'ajouter une clause spécifiant « pas de dîner romantique *à trois** avec d'obscurs princes danois ».) La conversation des deux garçons a porté principalement sur les soucis propres aux têtes couronnées de rang mineur :

1. Quand allaient-ils récupérer leurs royaumes respectifs ?
2. Qui avait crashé le plus de voitures au Rosey[1] ?
3. La Côte d'Azur allait-elle tomber entièrement aux mains des Russes ?

---

1. « Boîte à bac » de la jeunesse dorée internationale, située en Suisse et réservée aux garçons. *(N.d.T.)*

4. Comment allaient-ils s'y prendre pour être réinvités sur le yacht du roi d'Espagne cet été ?

5. Nikki Beach était-elle encore la plage privée la plus chic de Saint-Tropez ? Ou bien était-ce plus glamour d'exhiber son bronzage/sa petite amie/sa royale personne à La Voile Rouge, sa concurrente directe ?

Les conversations des « de quelque part » sont en réalité super-barbantes, mais s'il est dans vos plans de devenir princesse, vous devez faire mine de les trouver passionnantes. Vous devez également feindre de penser que ce serait formidable qu'ils récupèrent leurs royaumes, même si vous êtes, comme moi, une démocrate dans l'âme qui juge les monarchies du dernier ringard. À part moi, je suis convaincue que la plupart de ces jeunes princes seraient infichus d'administrer correctement leur copropriété, alors pour ce qui est de gouverner un pays... (Cette remarque ne vaut pas pour le prince William, qui est si sexy qu'il pourrait régner sur l'univers tout entier s'il le souhaitait.)

Iago parti, Eduardo m'a regardée dans les yeux et m'a susurré, d'un ton romantique en diable :

— Tiramisu ?

— Eduardo, je suis très contrariée ! Nous ne sortons plus ensemble, donc pour ce qui est de faire des galipettes...

Je ne voulais pas qu'il s'imagine pouvoir rentrer en grâce *ce soir-là* – même s'il ne faisait guère de doute qu'au final, je n'allais pas opposer de franche résistance. J'avais un mal fou à fixer mon attention car ce maudit Todd se livrait à un manège insupportable depuis l'autre bout de la salle. Il n'arrêtait pas de m'indiquer la direction des toilettes d'un mouvement de la tête, de curieuses mimiques à l'appui. On tombe parfois sur d'authentiques pervers, dans cette ville. J'ai déployé des trésors d'énergie pour l'ignorer.

— Je sais que tu es contrariée et ta colère est parfaitement justifiée, m'a interrompue Eduardo. Mais je voulais juste savoir si tu désirais un dessert.

Oh, mon Dieu ! Quelle méprise embarrassante ! Cela dit, c'était mignon de sa part de me proposer un dessert, mais décevant tout de même, car j'escomptais plutôt ce soir-là une petite séance proustienne stimulante – après force cajoleries de la part d'Eduardo, évidemment. Mais puisqu'il n'y avait que du tiramisu au tableau des offres, autant y goûter. Une décision que je n'ai pas regrettée car une adorable surprise m'attendait : le serveur a apporté un tiramisu en forme de cœur.

— Je suis pardonné ?

— Non, ai-je répondu, en pensant exactement le contraire.

— Tu m'accompagnes en Sardaigne sur le bateau du roi d'Espagne dans quinze jours ?

— Non, ai-je dit, en songeant : *Dois-je galoper chez Eres m'acheter ce nouveau bikini blanc en photo sur les pubs ?*

Bref. Alors que j'allais piocher la dernière bouchée de mon tiramisu – un pur moment de bonheur, soit dit en passant –, j'ai découvert au fond de la coupe un cœur en cristal rose. Eduardo pouvait disparaître en voyage d'affaires et ne jamais m'appeler *en permanence*, s'il le voulait.

— Pardonné, *principessa* ?

— Pardonné.

J'adore les *happy ends* qui se concluent avec un cadeau.

— Allons-nous-en, a dit Eduardo.

— Oui, laisse-moi juste le temps de faire un tour aux lavabos.

Je voulais retoucher le gloss sur mes lèvres et ajouter un soupçon de blush. On peut dire que je flottais sur un petit nuage. Eduardo était la perfection faite homme. Il s'était excusé avec élégance, il avait reconnu ses torts, et admis que j'avais raison sur tout sans même que j'aie eu à énoncer mes griefs. Pourquoi étais-je restée avec un type comme Zach quand il y avait des Eduardo à portée de main ? C'était incompréhensible.

Peu après que je suis entrée dans l'un des box, j'ai entendu la porte des toilettes s'ouvrir ; quelqu'un a débarqué, essoufflé. J'avais entendu dire que ces Suédoises prenaient en douce de la cocaïne dans les toilettes de ce restaurant. Je me suis tenue coite.

— Hé ! a fait une voix. Il faut que tu m'écoutes.

Oh non !

— Todd, fiche-moi la paix. Je ne suis pas intéressée.

— C'est Julie qui m'envoie. Elle a insisté pour que je te dise la vérité.

— Quelle vérité ? ai-je demandé, intriguée.

— Tu dois arrêter de voir ce garçon.

— Pas question. Eduardo est un amour. Nous partons passer le week-end sur le yacht du roi d'Espagne.

— Romps, je te dis. Il va te faire du mal.

Je suis sortie du box et j'ai ouvert ma trousse à maquillage. Même si je reconnais que c'était plutôt gratifiant de voir deux hommes se battre pour moi, j'ai fait celle qui trouve la situation *intolérable*.

— Todd, je sais que tu m'aimes bien, mais je sors avec Eduardo et toi, tu sors avec ma meilleure amie.

— Mais je ne veux pas sortir avec toi !

Quoi ? Quelle déprime ! Il voulait juste coucher avec moi. C'était presque pire.

— Je ne veux rien d'autre que ton bonheur. Or, je connais bien Eduardo, nous étions à l'école ensemble, et il ne te rendra pas heureuse. Je l'ai expliqué à Julie, et elle m'a dit que je devais absolument te coincer et ne pas te laisser sortir des toilettes avant que tu saches.

— Todd, arrête de vouloir tout gâcher ! Eduardo m'attend, je dois me dépêcher, ai-je dit en ouvrant la porte.

Il l'a rabattue d'un coup sec et m'a barré le passage.

— Todd, laisse-moi sortir !

— Il est marié, il vit dans le Connecticut et il a trois petits gamins.

— Ne sois pas idiot. Je n'ai jamais rien entendu de plus ridicule !

— C'est vrai.

— C'est n'importe quoi !

— Tu ne t'es pas demandé pourquoi il n'est jamais là le week-end ?

— Impératifs professionnels, ai-je rétorqué d'une voix ferme.

— Les Italiens ne travaillent pas le week-end !

— Eduardo, si.

— Et comment expliques-tu que son téléphone ne capte jamais les appels quand il « travaille » ?

Je refusais de toutes mes forces de croire à ces sornettes.

J'avais vraiment besoin d'un voyage à Rio, ce soir-là, voyez-vous. Mais motus et bouche cousue, hein ?

— Je le connais, a repris Todd. C'est le type même du menteur.

— La ferme ! ai-je crié en essayant de l'écarter de devant la porte.

— « *Il n'y a rien comme le désir pour empêcher les choses qu'on dit d'avoir aucune ressemblance avec ce qu'on a dans la pensée** », a poursuivi Todd. T'a-t-il déjà dit ça ?

Comment le savait-il ? C'était vraiment bizarre.

— Tu sais ce que ça veut dire ?

— C'est une citation de Proust.

— Oui, mais sais-tu la traduire ?

Je n'ai pas répondu. Je n'avais jamais cherché à connaître le sens exact de cette citation. J'aimais juste l'entendre de la bouche d'Eduardo.

— Eh bien, je vais te le dire, le sens, a déclaré Todd avant de traduire la phrase. Il se sert de cette citation depuis toujours.

J'étais hébétée. Todd lisait Proust ? Et moi qui l'avais toujours pris pour un fils à papa sans intérêt. Incapable de le regarder, j'ai empoigné mon sac et j'ai filé, par les cuisines, à une vitesse record.

Idiote ! me disais-je pendant que je m'enfuyais. *Si seulement tu avais appris à parler couramment le français, rien de tout cela ne serait arrivé*

Les Front Row Girls

1. Leur foyer spirituel : les défilés de la semaine de la Mode à New York. Toujours assises au premier rang à ceux d'Oscar de la Renta, de Michael Kors, de Carolina Herrera et Bill Blass.
2. Age : vingt ans et des poussières – au pire, une petite trentaine pour les plus vieilles. Une célèbre FRG a vingt-trois ans depuis maintenant huit ans et demi.
3. Origine sociale : un grand-père ayant fondé un important empire commercial/bancaire/cosmétique/aéronautique. Un ancêtre un peu WASP sur les bords est un plus. S'habiller comme une WASP, un moins.
4. Taille de vêtement : 34 – ou 36, dans le pire des cas. Si vous accédez au premier rang et que vous n'êtes pas mince, vous devez compenser par une très forte personnalité.
5. Vacances : la maison de la grand-mère à Palm Beach ; l'île privée de la meilleure amie ; rester chez soi (le vrai luxe pour qui ne peut jamais trouver le temps de le faire).
6. Astuce de mode classique : escarpins à talons aiguilles en croco miel. Ils se fondent avec la couleur de la chair et allongent la jambe.
7. Philosophie en matière de shopping : toujours acheter en boutique. Une FRG n'emprunte jamais.
8. Meilleures amies : d'autres Front Row Girls. Les FRG ne parlent jamais aux filles du deuxième rang – c'est très mauvais de se tordre le cou.

8

En général, au moment même où je me promets de ne pas rappeler un ex, comme toutes les filles au cœur brisé, je passe à l'acte *sur-le-champ*. Eduardo m'a envoyé quantité de petits mots et de chocolats Fauchon, mais j'ai tenu bon. Je ne l'ai pas rappelé, même si cette histoire m'avait laminée comme jamais. Zach s'était montré salaud – pas de bague, voyages au Brésil annulés –, mais Eduardo, lui, avait fait preuve d'une rare félonie. Qui s'imaginerait être assez malchanceuse pour tomber deux fois sur ce genre de sale type dans une seule vie ? Cependant, je n'étais pas traumatisée outre mesure. Le Dr F., voyez-vous, avait vraiment accompli de tels miracles que cet incident m'avait bien moins meurtrie qu'on n'aurait pu s'y attendre.

J'ai décidé de ranger ces échecs sentimentaux dans le dossier « affaires classées ». Il était clair comme de l'eau de roche que le MP était une espèce qui relevait du domaine de l'aléatoire. Ma nouvelle résolution – ou du moins, une ancienne résolution que j'avais choisi de remettre à l'ordre du jour – était de me concentrer sur mon travail. Tout le monde parlait en ce moment d'une Front Row Girl du nom de Jazz Conassey – héritière des scieries du même nom, dans le Wisconsin. Fraîchement débarquée à New York, Jazz s'était taillé la réputation d'être accoutrée en toutes circonstances comme une Twiggy version an 2000 en minijupe très, très mini, petit manteau haute couture (des modèles vintage exclusivement) et lunettes de soleil. Cette fille avait forcément suivi des études de mode à Paris, car ce n'est pas en restant assise au fond d'un bois dans le Wisconsin qu'on devient aussi pointue. Bref, mon adorable rédac'chef qui s'était montrée si compréhensive lors de mon petit problème avec l'Advil, voulait un portrait d'elle. J'ai accepté immédiatement. Non seulement un chèque serait le bienvenu pour recommencer à dépenser sans compter, mais je mourais également d'envie de jeter un œil dans le dressing de Jazz – on racontait qu'il contenait une pièce de chaque collection Pucci.

Jazz habitait dans un somptueux immeuble, au numéro 47 de la 70ᵉ Est – une adresse vraiment pratique pour une *fashion victim*, puisque le hall d'entrée de l'immeuble est quasiment en face de la petite entrée de la boutique Prada de Madison Avenue. D'après ce que j'avais entendu dire, Jazz possédait un don exceptionnel pour mener plusieurs activités de front – faire du shopping chez Prada tout en s'entretenant au téléphone avec sa conseillère personnelle chez Barneys, par exemple. J'ai donc sauté sur mon téléphone, et je suis tombée sur sa messagerie.

« Salut, c'est Jazzy ! Si vous avez besoin de me joindre, du 20 au 23, je suis au Four Seasons à Milan, au 011 39 277 088. Du 23 au 28, je serai chez ma mère à Madrid, au 011 37 24 38 38 77. Ensuite, vous pourrez me joindre au Delano, à Miami. Ou essayer sur mon portable, au 917 555 3457, ou sur mon portable européen au 44 7768 935 476. Je vous aime, à très bientôt ! »

Où Jazz trouvait-elle le temps de chiner du Pucci avec un calendrier de vacances aussi chargé, je l'ignore. J'ai choisi de ne pas laisser de message, puisque de toute façon elle ne l'aurait pas avant une semaine. J'ai composé le numéro à Madrid. Lorsque Mme Conassey a décroché, j'ai demandé à parler à Jazz.

— Je souhaiterais également parler à ma fille, m'a-t-elle répondu. Si vous la trouvez, pouvez-vous lui dire d'appeler sa mère, s'il vous plaît ?

J'ai essayé ensuite le numéro de portable européen et j'ai eu sur la messagerie : « Salut, c'est Jazzy. Si je ne réponds pas, merci de me contacter sur mon portable américain au 917 555 3457. »

J'ai donc appelé ce numéro, où une boîte vocale m'a redirigée vers le numéro de l'appartement à New York. Les Front Row Girls sont aussi injoignables que des top models, c'est bien connu. J'ai recomposé le numéro de l'appartement, et cette fois, ô miracle, quelqu'un a décroché. Je n'en croyais pas ma chance.

— Jazz ?

— Non, sa gouvernante, a répondu une femme avec un accent philippin prononcé.

— Jazz est-elle là ?

— Oui.

— Puis-je lui parler ?

— Non, elle dort.

Nous étions à l'heure du déjeuner. J'étais saisie. Jusqu'à ce jour, j'avais l'impression d'être la seule personne de ma connaissance qui, dans cette ville, ne se levait pas avant 10 h 30.

— Quand elle se réveillera, pourriez-vous lui demander de me rappeler, s'il vous plaît ? Pouvez-vous lui dire que je souhaite rédiger un fabuleux portrait d'elle pour mon magazine ?

— Oui. Votre numéro ?

Je me suis empressée de le lui donner. Jazz se trouvait à New York, c'était déjà ça. Ça allait faciliter les choses.

Je n'ai nullement été surprise que mon message tombe dans l'oreille d'une sourde. Les Front Row Girls ne rappellent jamais. Pourquoi s'en donneraient-elles la peine ? Tout le monde les harcèle. Dans les sphères mondaines, elles sont l'équivalent de la fille la plus populaire du lycée. J'ai rappelé chez elle le lendemain – après le déjeuner – et j'ai demandé à lui parler.

— Pas là, a répondu la gouvernante.

— Où est-elle ?

— Elle partie à Moustique hier.

Mon cœur a chaviré. Moustique est l'une de ces îles paumées dans La Caraïbe où aucun réseau téléphonique ne fonctionne, et mon échéance expirait dans quelques jours.

— Quand revient-elle ?

— Je sais pas ! Jamais savoir quand Mlle Jazzy est ici ou non.

— Vous avez un numéro où la joindre ?

— Bien sûr ! s'est exclamée la gouvernante en me répétant le numéro de portable inopérant.

Les mondaines new-yorkaises sont insaisissables. Elles ont à leur disposition un si grand nombre de villégiatures isolées de tout et uniquement accessibles en jet privé que même la CIA aurait du mal à les traquer. Alors je doutais fort qu'un système GPS puisse trouver Jazz en temps requis.

*
* *

— Vous devez venir absolument. Je donne une réunion pour « Sauvons Venise », m'avait dit Muffy. Si personne ne fait rien, cette ville va nous tirer sa révérence et disparaître. Et qui a envie que Venise compte au nombre des villes disparues ?

Voilà comment, quelques jours plus tard, je me suis retrouvée chez Muffy. Elle prétend vouloir sauver Venise pour des motifs charitables, mais de vous à moi, c'est plutôt parce qu'elle est littéralement accro à l'hôtel Cipriani et à sa scène mondaine. Elle en mourrait de ne pas pouvoir y séjourner un mois chaque été. Muffy est la seule personne que je connaisse qui « donne » des réunions comme d'autres des dîners ou des galas de bienfaisance. Et si elle faisait don des sommes somptuaires qu'elle claque en buffet lors de ses levées de fonds pour sauver Venise, elle récolterait trois fois plus d'argent sans rien avoir à organiser du tout.

Le but de la réunion de ce jour-là consistait à faire signer par chaque bénévole présente des courriers « de rappel » pour le Grand Bal destiné à sauver Venise. Il paraîtrait que des courriers signés à la main incitent davantage les gens à acheter des billets et à assister au bal que de simples lettres imprimées.

Sitôt que j'ai eu passé la porte, en milieu d'après-midi, Muffy s'est délestée d'un gros paquet de lettres entre mes mains.

— Installez-vous dans la bibliothèque et commencez à signer, j'arrive. Champagne ? Ou bien préféreriez-vous un macaron à la mangue et aux lychees ? J'ai fait venir la préparation de Paris. Ils fondent littéralement sur la langue.

J'ai accepté un macaron qui, je vous promets, avait un goût de péché – son coût de revient aurait sans doute pu financer à lui seul au moins six nouvelles briques pour Saint-Marc. J'ai gagné la bibliothèque (qui, comme toutes les bibliothèques de l'Upper East Side, est peinte en rouge bordeaux) pour rejoindre le groupe de filles déjà présentes. Des piles d'invitations étaient disposées devant elles, mais personne ne signait ni n'humectait d'enveloppe, car elles étaient bien trop occupées à discuter.

— Tous ces trucs administratifs et philanthropiques ! a soupiré Cynthia Kirk. Quel travail !

Cynthia est une jeune princesse fortunée très investie dans de nombreux comités de bienfaisance. Son but dans la vie est de devenir la reine de la scène caritative de Manhattan.

— Ne m'en parle pas ! Ça ne s'arrête *jamais*, a renchéri Gwendolyn Baines, sa concurrente directe pour le trône de reine de charité.

— Tu ne vaux jamais plus que la dernière somme que tu as récoltée. La philanthropie est un monde impitoyable. Bien plus que les levées de fonds des groupes d'investissement en Bourse, a souligné Cynthia.

— Alors imagine quand *par-dessus le marché* quelqu'un est en train de faire des travaux dans ta cheminée ! C'est insupportable rien que d'y penser ! s'est lamentée Gwendolyn.

— Ah, ces levées de fonds ! C'est à peine si j'ai encore le temps de m'acheter des fringues.

— Pareil pour moi. Mais toute cette pression m'a fait réaliser un truc : je peux me contenter des sacs, des chaussures et des bijoux. Finalement, tout tourne autour des accessoires. Le reste, on s'en fiche.

— Mon astuce, pour lutter contre tout ce *stress inhumain* que j'endure à cause du musée, c'est les robes chemisiers Michael Kors de cet été. On les boutonne, et hop ! en trois minutes, on est dehors.

L'atmosphère qui régnait dans la bibliothèque était plus tendue que dans une pièce de Tchekhov. D'une minute à l'autre, l'une des filles allait s'évanouir ou carrément trépasser, juste pour attirer l'attention sur elle.

— Ah, vous voilà ! a soupiré Muffy en se laissant choir sur le canapé à côté de moi. (Elle s'est tamponné le front d'un mouchoir en lin amidonné, encore plus essoufflée et épuisée que les leveuses de fonds qui nous entouraient.) Si j'avais su que sauver Venise était à ce point exténuant, j'aurais choisi une autre ville qui n'est pas en train de couler. Rome, par exemple, qui tombe juste en ruines. Alors dites-moi, très chère, cet Eduardo, quel goujat ! De mon temps, lorsqu'un homme était marié, il en informait sa petite amie. C'était là toute la magie du Studio 54 ! Cette largeur d'esprit ! Tout le monde savait où se trouvait sa place. Vous allez bien ?

— Oui, très bien, Muffy. La prochaine fois, je demanderai juste une bio détaillée.

Si j'avais tiré un enseignement de ce dernier épisode, c'était bien celui-là : ne plus jamais fricoter avec un homme sans une vérification préalable et exhaustive de sa situation.

— Je connais quelqu'un qui possède les CV des meilleurs partis de la ville, a repris Muffy.

— Vraiment ? a fait Cynthia, l'air intéressé.

— Oui, mais ça ne vous concerne pas, Cynthia, vous êtes déjà mariée. Je dis ça pour vous, a ajouté Muffy en me regardant droit dans les yeux.

— C'est très aimable à vous, Muffy, mais beau parti ou pas, je ne cherche personne. Je fais un break. J'ai décidé de me concentrer sur ma carrière.

— Oh, très chère, non ! s'est récriée Muffy, atterrée. Ne me dites pas que vous avez envie de vous tuer à la tâche pour avoir ensuite besoin de Botox à trente ans ! Songez donc aux rides d'Hillary Clinton. Quand on se soucie trop de sa carrière, ça marque le visage.

Muffy a des arguments d'ordre esthétique contre le fait de prendre trop à cœur sa carrière lorsqu'on est une femme. Le travail détruit les cellules de la peau, soutient-elle. Parfois, Muffy est tellement vieux jeu que je me dis qu'on devrait l'exposer au Met.

— Vous devez absolument rencontrer mon ami Donald Shenfeld. Avocat, spécialisé dans les affaires de divorce. Très belle clientèle. Tout le monde passe par lui.

— Muffy, Eduardo n'a aucune intention de divorcer dans l'immédiat.

— Ce n'est pas pour lui, mais pour vous, m'a rétorqué Muffy.

Souffrait-elle des prémices de la maladie d'Alzheimer ? N'ayant même pas réussi à franchir l'étape du mariage, un divorce n'était pas vraiment à l'ordre du jour. Mais Muffy n'avait que faire de mes arguments.

— Donald est extraordinaire. Il a réglé tout un tas de fabuleux divorces et arrangé tout un tas de fabuleuses relations dans cette ville. Il s'occupait de mon divorce en même temps que de celui de ce pauvre Henry. Il s'est aperçu que nous formions un couple parfait, il nous a présentés, et voyez le résultat ! J'ai les plus belles maisons du monde ! Donald Shenfeld sait qui arrive sur le marché, et c'est par là que tout commence : savoir qui va bientôt être libre.

— J'adorerais le rencontrer, a glissé Gwendolyn.

— Gwen, vous êtes déjà prise, lui a répliqué sèchement Muffy.

— Je sais bien, mais c'est toujours utile de se tenir au courant et de savoir qui arrive sur le marché. Au cas où…

Une question m'intriguait : les maris de Cynthia et de Gwendolyn recherchaient-ils aussi activement leur seconde épouse que leurs épouses leur second mari ?

— Regardez, a repris Muffy. Dans cette ville, il faut toujours avoir une longueur d'avance. Un beau parti revient sur le marché après son divorce, et boum ! Vous n'avez même pas eu le temps de lui demander s'il avait prévu un contrat de mariage qu'il est déjà pris de nouveau. C'est un avantage inestimable de connaître quelqu'un comme Donald qui prospecte pour vous, en amont.

— Ne pensez-vous pas qu'un homme en pleine procédure de divorce va hésiter à se précipiter tête baissée dans une nouvelle relation ? ai-je avancé.

— Voilà où vous vous trompez du tout au tout, mes petites ! Vous cherchez aux mauvais endroits. L'avantage, avec un homme divorcé, c'est qu'on sait d'emblée qu'il est de la race des maris. Ce qui n'est pas le cas avec un célibataire, n'est-ce pas ?

Muffy raisonne selon une logique qui est parfois entièrement dénuée de sens.

— Et Donald a justement quelqu'un de fabuleux pour vous !

— Muffy, *arrêtez* !

— Patrick Saxton. Quarante et un ans, a poursuivi Muffy en faisant fi de mes protestations. Pas encore chauve. Un divorcé de rêve. Il est dans le cinéma, vous savez, il dirige un énorme studio. Vit à cheval entre L.A. et New York. Jets privés aux

quatre coins du monde – ce qui me rassure car vous savez combien je déteste l'idée que vous empruntiez ces vols commerciaux, même si vous êtes une fille indépendante et qu'elles font
toutes ça. Il meurt d'envie de vous rencontrer.

Les rendez-vous arrangés par des tiers, c'est bon pour les
New-Yorkaises neurasthéniques qui n'ont que des fringues
moches. Il était hors de question que je me laisse embringuer
dans un tel plan.

— J'ai entendu dire qu'il est phénoménalement riche, a dit
Cynthia en écarquillant les yeux.

— Je ne veux pas d'un homme riche.

J'étais sincère. Toutes les filles de ma connaissance qui ont
un mari ou un petit ami plein aux as passent leur temps à se
lamenter à propos du fric. Mais je dois reconnaître qu'elles ne
se lamentent jamais de manquer d'occasions de faire du shopping.

— Il n'est pas *si* riche que ça, a nuancé Muffy. Il n'a pas de
yacht, par exemple. Mais il possède quatre maisons, et pour
moi, c'est être riche juste ce qu'il faut.

À New York, je connais des filles qui sortiraient avec Patrick
Saxton uniquement pour gagner des mètres carrés supplémentaires de dressing. Mais « divorcé de rêve » sonnait à mes oreilles largement comme « marié ». Celui-là était rayé de ma liste
avant même d'avoir eu son nom couché dessus.

Les messageries vocales et les répondeurs téléphoniques sont
l'équivalent moderne de la torture de l'eau dans la Chine
ancienne. Jazz était un véritable courant d'air, toujours inaccessi-
ble, à quelque numéro que ce soit. Le lendemain, je lui ai laissé
plusieurs nouveaux messages, en espérant qu'elle me ferait signe.
Je ne voulais pas que cette commande de portrait tourne court,
comme ç'avait été le cas de celui de l'héritière de Palm Beach.
Mais que pouvais-je faire, sinon attendre que mon téléphone
daigne sonner ? Cependant, plutôt que de ruminer des idées
noires sur ma vie sans fiancé ni rendez-vous galant, j'ai décidé de

me montrer positive et de réfléchir à ma tenue pour la soirée
« Sauvons Venise » qui aurait lieu le surlendemain.

Juste au moment où je m'apprêtais à appeler les bureaux de
Caroline Herrera pour voir s'ils accepteraient de me prêter une
robe, j'ai eu un double appel.

— Salut, c'est Jazz Conassey, a dit une adorable voix de
petite fille, avec un zeste d'affectation à la Marilyn Monroe.
J'adorerais que vous fassiez mon portrait.

— Jazz ! Ça fait mille ans que j'essaie de vous joindre. Où
êtes-vous ?

— Ooooh, a-t-elle lâché dans un bâillement langoureux. Sur
un bateau, quelque part, je ne saurais pas vous dire précisément
où. Mais c'est tellement amusant, ici ! Et si vous veniez me
rejoindre ?

Les filles comme Jazz ont la manie d'inviter n'importe qui
n'importe où, même des gens qu'elles n'ont jamais rencontrés
et dont elles ignorent tout.

— Quand rentrez-vous à New York ?

— Comment savoir ! Ne me posez pas ce genre de question !
Demain, peut-être ? Je pensais aller à cette soirée, « Sauvons
Venise ». Papa a quasiment sauvé cette ville à la force de son
seul poignet, alors j'ai un tas de pressions pour assister à cette
réception.

— J'y serai également. Pourquoi ne pas nous rencontrer là-
bas, et programmer le portrait pour le lendemain matin ?

— Oui, mais ces soirées sont tellement rasoir. *Tellement
rasoir*. Et je suis tellement bien, sur ce bateau. De toute façon,
vous savez, je ne tiens pas tant que ça à avoir mon portrait dans
un magazine.

Amener une mondaine à faire ce que vous attendez d'elle ressemble à une partie d'échecs. Vous devez avoir au moins trois
coups d'avance. Tout ce qu'il faut savoir, c'est que pour obtenir
ce qu'on veut, il faut demander ce qu'on ne veut pas. Demandez
tout de go ce que vous voulez, et là, vous n'obtiendrez que ce
que vous ne vouliez pas. J'ai répondu posément :

— En ce cas, je n'insiste pas. Amusez-vous bien sur le
bateau et…

— Non, non, attendez ! Je pourrais peut-être me débrouiller et vous retrouver à la fête ?

— Vous en êtes certaine ? Je ne veux pas interrompre vos vacances.

— Hé, je suis perpétuellement en vacances ! J'ai même besoin de faire un break. Les vacances, c'est *tellement rasoir*, au bout d'un moment.

— Comment vous reconnaîtrai-je ?

— J'aurai la jupe la plus courte et le plus beau bronzage, a-t-elle gloussé.

J'ignore comment on se compose une tenue de doge à partir d'une minijupe, mais si j'avais les jambes de Jazz, je n'hésiterais pas, moi non plus, à récrire l'histoire du costume.

— Bon sang, c'est O.P.M.O.R. à mort, ce soir, a soupiré Julie en survolant du regard l'assemblée réunie dans la salle de bal de l'hôtel Saint-Regis.

Nous flânions au bar, en sirotant des cocktails à la fraise. Julie avait revêtu une longue robe fourreau en lamé or – une pièce vintage d'Halston, qui redevient follement tendance. Echaudée par la soirée Ali McGraw, qui s'était soldée pour elle par une *fashion* dépression, elle avait cette fois refusé de se conformer au thème de la soirée. Je n'avais pas spécialement l'air d'une Vénitienne non plus, mais j'étais aux anges dans ma robe longue drapée bleu marine, gentiment prêtée par Caroline. Ça allait être un déchirement de devoir la retourner

— O.P.M.O.R. ? ai-je répété, interloquée.

Parfois, le jargon de Julie s'appuie sur bien trop d'acronymes pour moi.

— On Prend les Mêmes et On Recommence, a-t-elle expliqué avec un regard suprêmement agacé.

Julie n'avait pas tort. La soirée « Sauvons Venise » réunissait la même faune mondaine que tous les autres galas de bienfaisance de New York. J'ai fait un tour dans l'assistance, à l'affût d'une beauté en minijupe, mais je n'apercevais que des filles affublées de robes de bal aussi volumineuses qu'un appartement, et dans le boudoir réservé aux dames, lorsque deux filles tentaient de se croiser, il en résultait une congestion bien pire que les embouteillages à l'échangeur du New Jersey à l'heure de pointe.

Jolene et Lara arboraient des robes Bill Blass assorties, bleue pour l'une, rose pour l'autre. Acheter les mêmes vêtements, au cas où il leur prendrait l'envie de se faire passer pour des sœurs jumelles, était leur nouveau jeu favori. Aucune des deux n'avait vu Jazz. Personne, à vrai dire, ne l'avait croisée de la soirée. J'ai commencé à sentir l'angoisse poindre. Réussirais-je un jour à écrire un autre portrait si mon sujet s'évertuait à jouer la fille de l'air ? Je me suis assise à ma place, en essayant de barrer la route à mes inquiétudes.

Julie, Lara, Jolene et moi étions à la même table, et mes trois amies étaient surexcitées car on les avait chargées d'élire la fille la mieux habillée de la soirée.

— Je te nomine, a dit Lara à Jolene.

— Non ! a protesté l'intéressée. C'est *toi* la plus jolie.

— Tu plaisantes ! C'est toi !

— Pas du tout !

— O.K., les filles, s'est interposée Julie. Soyons honnêtes, d'accord ? La plus jolie, c'est *moi*, mais on ne peut pas nous décerner le prix à nous-mêmes, alors avançons, et choisissons la gagnante.

Obnubilée par mes soucis, je n'arrivais pas à entrer dans le jeu du jury de la compétition. Si on n'est pas vigilante, les soucis professionnels peuvent devenir un sérieux handicap pour l'épanouissement de votre vie sociale.

J'ai échangé quelques mots avec mon voisin de gauche, un type de Wall Street qui s'occupait de sociétés d'investissement, et c'est à peine si j'avais remarqué la chaise restée vacante à ma droite, jusqu'à ce que j'entende une voix masculine dire :

— Je suis navré d'être en retard. C'est impardonnablement grossier de ma part.

— Aucun problème, ai-je répondu en tournant la tête.

Je me suis retrouvée nez à nez avec un type en smoking blanc immaculé, pochette au garde-à-vous, cheveux blonds lissés en arrière et sourire étincelant. L'archétype du séducteur patenté.

— Je bavardais avec nos sponsors et nous n'avons pas vu l'heure filer. Mais j'ai tellement à cœur de récolter le plus d'argent possible pour sauver Venise !

Je n'avais pas entendu le nom du nouvel arrivant. Pendant qu'il s'asseyait, j'ai coulé un regard vers le carton posé devant son verre. Je vous le donne en mille : Patrick Saxton.

Parfois, je pourrais étrangler Muffy. Sans blague. Même si ce Patrick était un saint qui consacrait l'intégralité de sa fortune et de son temps à sauver Venise, je n'avais pas bougé d'un iota de ma position : un nabab *presque* divorcé et qui se débattait probablement avec sa future ex-femme dans des querelles qui dépassaient mon imagination ne m'intéressait pas. Autour de la table, les délibérations pour élire la fille la plus élégante de la soirée prenaient un tour plus intense que celles du prix Pulitzer.

Jolene : – Louise O'Hare mérite de gagner. Qui d'autre s'est cassé la tête pour demander à Olivier Theyskens en personne de lui dessiner une robe vénitienne ?

Lara : – Pas question ! Kelly Welch a fait revenir Marc Jacobs de Paris exprès pour lui dessiner sa robe. C'est plus méritoire.

Jolene : – Oui, mais il paraît que Louise avait *également* prévu une robe de secours Ungaro.

Lara : – Prévoir une robe de secours est le signe d'un manque extrême de confiance en soi. Nous devons aussi prendre en compte la personnalité des candidates.

— Hé ! les filles, les a interrompues Julie. Ce n'est pas l'élection de Miss Univers ! Nom d'un chien ! Je crois que quelqu'un d'autre devrait décider à notre place. Vous deux, vous êtes trop obsédées pour choisir une gagnante en toute impartialité. Pourquoi ne choisit-il pas, lui ? a-t-elle ajouté en regardant Patrick.

— Certainement pas, a protesté celui-ci en levant les mains. Je n'ai pas les qualifications requises.

— Mon pote, vous n'avez besoin d'aucune qualification pour décider qui est la plus jolie fille de la soirée. Choisissez simplement celle qui mérite de gagner.

Patrick a promené alentour un regard écarquillé, comme s'il n'avait jamais vu une jolie fille de sa vie. Tout huile du showbiz qu'il était, il me faisait l'effet d'un chic type, sensé de surcroît –

ce qui est très rare dans ce milieu. Il a discrètement désigné une fille assise seule dans un coin.

— Je pense que c'est elle qui s'est donné le plus de mal

Jolene et Lara ont lâché un hoquet avant de se récrier à l'unisson, complètement paniquées :

— Madeleine Kroft ?!

Madeleine Kroft était *précisément* la fille qu'elles n'auraient jamais choisie. C'était une gentille étudiante de vingt-trois ans qui n'avait pas encore perdu ses rondeurs enfantines. Quant à sa robe, elle semblait avoir été louée dans un magasin spécialisé dans les déguisements d'Halloween. Madeleine était une fille maladivement timide, incapable de prendre la parole sans que son visage vire au rouge tomate.

— Pas question ! a sifflé Jolene d'une voix mauvaise. (Mais aussitôt après, elle a toussoté et s'est reprise.) C'est tellement gentil ! Jamais je n'aurais eu l'idée de lui décerner le prix.

— Oh, mon Dieu ! a fait Lara en écho. C'est sûrement la meilleure chose qui soit arrivée à cette pauvre Madeleine. Je me sens nulle de ne pas y avoir pensé moi-même. Il n'y a pas plus gentille qu'elle.

Patrick s'est levé pour aller chercher l'heureuse élue. Nous avions toutes les yeux rivés sur la scène. Pendant que Madeleine sautillait d'excitation et de ravissement, Julie s'est glissée sur la chaise que Patrick venait de libérer.

— Il est mignon, m'a-t-elle chuchoté à l'oreille. Il est riche. Et c'est le mec le plus sympa que j'aie jamais rencontré à New York. Tu devrais sortir avec lui.

— Même s'il était libre, ce qui n'est pas le cas, je suis certaine que je ne l'intéresserais pas, ce qui tombe bien, car moi, il ne m'intéresse pas.

Patrick est revenu à notre table, accompagné de Madeleine.

— Oh, mon Dieu ! Oh, mon Dieu ! a piaillé celle-ci d'une voix émue. C'est le plus beau jour de ma vie ! Vous êtes les deux filles les plus formidables de New York, a-t-elle ajouté à l'intention de Lara et de Jolene. Vous êtes vraiment des êtres à part. Merci, merci de m'avoir choisie ! Vous êtes les bienvenues dans notre propriété de Hobe Sound, quand vous voulez.

Mais lorsque Jolene lui a tendu son prix – un chèque-cadeau Dolce & Gabbana – le visage de Madeleine s'est voilé de tristesse.

— Qu'est-ce qui ne va pas ? s'est inquiétée Jolene.

— Je ne rentre dans aucun des vêtements de cette boutique ! a gémi Madeleine. Pourquoi croyez-vous que je m'habille comme ça ?

— Eh bien, tu choisiras des accessoires. Ils en ont des tonnes.

— C'est pire. Je déteste entrer dans cette boutique. Ça me donne l'impression d'être une meringue dans un champ de ciboulette.

— Enfin, Madeleine, vous êtes très jolie ! a protesté Patrick. C'est très appétissant, les meringues !

— Ah bon ?

— Mais oui. Je vous promets, vous êtes bien plus jolie que tous ces brins de ciboulette.

Madeleine l'a remercié d'un immense sourire béat avant de repartir se mêler à la foule. Ensuite, tout au long du dîner, mes trois copines ont contemplé Patrick comme s'il était mère Teresa. Une fois le café servi, Patrick s'est tourné vers moi.

— Puis-je vous proposer de vous raccompagner chez vous ?

— Ouiiiii !!! a piaulé Julie. Elle adorerait que vous la raccompagniez.

Nous avons pris un taxi. Patrick m'a expliqué qu'il ne faisait jamais appel à ses chauffeurs lorsqu'il sortait le soir, car il détestait l'idée que ces pauvres bougres patientent jusqu'à pas d'heure dans la voiture. Peut-être Patrick avait-il bel et bien les pieds sur terre. Franchement, je n'avais entendu parler de personne, dans cette ville, qui puisse s'offrir les services d'un chauffeur et qui circule en taxi.

— Ecoutez, je pars demain soir à Cannes, pour quelques jours, au festival. Voudriez-vous être mon invitée ? J'aurai beaucoup de travail là-bas, mais ça pourrait être amusant.

J'adorerais, ai-je songé. *Mais vous êtes marié, et je dois penser à ma carrière. Et je ne veux pas vous laisser croire que vous avez une chance d'avoir des activités brésiliennes extra-conjugales avec moi ce soir, ce qui serait inévitablement le cas, si j'accepte votre invitation.*

— Je suis navrée, c'est impossible, ai-je répondu avec un sourire aimable.

Savez-vous à quel point refuser une invitation au festival de Cannes peut booster votre confiance en vous ? Je ne saurais trop vous recommander d'en faire autant quand la vôtre est un peu à plat. C'est aussi efficace qu'un peeling Alpha-Bêta. Le taxi s'est arrêté au pied de mon immeuble.

— Vous êtes sûre ? a insisté Patrick.

— Certaine, ai-je répondu tout en pensant : *Le suis-je vraiment ?* Bonne nuit, ai-je ajouté en descendant du taxi.

Au moment où j'entrais dans l'appartement, mon portable a sonné. Jazz. J'avais complètement oublié qu'elle m'avait fait faux bond.

— Salut, c'est moi ! Ecoutez, j'ai été… retenue, et ça me semblait tellement grossier de me pointer avec trois heures de retard que j'ai préféré rester au Sixty Thompson. On peut faire l'interview maintenant, si vous voulez.

— Jazz, il est une heure du matin.

— Et alors ?

— Pourquoi ne pas reporter ça à demain ?

— Parce que demain – soit dans six heures et demie – je pars à Cannes.

Ben voyons, évidemment ! Les FRG sont toujours à quelques heures d'un départ imminent pour une destination fabuleuse. N'ayant donc guère le choix, j'ai enfilé un jean et sauté dans un taxi.

Jazz ne m'a jamais expliqué pourquoi ce soir-là elle avait pris une suite dans cet hôtel de SoHo, mais vu l'état des lieux lorsque je suis arrivée, j'en ai déduit qu'elle avait donné une fête bien plus amusante que celle dont je sortais. Une femme de chambre était occupée à remettre un peu d'ordre dans les pièces tandis que Jazz était affalée sur le lit, telle une magnifique poupée de chiffon impeccablement bronzée.

— Merci infiniment, a-t-elle dit à la femme de chambre.

Vous êtes tellement formidables, ici ! Je vous adore ! Vous êtes les meilleurs. Pourriez-vous m'apporter un thé, s'il vous plaît ?

— Bien sûr, mademoiselle, a dit la femme de chambre, en adoration. Je vous apporte également quelques biscuits ?

— Des biscuits ! Oui ! Je vous adore !

Puis Jazz a tapoté la couette pour m'inviter à la rejoindre sur le lit.

— Je vais tout vous dire sur nous, les Front Row Girls, a-t-elle commencé. Le truc, c'est que j'adore être une Front Row Girl. C'est tellement génial d'être *toujours* assise au premier rang…

Rien de tel qu'un sac de la boutique Alexander McQueen qui vous tombe du ciel pour vous distraire de toutes vos bonnes résolutions à l'égard de votre carrière. Le lendemain matin, ledit sac est arrivé par coursier ; il renfermait une exquise robe de cocktail, accompagnée d'un petit mot :

Sans regret ? Cette robe ferait merveille sur vous au gala amfAR à Cannes. Départ demain 18 heures de Teterboro.
Avec mon meilleur souvenir,
Patrick

Teterboro ! Aucune fille à New York n'ignore le sens délicieux de ce mot aux sonorités pourtant disgracieuses. En clair, Teterboro est un aéroport affecté uniquement aux vols non-commerciaux. En plus clair encore, la mention de ce seul nom signifie : « Je possède un jet privé. » Si d'aventure vous vous retrouvez dans le New Jersey un vendredi soir et que vous vous demandez à quoi riment ces bouchons de grosses berlines avec chauffeurs sur l'autoroute, sachez que c'est parce que tous les gros bonnets de Manhattan se ruent vers leur G-V pour embarquer à destination de Palm Beach. Je trouve vicieux de la part de Patrick d'avoir attendu ce moment-là pour me glisser qu'il possédait un jet privé. Son invitation n'en devenait que plus difficile à refuser. Pour la plupart des filles de cette ville, le jet privé est un argument massue ; elles sont littéralement incapables de

refuser une proposition de voyage. Je m'inclurais occasionnellement dans ce groupe. Cependant, ce jour-là, mon enfant intérieur ne cessait de me rappeler que Patrick appartenait encore à
la race des hommes mariés, quoi qu'en dise Muffy. J'allais
décliner l'offre, même si c'était péché de renoncer à une robe
aussi sublime.

J'ai déposé le sac dans l'entrée, déterminée à le renvoyer.
Puis, j'ai essayé de chasser de mon esprit l'idée d'un fabuleux
voyage à Cannes. Enfin, j'ai envoyé un texto à Patrick, en lui
disant que je ne pouvais pas venir.

À l'instant même où j'ai expédié le message, naturellement,
je m'en suis mordu les doigts. N'était-ce pas absurde de laisser
passer une occasion d'aller sur la Côte d'Azur ? En proie à un
soudain abattement, je me suis dit que lire le compte rendu
d'une fête glamour pourrait peut-être me remonter le moral. J'ai
commencé à feuilleter le dernier numéro de *W*, et le magazine
s'est ouvert au hasard sur une double page. Et là, au beau milieu
d'une mosaïque de photos prises au cours d'une soirée, j'ai vu
Zach, qui me dévisageait, Adriana à son bras. Adriana A., le
mannequin de Luca Luca ! Comment pouvait-il ? Il avait toujours dit que cette fille était un cauchemar ! Et pour tout arranger, Adriana arborait cette nouvelle robe taille basse de Lanvin
que je convoitais. J'ai lutté de toutes mes forces contre la tentation d'examiner la robe de plus près, et mon regard s'est posé
sur la légende : « Le photographe Zach Nicholson et sa fiancée,
Adriana A. » Zach était de nouveau fiancé ? Déjà ? Et avec
Adriana A. ? Je n'en croyais pas mes yeux. L'idée était tout
simplement insupportable. J'ai refermé d'un coup le magazine.

Comment allais-je pouvoir écrire le portrait de la FRG, maintenant ? Paralysée par un mélange de tristesse et de jalousie,
j'étais incapable de me concentrer. Peut-être ce voyage à
Cannes était-il, *après tout*, une bonne idée ? Assurément, il me
chasserait de l'esprit à quel point Adriana était top dans cette
robe. Si je restais à New York, j'allais recommencer à faire une
fixette sur Zach et, qu'il fricote ou non avec Adriana A., ce mec
n'en valait pas le coup. Peut-être un séjour cannois améliorerait-
il mes facultés de concentration ? Ne savais-je pas qu'en cas de

gros effort à fournir, rien ne vaut de travailler à bord d'un J.P. ?
J'ai renvoyé un message à Patrick :

Ignorez message précédent. Adorerais venir.

La réponse ne s'est pas fait attendre :

Formidable. Passe vous prendre à 17 h. Patrick.

Mon plan était prêt : j'allais rédiger le portrait de la FRG pendant la traversée, et l'envoyer par mail le lendemain matin. Qui avait besoin de savoir que je n'étais pas à New York, tant que le travail serait rendu en temps et en heure ? C'est tellement réconfortant d'être capable de prendre une décision sensée en cas d'urgence !

Patrick a sonné à 17 heures pétantes. J'ai empoigné ma valise et dévalé les escaliers. Une Mercedes de couleur sombre attendait dans la rue, moteur ronronnant. J'ai sauté sur la banquette arrière.

— Sans regret ? s'est enquis Patrick.

— Sans regret.

Et nous avons foncé. L'habitacle de la voiture était réfrigéré et très moelleux. Pour un homme qui renâclait à faire appel aux services d'un chauffeur, c'était un détail un peu curieux. Cependant, moi je dis, quand on est à l'arrière d'une Mercedes, en route pour un séjour super-glamour sur la Côte d'Azur, on arrête de se plaindre.

L'hôtel du Cap, à Antibes, devrait être rebaptisé Hôtel des Transactions. Pendant le festival, il accueille tous les grands pontes et décideurs de l'industrie cinématographique, et ce en dépit de sa situation géographique : il faut compter trente minutes de voiture pour rejoindre la Croisette – épicentre du festival –, qui se transforment en quatre-vingt-dix minutes en cas de trafic intense, or le trafic est mortel pendant toute la durée du festival. C'est un peu comme si vous choisissiez de descendre dans un hôtel aux abords de Central Park alors que votre seul et unique but est de faire du shopping dans SoHo.

Mais il y a tout un culte autour de l'hôtel du Cap. Très

sincèrement, si j'étais Cameron Diaz, blonde et assez riche pour habiter où bon me semble, je ne suis pas certaine que je choisirais un hôtel où l'on vous oblige à régler votre note *à l'avance et en espèces*, où les téléviseurs qui équipent les chambres sont si vétustes qu'ils pourraient faire l'objet d'un reportage sur la chaîne Histoire, et dont la carte du service d'étage se limite à des club-sandwiches et à des sorbets honteusement riquiqui.

Voilà ce que j'ai pensé lorsque je suis arrivée le lendemain à 6 heures – soit environ midi à l'heure de New York (ces G-V vous emmènent en Europe plus rapidement qu'un avion de ligne, et ce doit être là l'avantage d'un appareil à bord duquel on peut tout juste tenir debout). Il nous a été impossible d'obtenir un petit quelque chose à se mettre sous la dent, ni même un lit où s'étendre avant que Patrick n'ait sorti un tas de billets qui auraient eu du mal à rentrer dans une boîte à chaussures. Franchement, ça devrait plutôt s'appeler le motel du Cap.

Patrick est un parfait gentleman. Je l'avais prévenu, en des termes sans ambiguïté, que je n'étais pas prête pour des escapades brésiliennes avec lui, compte tenu de son statut d'homme marié. Sans avoir à le dire vraiment, je crois que j'avais réussi à lui communiquer la vraie teneur de mon message : si éventuellement un jugement de divorce en bonne et due forme se profilait prochainement à l'horizon, alors je pourrais me laisser convaincre de l'accompagner en Amérique du Sud. Le gros avantage d'une attitude ultra-chaste, c'est que votre hôte est contraint de vous installer dans votre propre suite. En toute confidentialité (je détesterais qu'une telle réflexion revienne aux oreilles de Patrick), c'est un arrangement bien plus reposant que de partager une suite avec un homme que vous connaissez à peine et qui vous baratine toute la nuit pour se faire admettre sur votre plage ultra-privée à Ipanema.

Je me suis réveillée le lendemain matin à 11 heures, totalement déphasée par le décalage horaire. J'ai ouvert les volets dans un état second et là, saisissement absolu : *Voilà donc pourquoi tout le monde vient ici*, ai-je songé. Des kilomètres de pelouse d'un vert uniforme s'étiraient jusqu'à la côte, et la Méditerranée étincelait comme un de ces diamants bleus anciens qu'ils vendent chez Fred Leighton, sur Madison. Peu importe qu'il n'y ait rien à manger dans cet hôtel ! La vue à elle seule était un festin. Et que l'ex-fiancé se soit retrouvé une nouvelle fiancée perdait brusquement de son importance.

On a frappé à ma porte, et un garçon d'étage est entré avec un plateau en argent où trônaient des tartines et un verre d'orange pressée. Un bristol était posé sur l'ensemble :

Je serai en rendez-vous toute la journée. Profitez bien de la piscine. Je viendrai vous prendre à 19 heures pour la soirée de l'amfAR. Je suis ravi que vous soyez ici. Patrick.

Vous vous souvenez de ce bikini Eres auquel j'avais songé pour ce projet avorté de croisière sur le bateau du roi d'Espagne ? Eh bien, cette occasion loupée ne m'inspirait plus aucun regret car l'hôtel du Cap offre des opportunités insensées pour qui veut faire des effets de mode. On ne pouvait pas rêver meilleur endroit pour étrenner un deux-pièces blanc avec un anneau argenté sur la hanche.

J'ai traversé le bar pour gagner les abords de la piscine, située au bord d'une falaise qui domine la mer. J'étais en train de relever le dossier d'une chaise longue quand j'ai entendu quelqu'un qui criait :

— Hé ! Par ici !

J'ai tourné la tête. Jazz Conassey. Evidemment. Aussi mince et dorée qu'un bretzel, elle se prélassait sur un matelas blanc posé à même le sol. Je suis allée la rejoindre.

— Salut.

— Motif de dévastation, a-t-elle répondu, en dévorant des yeux mon bikini.

— Quoi ?

— Je suis dévastée.

— Pourquoi ?

— Ton bikini.

— Il a quelque chose qui cloche ?

— Non ! Nooon ! Je suis dévastée dans le bon sens du terme. Il est super-sexy. Je te fais un compliment.

— Eh bien, merci beaucoup, Jazz. Je suis moi aussi dévastée par ta tenue.

Elle portait un maillot une pièce à imprimé batik et arborait plus de diamants à son cou que tout un tapis rouge peuplé de starlettes. À mon avis, elle se la jouait FRG version hippy chic. Elle a hélé le préposé à la piscine.

— Jean-Jacques ! Vous apportez un matelas à mon amie ? Tu ne tiens pas vraiment à la chaise longue, n'est-ce pas ? a-t-elle ajouté en se tournant vers moi. Tu sais, tout l'intérêt, ici, c'est de s'allonger par terre, sur un de ces matelas blancs.

— J'avais envie de prendre une cabine.

— Surtout pas ! s'est écriée Jazz. Quand tu es dans une cabine, personne ne te voit. À quoi bon être ici, dans ce cas ?

J'ai obtempéré aux directives de ma nouvelle copine et je me suis allongée à ses côtés en songeant que les subtilités de l'étiquette en vigueur à l'hôtel du Cap pourraient inspirer un volume entier à l'un de nos gourous de l'art de vivre.

— Je meurs de faim, ai-je dit. Je vais commander un club-sandwich. Tu veux quelque chose ?

— Non, je suis le régime de l'hôtel.

Lequel régime, s'est-il avéré, consistait en Bellinis, cacahouètes et cookies. Ainsi que l'a souligné Jazz, les cacahouètes étaient bien meilleures que leurs club-sandwiches – dont il faut bien reconnaître qu'ils ne peuvent même pas prétendre concurrencer ceux d'un Holiday Inn.

— Alors ce portrait ? s'est enquise Jazz. Tu l'as écrit ?

— Oui, ai-je menti. (Le magazine attendait ma copie d'une minute à l'autre, mais l'idée d'aller m'enfermer dans ma suite pour travailler quand je pouvais acquérir un bronzage de griffe internationale était insoutenable.) Que fais-tu ici ? ai-je demandé.

— Ce que je *fais* ? s'est étonnée Jazz. Mais… *rien*. Je suis juste venue accompagner un ami qui présente, genre, six films au festival.

— Tu as vu des trucs bien ?

— Pas encore. Mais cet après-midi, il y a la projection de ce film indé de L.A. dont tout le monde parle. Il paraît que le réalisateur est une vraie bombe. Tu veux venir ?

— Avec plaisir. Quel est le titre ?

— *Un journal intime*. Tout le monde dit que c est aussi drôle que Woody Allen, à l'époque où il faisait encore des films drôles.

Nous avons quitté l'hôtel à 16 heures. Jazz s'était débrouillée pour réserver le seul chauffeur de tout Antibes qui possédait une jeep décapotable.

— Alors, tu t'habilles comment pour la fête de ce soir ? a hurlé Jazz, cheveux au vent, tandis que la jeep fonçait le long de la côte.

— McQueen. Cadeau de Patrick.

— Facteur de dévastation ! Tu es ici avec Patrick Saxton *et* il t'a offert une robe ? Waouh ! Renversant.

— Je ne suis pas « avec » Patrick. Disons juste que je l'accompagne. C'est à peine si je le connais.

— Tiens, regarde, les infos à propos du film, a dit Jazz en me tendant un carton :

Un journal intime
Une comédie écrite et réalisée par Charlie Dunlain..

Charlie ? *Charlie ?* Mais Charlie ne donnait pas dans les grosses productions comiques à succès. Il était spécialisé dans les films à petit budget intellos et déprimants que personne n'allait jamais voir. C'était déjà assez embarrassant d'être découverte à moitié morte par un nullard de réalisateur, mais si en plus celui-ci devenait le chouchou de Cannes…

— Jazz, je ne peux pas venir. Je dois retourner travailler sur ce portrait. (J'ai tapé sur l'épaule du chauffeur.) Pouvez-vous me déposer ici, s'il vous plaît ?

Le chauffeur s'est arrêté, et j'ai sauté à terre.

— Mais tu m'as dit que tu l'avais écrit !

— A ce soir, ai-je répondu en commençant à rebrousser chemin.

Et voilà : juste au moment où je commençais à voir la vie sous un meilleur angle, l'image de Charlie, avec son regard sévère et désapprobateur, revenait me hanter, et il n'en fallait pas plus pour précipiter chez moi un de ces revirements d'humeur négatifs. Bien pire, depuis que mon histoire avec Eduardo avait défrayé la chronique des potins, j'avais encore moins de chances que d'habitude de l'impressionner. *Au diable, ces histoires !* me suis-je dit. J'avais un papier à rendre dans les plus brefs délais, et c'était là ma seule priorité. J'étais suffisamment en retard comme ça. À certains moments, il importe de savoir faire preuve de professionnalisme, surtout quand les semaines écoulées ne vous ont pas particulièrement permis de briller par votre fiabilité.

Quelques heures plus tard, alors que je mettais la touche finale à mon papier, le téléphone a sonné.

— *Bon-soir**, ai-je dit avec application, fermement déterminée à améliorer mon français.

— Salut ! C'est Lara. Alors, tu t'éclates ? Tu as vu George Clooney ?

— C'est super bien, ici. Tu devrais venir, un de ces quatre.

— Tu imagines que Charlie a eu un prix ? On l'a lu dans le journal.

— Ah bon ?

Pourquoi le meilleur est-il toujours réservé aux pires individus, et le pire – une calvitie précoce, par exemple – aux meilleurs ? Cette nouvelle me glaçait le sang : pourvu que Charlie ne soit pas à cette soirée de l'amfAR !

— Ça va ? s'est inquiétée Lara.

— Super bien.

— Tu as les boules à cause de Zach et de cette pétasse ?

— Un peu, je crois.

— Essaie de ne pas y penser. Ces deux-là sont tellement *too much* qu'ils ne s'en rendent même pas compte. Appelle dès que tu rentres.

— Promis.

— *Au revoir, mademoiselle**, a dit Lara en raccrochant.

J'ai expédié mon papier par mail à 18 heures. Il n'était que midi à New York, je pouvais donc me féliciter d'avoir une heure d'avance sur mon échéance et, pour fêter ça, j'ai commandé deux Bellinis au service d'étage. Avant une soirée, rien ne vaut une paire de Bellinis pour mater la nervosité, et quand on ne souffre d'aucun problème de dépendance à l'alcool, c'est vraiment une astuce formidable. Et tellement efficace que, les deux Bellinis avalés, je me sentais merveilleusement détendue. Finalement, me suis-je dit, ce serait assez génial de tomber sur Charlie Dunlain à cette soirée, vêtue d'une sublime robe McQueen et avec, à mon bras, un producteur estimé par l'ensemble de la profession. Il

réaliserait pour le coup que je n'étais pas une pauvre fille suici
daire qui n'attirait que des mecs nases.

Avec le recul, je crois pouvoir dire qu'après deux Bellinis,
ma vigilance n'était pas à son top niveau, à cause de toutes les
bulles de champagne qui barbotaient dans mes veines. Lorsque
j'ai enfilé l'adorable robe en mousseline offerte par Patrick, j'ai
un peu tiré sur le tissu pour la faire glisser le long de mon corps,
mais elle n'a rien voulu entendre. Je me suis retrouvée coincée,
prisonnière de la tête au nombril, sans possibilité de lever ou de
baisser les bras. Sans doute avais-je oublié de descendre la fermeture Eclair. Lentement, j'ai essayé de faire remonter la robe
pour l'enlever et, au moment où j'ai enfin réussi à me libérer,
j'ai entendu un violent bruit de déchirure.

J'ai descendu la fermeture Eclair et entrepris de renfiler la
robe ; c'est là que j'ai vu l'étendue du carnage – et j'emploie ce
mot au sens littéral : une blessure béante s'étirait sur toute la
longueur du dos. La robe était totalement immettable. Et l'accroc n'était même pas réparable. Il était 18 h 25.

Je disposais de trente minutes avant l'arrivée de Patrick.
Désespérée, j'ai couru tambouriner à la porte de Jazz. Les FRG
ont toujours de délicieuses robes de secours sous le coude.

— Urgence robe de soirée, ai-je haleté quand elle a ouvert sa
porte.

— No problemo, ma puce. J'ai des munitions.

Cette fille était une sainte. Une sainte qui dans sa robe fourreau rouge parsemée de roses en soie – du Valentino vintage des
années soixante-dix – offrait un spectacle stupéfiant. Ma panique s'est envolée aussitôt. Si ses robes de secours étaient de cet
acabit, il y avait peu de chances que la mini-déconfiture que
j'avais anticipée ait jamais lieu. Jazz a trottiné jusqu'à la pende-
rie et en a extrait une robe longue en soie.

— C'est un modèle d'Oscar. De la saison prochaine. Super
dans le coup. Tiens.

C'était un modèle en taffetas gris acier, avec une jupe très
ample. Sans rien laisser transparaître de mon excitation, je l'ai
enfilée et je suis vite allée me contempler dans le miroir.

Je me suis trouvée nez à nez avec un genre d'iceberg. Non,
sérieux. Pourquoi fallait-il que la *seule* robe moche qu'Oscar ait

jamais dessinée de *toute* sa carrière finisse sur moi, le soir où tout était réuni pour me faire vivre la soirée la plus glamour de ma vie ? Maintenant, je sais ce que Halle Berry a dû ressentir le soir où elle a reçu son Oscar : imaginez un peu son désarroi quand, sous les yeux du monde entier, elle s'est levée pour aller recevoir la jolie statuette dorée, attifée en patineuse. A mon avis, elle a dû se taper la pire Crise de Honte de sa vie. Mais bon, que pouvais-je dire ? Jazz était un amour de voler à mon secours... Néanmoins, elle a bien vu que j'étais déçue.

— Booon, je t'accorde que c'est un peu B.C.B.G. Mais les Français ne savent pas que le style B.C.B.G. n'est pas branché. Je te promets, tout le monde n'y verra que du feu.

Je n'avais pas le temps de flipper. J'ai regagné ma chambre au pas de charge, j'ai enfilé mes mules noires – qui auraient été du dernier chic avec la robe en mousseline, mais qui, avec l'iceberg, évoquaient juste deux ancres – et j'ai attrapé ma pochette noire. Le téléphone a sonné.

— Je suis en bas, dans la voiture, a annoncé Patrick.

— J'arrive ! ai-je répondu d'une voix faussement guillerette.

Tout en dévalant les marches – la robe semblait ne passer que de justesse dans la cage d'escalier –, je me suis dit que Patrick ne remarquerait sans doute même pas ce que j'avais sur le dos. Les hommes ne remarquent jamais ces détails, non ? L'affaire est devenue un peu ardue lorsque j'ai tenté de faire entrer la robe et moi avec dans la voiture.

— Bonjour !

— Bonjour, a répondu Patrick en tirant une drôle de tête. Pourquoi une robe d'Oscar de la Renta ? Je pensais vous voir dans celle d'Alexander McQueen.

Bizarre, me suis-je dit. Je suis toujours super-méfiante vis-à-vis des hommes qui sont aussi calés que moi sur le chapitre « mode ». Je me suis lancée dans le récit de ma mésaventure.

— ... et donc, Jazz Conassey m'a gentiment prêté sa robe de secours. Je suis désolée ! ai-je gloussé.

Patrick, lui, n'a pas vraiment ri. Ma petite histoire l'a laissé de marbre et ensuite, c'est à peine s'il m'a décloué les dents de tout le trajet. Voilà le hic, avec les hommes – gays ou hétéros – qui s'intéressent de trop près à la mode : ils vous font des salamalecs sans fin quand vous avez une pièce d'*avant-garde** sur le dos, mais costumez-vous en iceberg B.C.B.G., et ce sont *eux* qui se transforment en banquise. Patrick est demeuré courtois mais distant tout au long de la soirée. J'ai bien vu qu'il était captivé par la robe aux roses de Valentino, mais j'ai bu tellement de Bellinis que c'est à peine si ma confiance en moi y a prêté attention. La seule chose dont je pouvais me féliciter était de n'avoir pas croisé Charlie Dunlain de toute la soirée.

Un autre petit mot est arrivé le lendemain matin, en même temps que le petit déjeuner :

Nous partons à 13 heures. Une voiture vous conduira à l'aéroport et je vous retrouve là-bas. Profitez bien du soleil !

Patrick

Il ne paraissait pas trop en rogne contre moi. Peut-être que finalement, il se fichait pas mal de ma robe iceberg. Peut-être était-il moins superficiel que je ne l'avais cru la veille. Parfois, j'ai la vilaine manie de juger trop hâtivement les gens.

Le téléphone a sonné. Hooooou ! J'avais un mal de crâne... Quant à mes ongles, ils souffraient l'agonie. J'avais même mal *aux cheveux*, ce qui était une vraie première pour une gueule de bois aux Bellinis.

— Salut ! a pépié Jazz. Je rentre à New York avec Patrick et toi.

— Super. On part bientôt, non ?

— Ouais, on se retrouve à l'aéroport.

Qu'est-ce que je vous disais ? Patrick n'était pas un si mauvais bougre. C'était vraiment gentil de sa part de proposer à Jazz de la reconduire à New York.

Néanmoins, si Jazz allait voyager avec nous, je devais me racheter en arborant une tenue top classe, spéciale jet privé. La tête au bord de l'implosion, j'ai délicatement enfilé un bain de soleil blanc sans un seul faux pli, des sandales plates dorées ; j'ai mis des créoles en or et j'ai attaché mes cheveux en queue-de-cheval avec mon foulard Pucci préféré. Ensuite, je me suis allongée sur le lit, un sac de glace sur les ongles, et j'ai attendu l'arrivée de ma voiture, prévue pour midi. Patrick était vraiment un saint, de m'envoyer des voitures et des messages. Peut-être, une fois de retour à New York, m'enverrait-il aussi une nouvelle robe pour remplacer celle que j'avais détruite ? Cela dit, je n'y comptais pas réellement.

En partant pour l'aéroport, nous avons traversé Juan-les-Pins, un ravissant petit village qui concentre une quantité hallucinante de boutiques de chaussures et de bikinis. Une petite orgie de shopping en trente secondes chrono m'a semblé le remède tout indiqué pour me faire oublier le marteau-piqueur qui se déchaînait sous mon crâne.

— Cinq minutes, mademoiselle, mais pas plus, a insisté le chauffeur en se garant. L'aéroport est à quarante-cinq minutes d'ici.

Vingt-cinq bikinis, quatorze paréos et six paires d'espadrilles à semelles compensées plus tard – vous savez bien comment ça se passe dans les Hamptons, l'été, il est de rigueur de changer de tenue de piscine entre chaque repas –, j'ai regagné la voiture. Cette séance de shopping me faisait sans problème oublier la petite humiliation essuyée la veille. Et puis les copines allaient tomber à la renverse quand elles allaient voir les espadrilles que je leur avais rapportées. Comme je dis toujours, si vous avez la chance de faire des voyages glamour à l'étranger, rapportez toujours une babiole à la mode à vos amies. Nous n'étions qu'à la mi-mai, et je disposais encore de quelques semaines pour penser au week-end du 4 Juillet[1], mais pour une New-Yorkaise, il n'est jamais trop tôt pour commencer à stocker des tenues de plage.

Le chauffeur m'a déposée devant le Terminal 1. Je me suis dirigée vers la Porte 0 – celle réservée à l'embarquement à bord des jets privés. Ni Patrick ni Jazz n'étaient en vue. Sans doute n'étaient-ils pas arrivés. J'ai abordé un homme vêtu d'un uniforme.

— *Excusez-moi, monsieur, je cherche M. Patrick Saxton**.

— *Ah, il est parti, mademoiselle**.

J'ai consulté ma montre : 13 h 30. Je n'avais jamais qu'une petite demi-heure de retard. Patrick n'était tout de même pas parti sans moi ?

1. Fête nationale des Etats-Unis. *(N.d.T.)*

— Comment ça, « parti » ?

— Ils ont décollé il y a une demi-heure de ça, lui et une demoiselle très bronzée, a répondu l'homme, en anglais.

Comment avait-il osé ? Comment avait-*elle* osé ? Après que je lui eus consacré ce portrait super-sympa ? Brusquement, je me suis sentie sur le point de défaillir. Ces Bellinis de l'hôtel du Cap ont l'art de se rappeler à vous aux moments les plus inopportuns.

— Et comment suis-je supposée rentrer à New York ?

Ce charmant pilote allait bien réussir à me caser dans le jet de quelqu'un d'autre. À voir combien ma tenue était étudiée pour la circonstance, c'était évident.

— *Mais je n'en sais rien !** s'est exclamé l'homme en écartant les mains dans un geste d'impuissance avant de tourner les talons.

Ma tenue n'avait été d'aucune influence sur lui. Toutefois, juste avant de sortir du salon d'embarquement, il s'est retourné et m'a désigné quelque chose au-delà des baies vitrées. J'ai suivi des yeux la direction de son index, et mon cœur a chaviré à la vue du Terminal 2. Comprenez-moi bien, je n'ai rien contre les vols commerciaux, mais même à la distance à laquelle je me trouvais, je voyais dans le hall du terminal une foule plus compacte qu'à la Parade de Macy's le jour de Thanksgiving. Le gros problème des jets privés, c'est qu'ils provoquent une accoutumance : une fois que vous y avez pris goût, jamais plus vous ne voulez voler dans un avion de ligne. Donc, si j'ai un conseil à donner à quelqu'un qui s'apprête à voyager en jet privé pour la première fois, c'est de ne monter à bord *que si* ce moyen de transport aérien doit devenir la norme. Très franchement, en cet instant précis, j'ai regretté d'avoir jamais goûté à ces délicieux sandwiches dans la cabine capitonnée de cuir du G-V de Patrick…

Bon, qu'est-ce qui me prenait ? A continuer sur cette lancée, j'allais devenir aussi pourrie-gâtée-insupportable que n'importe quelle Princesse de Park Avenue. Bien évidemment que je pouvais voyager sur un avion de ligne, comme le commun des mortels ! J'ai blindé ma confiance en moi et, sous un soleil de plomb, j'ai traîné mes bagages (dont le volume avait considérablement augmenté depuis ma halte à Juan-les-Pins) jusqu'au

Terminal 2. Le temps d'arriver devant les comptoirs d'Air France, j'avais la même consistance que de la tapenade au thon.

L'hôtesse aux cheveux gris et tirée à quatre épingles m'a regardée de derrière le comptoir comme on regarderait un sparadrap usagé.

— *Oui** *?* Puis-je vous aider, *madame** ?

Pourquoi les Françaises sur le retour s'ingénient-elles à tourmenter les filles de mon âge avec des « madame » ? C'est cruel, surtout lorsqu'un Bellini joue du tambour dans votre tête.

— *Mademoiselle**, ai-je rectifié. Je viens de louper mon vol pour New York. À quelle heure est le suivant ?

— 15 heures. Ça vous va ?

— Parfait.

— Ça fera quatre mille trois cent soixante-seize euros.

— Quoi ? me suis-je étranglée.

— Il ne nous reste que des places en Affaires.

— Et sur les autres vols, plus tard ?

— Ils sont tous complets.

J'étais au bord des larmes. Je n'avais pas quatre mille trois cent soixante-seize euros à claquer sur un aller simple à destination de New York. Néanmoins, je me suis mordu la lèvre et j'ai dégainé ma carte Visa. Je passerais tout ce voyage en pertes et profits, sous l'intitulé « désastre ruineux mais instructif ». Apprendre qu'on ne doit jamais se déguiser en iceberg B.C.B.G. quand on a la possibilité de jouer les princesses de glace en Alexander McQueen est une leçon qui n'a pas de prix. Mais, bon sang, ç'aurait été tellement mieux de dépenser cette somme pour m'offrir un truc plus fun, comme cette méridienne à rayures roses que j'avais vue chez ABC[1].

— *Merci**, a dit l'hôtesse en me tendant ma carte. L'embarquement commence dans une demi-heure.

— Quelle porte ?

Pendant qu'elle cherchait le renseignement, j'ai regardé distraitement l'enfilade des comptoirs, et au loin, j'ai aperçu un visage familier. J'ai tendu le cou : oui, c'était bien Charlie

---

1. Grand magasin exclusivement consacré à la décoration et à l'ameublement, sur Broadway. *(N.d.T.)*

Dunlain, qui s'enregistrait à bord du vol à destination de L.A. Ah, non ! Tout, sauf lui. Je déteste les rencontres de hasard, surtout avec des gens qui m'ont récemment vue au lendemain d'une overdose d'Advil. Et pire que tout, j'étais en train de remarquer que Charlie, tout bronzé et l'air parfaitement décontracté, était bien plus mignon que dans mon souvenir. Il était la seule personne de ma connaissance que les éclairages d'un hall d'aéroport mettaient en valeur. Les effets du succès, j'imagine. En tous les cas, cette apparition m'a rendue diabétique sur-le-champ, je vous le jure. Ma glycémie s'est envolée en flèche et, tout d'un coup, je me suis sentie toute flagada, au bord de l'évanouissement. L'embarras, évidemment. Je me suis empressée de détourner la tête.

Néanmoins, la situation était moins critique qu'elle n'aurait pu l'être la veille. Je veux dire par là que je n'étais pas déguisée en iceberg, mais vêtue d'une tenue super-classe qui évoquait plus ou moins Lee Radziwill à Capri dans les années soixante-dix. Et qu'en plus, mon comportement était parfaitement normal, sans l'ombre d'une pulsion suicidaire – juste une fille qui prend un avion pour New York, comme n'importe quelle fille normale qui ignore tout des pulsions suicidaires. Peut-être devrais-je le saluer ? Cela fait, je tournerais les talons et ne lui reparlerais jamais plus de ma vie.

— Salut ! ai-je lancé à tue-tête.

Bon, voilà. C'était fait. Et s'il me détestait, je n'en avais rien à fiche. Charlie a tourné la tête et m'a dévisagée. Bon sang, voilà que je me sentais à nouveau au bord de l'évanouissement. Ces maudits Bellinis sont vraiment traîtres, parfois.

— Oh, salut, euh... a-t-il fait, l'air bizarre. Je crois que quelqu'un te demande, a-t-il ajouté en désignant le comptoir d'Air France.

J'ai fait volte-face. L'hôtesse m'a toisée d'un œil peu amène en me rendant ma carte de crédit.

— Madame, je regrette, vous ne pouvez pas embarquer. Votre paiement a été refusé.

— Pouvez-vous réessayer ? ai-je insisté, le ventre noué d'inquiétude.

— Non. Pouvez-vous libérer le comptoir, je vous prie ?

Brusquement, je me suis surprise à plaindre les top models en fin de carrière. Leur vie devait ressembler exactement à la mienne : un jour tous les J.P. de la terre étaient à leur disposition, et le lendemain, il n'y avait même plus de place pour elles en Eco. Tandis que je commençais à rassembler mes bagages, j'ai entendu Charlie qui me hélait :

— Hé ! Laisse-moi t'accompagner à ta porte d'embarquement.

Yeurkkk ! Etre laissée en rade par un jet privé est une chose – je dirais même que c'est une expérience riche d'enseignements, mais ça, personne n'a besoin de le savoir. Cependant, tomber sur une connaissance pile à ce moment-là, alors que vous nagez en pleine déconfiture, c'en est une autre. Il était hors de question que Charlie découvre que j'étais sans billet et sans cash. J'imaginais déjà ses remontrances et ses regards désapprobateurs. Il m'a rejointe et a attrapé mes bagages.

— Dis donc ! Ils te laissent embarquer avec autant de bagages à main ?

— Bien sûr ! ai-je fait avec l'aplomb de la fille qui embarque toujours avec une valise et quatre sacs.

— Tu vas… bien ? a demandé Charlie, l'air inquiet.

— Super bien !

Il était évident qu'après le concert de critiques élogieuses et enthousiastes qu'il avait entendu à Cannes, Charlie ne se souvenait plus de mes malheureux errements parisiens.

— Tu es sûre ? Tu sais, je me suis fait du souci pour toi, après… Paris, a-t-il ajouté, mal à l'aise.

— Je vais très bien. Tout va super bien.

En général, je ne mens jamais, mais quand je m'y mets, je suis *très** convaincante. Nous nous sommes dirigés vers les Départs. Intérieurement, j'étais complètement flippée. Comment un billet allait-il se matérialiser dans ma main d'ici à ce que nous arrivions à la porte d'embarquement, je n'en avais pas la moindre idée. Et je ne voulais pas essuyer une nouvelle humiliation devant ce garçon. Si seulement Charlie n'était pas un tel gentleman et ne s'était pas précipité pour porter mes bagages, je n'aurais couru aucun risque que ma débâcle soit découverte. Pour donner le change, j'ai engagé la conversation.

— Je suis contente que Julie et toi ayez mis tout ça à plat.

— Ouais, tout est clair entre nous à présent. Quelle fille incroyable, cette Julie !

Ah ça, elle l'avait bien embobiné ! Il était complètement sous son charme et n'avait pas la moindre idée de ce qu'elle fricotait dans son dos. Pas plus que les autres, d'ailleurs. Et vous savez quoi ? Entre ma crise d'hypoglycémie et mon mal de tête marque déposée « Bellini », j'ai brusquement ressenti une bouffée de tristesse pour Charlie. Certes, je ne l'aimais guère, mais c'était un mec bien. C'est un peu comme ce parfum de Thierry Mugler, *Angel* ; je le déteste, mais ce n'est pas un mauvais parfum pour autant ; d'ailleurs, des millions de gens trouvent qu'il sent merveilleusement bon. J'imagine que Charlie était mon *Angel*, si tant est qu'on puisse faire une analogie entre les hommes qu'on fuit et les parfums qui vous retournent l'estomac.

Nous étions arrivés devant les portiques du contrôle de sécurité, que je ne pouvais pas franchir sans carte d'embarquement.

— Disons-nous au revoir ici, ai-je suggéré d'un ton dégagé. Je dois aller aux toilettes.

— Bon voyage, m'a répondu Charlie en me tendant mes sacs.

— Merci.

Il s'est éloigné. Je m'étais débrouillée comme un chef ! Il ne se doutait absolument de rien. J'ai attendu de le voir disparaître dans la foule, puis j'ai empoigné mes sacs et je me suis dirigée vers une cafétéria. Rien de tel qu'une *orange pressée** à cinq euros pour vous remonter le moral quand un nabab d'Hollywood vous a laissée sur la touche et qu'un réalisateur condescendant et douloureusement mignon vous a presque secourue. Je me suis installée au comptoir et j'ai plongé le nez dans mon *Herald Tribune* tout en réfléchissant : qu'allais-je bien pouvoir faire ? Je crois même que j'ai versé une petite larme. Maintenant que j'étais seule, bien ou mal habillée, je pouvais admettre que j'étais dans une panade noire. Je me sentais vraiment idiote.

— Tu as l'intention de louper ton vol ?

Il était de nouveau là. Quel était son problème, à ce mec ? Le fait de sortir avec Julie ne lui donnait pas le droit d'interférer avec mes projets de voyages, ou de suicide. Il restait planté là, devant moi, un sourire aux lèvres, comme si ma vie était une comédie sur grand écran.

— Oui, ai-je lâché, revêche.

J'avais débité assez de mensonges pour une seule journée. Et Charlie pouvait penser ce qu'il voulait, je n'en avais plus rien à cirer.

— Pourquoi ?

— Ça ne te regarde pas.

— Tu es sûre que ça va ?

— Ecoute, si tu tiens à le savoir, le type qui m'a amenée ici dans son G-V m'a plantée, il n'y a plus de place en Eco, Air France refuse ma carte de crédit, et mon ex-fiancé s'est déjà trouvé une autre fiancée.

Et là, à mon immense consternation, j'ai senti une grosse larme dégouliner le long de ma joue. Charlie m'a tendu son mouchoir, que j'ai accepté, furieuse qu'il soit encore une fois témoin d'un drame.

— Ton fiancé… Tu veux dire cet Eduardo ? a demandé Charlie.

— Eduardo est marié ! (Ma voix s'est brisée.) Et M. G-V aussi !

Même maintenant qu'il savait tout de la pathétique vérité de ma situation, Charlie conservait cet air légèrement amusé.

— Bon, c'est peut-être une bonne chose.

— Tu plaisantes ! C'est une tragédie.

— C'est une bonne leçon. Ça t'apprendra à ne pas partir en vacances avec des hommes que tu ne connais pas.

Comment ça ? Je connaissais Patrick depuis au moins vingt-quatre heures lorsque j'avais accepté son invitation à Cannes. Mais Charlie me considérait à nouveau avec cet air mi-figue, mi-raisin, comme pour dire : *T'aurais pu te douter de ce qui te pendait au nez.*

— Allez, viens, tu dois prendre cet avion.

Charlie m'a ramenée au pas de charge jusqu'au comptoir d'Air France, il a sorti sa carte de crédit et, quelques instants plus tard, j'étais munie d'une carte d'embarquement. Puis nous avons franchi ensemble les portiques du contrôle de sécurité, et pendant tout ce temps, j'ai gardé obstinément le regard rivé au sol, incapable de dire un mot, atrocement gênée. Les derniers passagers à destination de New York étaient en train d'embarquer.

— Allez, file, m'a fait Charlie en me poussant.

— Merci. Je te rembourserai, ai-je dit, mortifiée.

— Oublie. Mets-le sur le compte de l'expérience. Mais fais-moi plaisir, n'accepte plus de voyage en jet privé avec des hommes mariés, O.K. ?

Je me suis engagée sur la passerelle, livide Charlie ne comprenait pas. Une New-Yorkaise est incapable de refuser un voyage en jet privé, ça lui est impossible. c'est physique.

Les lectures de Julie Bergdorf

1. La liste des membres bienfaiteurs de l'American Ballet Theatre. Julie soutient que cette distribution sert de trame à tellement d'intrigues de famille que c'est mieux que Tolstoï.
2. *Expiation*, de Ian McEwan, surtout la page 135 – celle avec la scène de sexe torride.
3. La page « Publication des bans » du *Sunday Times*. Il est capital de savoir qui *n'*est *plus* sur le marché.
4. Parlant de marchés, c'est à cause de l'indice FTSE 100 que Julie adore le *Wall Street Journal*.
5. Le catalogue de printemps de Barneys.
6. Les dix dernières pages des *Corrections* de Jonathan Franzen. Julie a calculé que personne ne devinerait qu'elle n'a jamais lu le roman en entier si elle mentionnait la relation qui se noue entre Chip et son neurologue.
7. La liste des modèles du défilé de printemps de Michael Kors.
8. *Le Drame de l'enfant doué*, d'Alice Miller. Cet ouvrage a énormément aidé Julie à ne pas juger trop sévèrement sa propension à toujours faire des histoires à propos de tout. A Spence, l'école privée pour filles qu'elle a fréquentée, c'était quasiment une lecture obligatoire.
9. Son carnet d'adresses. Vous n'imaginez pas qui s'y trouve – elle non plus, d'ailleurs.
10. Le calendrier des défilés haute couture à Paris. Très utile de le savoir par cœur.

9

Chaque fois qu'un chef encensé par la critique ouvre un nouveau restaurant à New York – soit environ toutes les cinq minutes –, la ville entière frise le point d'ébullition. Vous avez l'impression que toutes ces filles qui, en temps normal, se gardent de la nourriture comme de la peste, changent d'un coup d'un seul leur fusil d'épaule et découvrent brusquement que manger est le truc le plus cool au monde. La plupart des inaugurations avec buffets de dégustation sont fréquentées par des mondaines aussi minces que des lames de rasoir, fermement déterminées à se montrer sans rien goûter des mets proposés. Ensuite, elles vont féliciter le chef et s'extasier sur ses nouvelles créations, avant de rentrer chez elles pour continuer à sacrifier au culte du ventre creux.

Quelques jours après mon retour de Cannes, Julie et moi assistions à l'une de ces inaugurations dans le Lower East Side. Le China Bar est un restaurant asiatique d'inspiration rétro, qui propose sur sa carte la cuisine chinoise qui était à la mode dans les années soixante-dix, mais dans un espace ultra-contemporain. Les magrets de canard laqué frits ont valu au chef un concert d'éloges intarissable. Sans doute étaient-ils exquis, mais personne n'y avait goûté. Muffy a poussé le bouchon un peu loin : elle est allée dire au chef que ses « raviolis wonton étaient meilleurs que chez M. Chow », ce qui était un mensonge éhonté. Je suis contre les mensonges – sauf s'ils sont proférés pour une bonne cause, pour aider les gens, entre autres. Julie est une menteuse hors pair. Quand elle recueille de l'argent pour les bonnes œuvres de son école, elle débite bobard sur bobard aux donateurs – elle leur dira, par exemple, que Michael Douglas et Catherine Zeta-Jones financent une nouvelle aile de bâtiment, quand en réalité, c'est elle qui le fait. Mais aller raconter à un jeune cuisinier crédule qu'il est un génie alors que ses plats mériteraient tout juste de nourrir les poissons de l'Hudson, c'est tout simplement de la cruauté.

Lorsque nous sommes arrivées, le restaurant grouillait tellement de filles qui avaient fait vœu de jeûne perpétuel, et d'hommes aux yeux desquels elles étaient invisibles, qu'il était quasi impossible de se mouvoir. Julie a intercepté deux saketinis (LA nouvelle boisson branchée – un hybride de saké et de martini), et nous avons investi un box libre.

— Ma puce, ça m'a fait mal au cœur que tu sois tombée sur cette photo de Zach et d'Adriana, a dit Julie.

— Merci.

— En tous les cas, ça prouve que c'est un mec volage. Dieu merci, tu ne l'as pas épousé. Bon, alors, parle-moi de Patrick.

— J'ai adoré l'hôtel du Cap, mais...

J'ai laissé ma phrase en suspens, brusquement inquiète. Charlie pouvait-il avoir raconté à Julie mes mésaventures à l'aéroport ? J'espérais bien que non. Je ne voulais pas que quelqu'un apprenne combien Patrick Saxton s'était montré cavalier en n'hésitant pas à m'abandonner sur un autre continent. Par chance, je n'ai pas eu besoin de poursuivre car Jolene, en pantalon blanc moulant et évasé aux chevilles, s'est approchée de nous.

— Saaaalut !!! Ça va ?

Elle tenait dans une main un Shanghai Cosmopolitan (l'autre nouvelle boisson qui fait fureur à New York – un Cosmo version chinoise) qui tanguait furieusement, et de l'autre, elle remorquait Lara qui arborait une minirobe noire littéralement farcie de fermetures Éclair. S'imaginait-elle que le punk était de retour ? C'était peut-être le cas, cela dit. Lara semblait dépérir d'ennui, mais Jolene était toute rose d'excitation.

— Michael Kors ! a-t-elle annoncé, en soignant ses effets, au moment où est elle arrivée à notre table. Il ! (Pause dramatique.) EST ! (Nouvelle pause.) DIEU !!! Regardez ! Vous avez vu les pantalons souples de sa collection de printemps ? (Elle a pivoté sur elle-même pour nous montrer sa nouvelle silhouette.) C'est du trompe-l'œil. Moulant, et amincissant à la fois. Michael Kors a tout compris des cuisses des femmes. Mieux que n'importe quel homme de ma connaissance…

— Ça suffit, Jolene ! l'a coupée Julie, exaspérée. Il est temps que tu t'intéresses à autre chose ! Par exemple, que dirais-tu de lire un peu, de temps en temps ?

— Mais je lis tout le temps ! s'est défendue Jolene. D'après mes estimations, je lis *Vogue* une fois par jour *au moins*. Quelqu'un veut un autre Shanghai Cosmo ? Je reviens tout de suite !

Elle a filé, telle une libellule en pleine crise de démence. Tandis que Lara se glissait sur la banquette à côté de moi, j'ai remarqué que Julie avait l'air contrariée.

— Je vous jure que je me suicide si quelqu'un d'autre vient encore nous bassiner avec ces nouveaux pantalons mous qu'elles croient avoir découvert avant tout le monde. Il n'y a rien à dire au sujet de ces maudits pantalons, sinon d'aller les essayer.

Elle marquait un point. Dans les cocktails new-yorkais, les conversations volent parfois tellement au ras des pâquerettes que j'ai du mal à suivre. Le visage de Julie s'est subitement éclairé.

— Hé, j'ai une idée ! Je vais créer un groupe de lecture. Une sorte de club. C'est le seul moyen de régénérer un peu la cervelle en coton de Jolene. Et ça nous fera du bien à toutes.

— Mais je viens de m'inscrire à des cours de kickboxing à Equinox ! a grimacé Lara.

— Qu'est-ce que je disais ! a soupiré Julie.

Jolene est revenue avec un autre verre.

— Jolene ? Tu veux participer à mon club de lecture ? a crié Julie par-dessus le brouhaha.

— Un club de lecture comme celui d'Oprah ? a demandé Jolene, enthousiaste.

— Non, pas vraiment. Je pensais plutôt louer les services d'un prof de NYU, super-cultivé et super-mignon, qui nous apprendrait des trucs sur les œuvres littéraires importantes. Je me demande ce qu'on devrait lire…

— Pourquoi pas Virginia Woolf ? a suggéré Jolene. Je l'avais trouvée géniale dans ce film – *Les Heures*. Ses robes…

— Aucune des participantes de mon club de lecture n'aura le droit de parler fringues, Jolene. Ça vaut aussi pour toi, Lara, a ajouté Julie en décochant à l'intéressée un regard acerbe. On n'aura le droit de parler que de livres, O.K. ?

— Pigé, a dit Lara. Mais c'est bon, si on regarde l'adaptation cinématographique parce qu'on n'a pas eu le temps de lire le livre ?

— Personne ne vous a jamais dit que vous faites à mort *Le Cercle des poètes disparus* ? a demandé Julie.

Elle était perchée dans une pose aguichante sur une pile de bouquins dans le bureau de Henry B. Hartnett, un jeune assistant qui enseignait la littérature anglaise à NYU. Quelques jours après la soirée au China Bar, Julie avait remué ciel et terre au département de Lettres de l'Université de New York, en quête d'un tuteur. Elle était résolue à fonder ce club de lecture – et ce d'autant plus que, d'après une indiscrétion de Muffy, Gwendolyn Baines et Cynthia Kirk projetaient d'en créer un elles aussi. Julie devait absolument les coiffer au poteau.

Mon amie, un peu nerveuse, m'avait demandé de l'accompagner à son rendez-vous avec le « professeur ». Elle s'était habillée comme Sylvia Plath, en jupe vichy à plis creux et tresse, après avoir vu Gwyneth Paltrow incarner son personnage à l'écran. Elle avait même enfilé des chaussures plates, ce qui m'a secouée, car jusqu'alors, Julie avait toujours prétendu ignorer l'existence des chaussures plates. Elle m'avait priée de choisir une tenue « classique » afin que ce prof nous prenne au sérieux. Ce matin-là, j'avais donc consciencieusement sélectionné une robe chemisier vintage bleu marine. Bon, le seul truc, c'est qu'avant de partir de chez moi, je n'avais pas pu résister à l'envie de compléter l'ensemble avec des collants résille noirs et des escarpins Louboutin à talons rouges. La vie est vraiment trop triste, sans ces petites fantaisies *fashion*, non ?

Ce Henry semblait avoir peu d'expérience des femmes, et encore moins des Princesses de Park Avenue. Visiblement intimidé, il gardait ses distances, planqué derrière son grand bureau encombré de copies d'examen.

— Quel cercle ? a-t-il demandé, décontenancé.

— Vous êtes mignon, professeur, avec cette tenue d'intello et votre timidité, a explicité Julie.

Pour être mignon, il était mignon. Quant à sa tenue d'« intello », elle consistait en un pantalon en velours côtelé râpé, une veste en lin, et de gros croquenots anglais. Sa chemise était légèrement élimée au col.

— En fait, je ne suis pas professeur ; je n'ai pas encore de chaire. Je suis un simple chargé de cours. Vous souhaitez entrer dans notre université ?

— *Professeur !* Ai-je l'air d'une *étudiante* ? Non ! Je ne veux pas entrer à l'université, je veux… me cultiver, et cultiver mes amies, qui en ont bien besoin, croyez-moi. Elles ne sont capables de parler que de Michael Kors et de son génie, et ça me soûle.

— Michael qui ? a demandé Henry.

— J'adore que vous ne sachiez pas qui est Michael Kors ! s'est écriée Julie. Pourriez-vous nous apprendre des choses sur la littérature, et les livres ? J'habite au Pierre, c'est très agréable, vous verrez, je vous enverrai ma voiture. Tous les frais seront à ma charge, et je vous paierai le prix que vous voulez. Si vous pouviez juste nous louer votre intelligence pendant quelques heures, nous vous en serions toutes reconnaissantes. Ne dites pas non ! S'il vous plaît !

Avant que Henry ait pu répondre, Julie a enchaîné :

— Et pour le buffet, je pourrais commander tout ce qui vous fera plaisir. Qu'en pensez-vous ? Dois-je demander à Elaine de s'occuper de la nourriture ? Est-ce que ça vous conviendrait ?

— Je pense qu'en général, des biscuits secs et du fromage suffisent.

— Alors c'est oui, professeur ? Oh, je suis tellement contente !

— Je ne suis pas « professeur », mademoiselle.

— Mais vous le serez un jour, non ? Vous savez, si je demande à papa, il peut vous obtenir une chaire tout de suite. Avec tout le fric qu'il donne à cette université… Bon, alors, c'est O.K. ? Je vous envoie mon chauffeur mardi à dix-huit heures.

C'est un très bon soir pour un club de lecture. Il ne se passe jamais rien d'intéressant le mardi.

— Il reste encore un détail à régler, mademoiselle.

— Oui ?

— Nous devons décider du livre que vous voulez lire. Parce que vous devez toutes l'avoir lu avant mardi, afin que nous puissions en parler.

— Yeurkkk ! a piaillé Julie. (Je peux vous dire que la perspective de devoir lire un livre *en entier* a douché son enthousiasme.) Mais c'est ça que j'attends de vous, que vous nous disiez quoi lire.

— Beaucoup de lecteurs ont aimé *La Vraie Histoire de Moby Dick*, de Nathaniel Philbrick. Personnellement, je n'ai pas pu le lâcher avant la dernière page.

— Oh, une histoire d'amour ! Ça ressemble à *Titanic* ?

— Un peu, mais avec des cachalots. Si vous avez aimé l'histoire de *Titanic*, celle-ci devrait vous passionner.

*
* *

Patrick Saxton n'avait cessé de chercher à me joindre depuis mon retour de Cannes. Il affirmait m'avoir laissée à l'aéroport de Nice contraint et forcé pour des raisons de sécurité – par mesure antiterroriste, votre avion doit apparemment décoller à l'heure exacte que vous avez indiquée par avance. J'avais toujours cru que le gros avantage d'un jet privé était de pouvoir décoller selon son bon vouloir, mais d'après Patrick, ça ne se passait pas du tout comme ça.

— J'ai supplié le pilote d'attendre un peu, m'a-t-il expliqué quelques jours plus tard au téléphone. Mais les contrôleurs aériens n'autorisaient aucune attente sur les pistes ce jour-là. Je suis horriblement navré ! J'espère que ça n'aura pas été un trop grand désagrément pour vous. Sans compter que je me suis fait un sang d'encre !

Bon… Peut-être que finalement Patrick était un genre de mère Teresa.

— C'est moi qui suis navrée d'être arrivée en retard. C'était stupide de ma part. Mais vous auriez pu me laisser un message.

Ou un billet, ai-je pensé très fort.

— Mais j'ai essayé ! Ils m'ont interdit d'utiliser le téléphone ! J'espérais que vous vous douteriez que je vous avais réservé une place sur le vol de 15 heures.

— Vous avez fait ça ?

— Bien évidemment ! Je ne vous aurais jamais abandonnée sans aucun moyen de rentrer. Vous me prenez pour qui ?

— Oh, Patrick, je suis désolée. J'étais tellement désemparée, je n'avais pas les idées claires.

— J'aimerais vraiment vous revoir.

— Eh bien…, ai-je fait d'une voix enrouée.

Voulais-je le revoir, moi ? Oui, sans doute. Il était charmant, drôle et, une fois divorcé en bonne et due forme, ce pourrait être un bon plan.

— Pourquoi pas ? ai-je repris, en veillant à ne laisser transparaître aucun empressement.

— Génial ! Je vous rappelle pour décider d'un rendez-vous. Au fait, pourriez-vous me donner le numéro de portable de Jazz ?

— Quoi ?!

— Oui, elle a oublié son passeport dans l'avion. J'ai demandé à ma secrétaire de le lui faire porter par coursier, mais nous ne savons pas où elle se trouve.

J'étais sciée par son culot. Mais en même temps, peut-être était-il sincère ? Je ne savais plus quoi penser, ni quoi répondre. Et puis, j'ai entendu le signal d'un double appel. Pour abréger, je lui ai donné le numéro qu'il demandait et j'ai raccroché pour prendre l'appel suivant.

— Salut, c'est Jazz. Nous nous sommes fait un de ces mourons ! Que t'est-il arrivé ?

— J'ai été retardée. Un petit shopping bikinis-espadrilles.

— Ah, je connais la chanson ! Si tu savais tous les avions que j'ai loupés à cause du shopping. C'était tout de même vache de la part de Patrick de ne pas t'attendre. Mais bon, vu que c'est le pire mec avec qui on puisse sortir à New York, ce n'est pas vraiment une surprise.

— Ah bon ? Mais tout le monde dit que c'est un saint.

— Ecoute, je connais Patrick depuis des lustres. Je sors avec lui par intermittence depuis que j'ai quinze ans. C'est fun, tant que tu sais qu'il est pris. C'est un mec fabuleux, mais marié.

— Muffy dit qu'il est en train de divorcer.

— C'est ce qu'il raconte à ses petites copines depuis le jour de ses fiançailles ! Sa femme ne le laissera jamais partir, et lui ne la quittera jamais. Le fric, c'est à elle. Le jet aussi. Tout le monde sait ça.

Tout le monde – sauf moi.

— Ils ont un arrangement, a poursuivi Jazz. Personne ne met le grappin sur Patrick Saxton. Et en fait, il s'en accommode très bien. Tu ne trouves pas ça génial, les mecs mariés ? Au moins, tu ne les trimballes pas suspendus à tes jupes comme des chiots en mal d'affection.

— Oui, j'imagine que c'est un avantage.

— Bref, tu aurais son numéro de portable ? Il m'a proposé de l'accompagner cet automne au festival de Venise – et c'est clair que je vais accepter. N'est-ce pas qu'il est sublime, son jet, avec cette coupe de boules de gomme aux lavabos ? De tous les jets de mes amis, c'est celui de Patrick le plus beau.

J'ignorais entièrement qu'inviter douze des New-Yorkaises les plus fortunées à se réunir chez soi pouvait générer une « invraisemblable pression », pour reprendre les termes de Julie, jusqu'à ce que celle-ci m'entraîne de force dans l'univers paranoïaque des préparatifs d'un dîner. Julie était en proie à une telle panique qu'on aurait pu croire qu'elle organisait la grande soirée d'investiture à la Maison Blanche, et non une simple réunion d'un club de lecture entre copines.

Une fois les invitations lancées, et un exemplaire du livre au programme envoyé à chacune des participantes, Julie s'est retrouvée assiégée par une montagne d'angoisses propres au gang des jeunes Princesses. Elle craignait que ses amies n'assistent à son club de lecture que par curiosité, pour venir voir le travail de déco que Tracey Clarkson avait réalisé dans son appartement. Elle se doutait que sitôt sorties, ces filles entreprendraient de « disséquer » ses goûts et la critiqueraient à coup sûr pour « avoir fait l'impasse sur un détail en zèbre ». *Tout le monde* avait actuellement un petit quelque chose en zèbre chez soi, m'a-t-elle expliqué. Elle se tourmentait également à l'idée que son amie Shelley – qui avait sur sa table basse une coupe Royal Doulton toujours remplie de grenades mûres à point pour rappeler les motifs de son papier Zuber peint à la main – ne serait nullement impressionnée par sa propre collection de coupes. Ensuite, il y avait le problème des assiettes, et des tasses à moka : Julie s'était mis en tête de faire venir ces élégantes porcelaines françaises que tout le monde à part elle avait déjà, mais elle en ignorait la marque et avait trop honte pour demander à quelqu'un de la mettre sur la voie. Elle avait entendu dire qu'en matière de cuillères à moka, la tendance penchait pour celles, en argent, de Buccellati, mais là encore, elle ne savait pas si elle pourrait se les procurer à temps. La liste des motifs de tracas s'étirait, longue comme un jour sans pain : ne devait-elle pas faire retendre la jupe du canapé pour qu'il ne donne pas l'impression que quelqu'un venait juste de se lever ? Elle voulait également que les coussins soient remplumés, mais sans excès. Et les talents de repasseuse de sa gouvernante ? Seraient-ils à la hauteur, quand il s'agirait d'amidonner ses serviettes de cocktail en fil ? A New York, c'est à la netteté des angles des serviettes de cocktail que l'on juge une hôtesse, a-t-elle assuré, au bord des larmes. Elle flippait même parce que certaines des filles invitées n'étaient pas en photo dans les cadres exposés aux murs. Si jamais l'une des filles concernées le remarquait, il pourrait s'ensuivre de lourdes sanctions sociales – être bannie de certaines *baby shower* très exclusives, par exemple.

Julie avait les nerfs en lambeaux avant même d'avoir réalisé qu'elle n'avait rien à se mettre. Et pour tout arranger, ses amies ne cessaient de jeter de l'huile sur le feu.

— Wade Roper est tellement associé aux vieux richards, a affirmé autoritairement Jolene à propos d'un fleuriste en vogue dans la bonne société. Pourquoi ne pas faire appel à Martine Wrightman ? Cela dit, tu ne pourras pas l'avoir, parce qu'elle n'acceptera jamais un délai aussi court.

— Pour les cartons d'invitation, ne va pas chez Mme John L.

Strong, achète-les chez Kate's Paperie, et écris-les toi-même. Il faut que ça garde un air décontracté, lui a conseillé Mimi. Si tu les fais calligraphier, on va croire que tu ne sais pas quoi faire de ton temps.

Julie m'a appelée quelques jours avant la soirée, en larmes.

— Je ne m'en sors pas ! Quelle connerie, cette idée de club. Si tu savais comme je regrette !

Je partageais sans réserve son avis, mais il était trop tard pour faire machine arrière.

— Je vais t'aider, ai-je dit, même si je n'étais pas très disponible car il me fallait reprendre quelques points de détail sur le portrait de Jazz. J'ai entendu parler d'un nouveau styliste qui fait la déco de tous les dîners à TriBeCa. Il te fera un truc drôle et dingue, et elles en resteront toutes babas. Tu veux que je l'appelle ?

— O.K. Tu peux être là dans une heure ?

Avant que j'aie réussi à joindre Barclay Braithwaite, le jeune styliste spécialisé dans la mise en scène de dîners qui arrivait tout juste d'Alabama (tous les décorateurs spécialisés dans l'événementiel débarquent toujours d'Alabama et ils ne sont jamais hétéros), ma mère a appelé.

— Je n'ai plus aucune nouvelle de toi, ma chérie. Comment vas-tu ?

— Oh, très bien, ai-je répondu, en songeant que j'étais aussi loin d'aller bien que la lune est éloignée de la terre.

— Ce n'est pas l'impression que j'ai. Quand reviens-tu à la maison ? Tu nous manques.

· Je ne rentre pas à la maison, m'man. Je suis bien, ici.

— *Maman*. Bon, je compte sur toi pour les cinquante ans de ton père. Tu sais qu'il t'attend. C'est dans trois semaines. Je crois que ce sera assez grandiose, a-t-elle poursuivi en chuchotant. Tout le comté fait des pieds et des mains pour être invité, alors essaie de rester discrète. Nous ne voulons pas froisser les gens du cru. Tu sais comment ça se passe ! Ta vie devient un enfer, surtout quand tu es à la recherche d'une nouvelle femme de ménage, comme c'est mon cas en ce moment. Il se pourrait que les Swyre viennent, si j'arrive a les joindre. Sais-tu par hasard où je pourrais les trouver ? J'aimerais tellement que le Petit Comte et toi puissiez vous revoir.

Je n'en croyais pas mes oreilles ! Ma mère était encore obsédée par la même idée que lorsque j'avais six ans. Elle refusait tout simplement d'admettre qu'il n'y avait aucun chevalier en armure rutilante disponible sur le marché – et que, de toute façon, je n'en cherchais pas un.

— J'adorerais venir à la fête. Il me tarde.

J'étais sincère, et assaillie par une soudaine nostalgie. Peut-être cela me ferait-il un bien fou de revoir la campagne anglaise, ses petits chemins et leurs haies mêlées de cerfeuil sauvage. Je me suis dit que je pourrais même rester quelques jours à la maison pour me reposer – quoique... Avec ma mère dans les parages, ce ne serait pas gagné.

Je suis passée chercher Barclay à son bureau, dans TriBeCa, et nous avons pris un taxi pour nous rendre chez Julie. A notre arrivée, elle était dans le salon, une couturière de Barneys accroupie à ses pieds en train de retoucher sur mesure une nouvelle paire de jeans Rogan.

— Je sais que cette histoire de club de lecture n'a rien à voir avec les fringues, mais je veux avoir l'air décontracté, l'air d'une fille qui se fiche de ce qu'elle a sur le dos, donc je fais reprendre ce jean maintenant, ça me fera un truc de moins à penser.

Parfois, je trouve Julie plus confuse à propos des choses de la vie que Lara ou Jolene – ce qui n'est pas peu dire. Elle s'est tournée vers Barclay et lui a décoché cet éblouissant sourire qu'elle réserve pour les moments où elle a désespérément besoin de quelque chose.

— Merci d'être venu en urgence, Barclay. Je veux que cet événement soit différent, voyez-vous. Je veux ce que personne n'a encore jamais eu. Que me proposez-vous ?

— Puis-je avoir un peu d'eau glacée avec du romarin, s'il

vous plaît ? a répondu l'intéressé. C'est ce qu'ils servent au petit déjeuner à L'Ermitage. Ça m'aide à me concentrer.

Quelques instants plus tard, perché sur le bord du canapé, Barclay sirotait son infusion comme s'il s'agissait d'un élixir magique. Il avait vite pigé que mettre en scène le dîner de Julie Bergdorf pouvait lancer, ou couler sa carrière. Il voulait réussir une décoration tout à la fois amusante, chic et belle.

— D'après moi, il faut laisser tomber tout ce qui est fleurs, a-t-il commencé. Ça a été vu et revu, c'est éculé. Pour vous, Julie, je vois plutôt un thème « océan chic ». En hors-d'œuvre, des rouleaux aux langoustes, mais mini ! Minuscules ! Les plus petits, les plus adorables rouleaux de langoustes qu'on ait jamais vus à New York. Et puis des huîtres, servies sur des assiettes en nacre... (Il griffonnait en même temps des notes sur son carnet.) Laissez-moi réfléchir quelques secondes, et je vous propose un plan en deux temps, trois mouvements, a-t-il ajouté en quittant précipitamment le salon.

Sitôt qu'il a été hors de portée de voix, Julie a chuchoté :

— Tu connais la nouvelle ? C'est affreux !

— Que s'est-il passé ?

— C'est Daphne. Elle m'a appelée hier du Bel-Air. Elle a été obligée de partir de chez elle. Bradley a une liaison avec la décoratrice, et même si Daphne adore ce que cette femme a fait dans sa maison de Beverly Hills, elle est prise de nausée chaque fois qu'elle pose un pied sur le tapis d'Aubusson du salon. Tu imagines, ne plus pouvoir supporter sa propre maison ? C'est tellement glauque, j'en ai mal pour elle ! Je lui ai proposé d'aller la rejoindre, mais elle m'a dit qu'elle était avec son prof de yoga et que ça suffisait. Je suis inquiète. Crois-tu que je devrais tout de même y aller ?

C'était monstrueux. Daphne s'était conduite en parfaite épouse pour Bradley, elle avait donné pour lui les plus belles fêtes d'Hollywood chaque fois qu'il en avait eu besoin. Quand une de vos amies traverse une crise et prétend aller bien, il faut passer outre à ses protestations et partir à ses côtés, quel que soit le nombre de gourous de yoga qu'elle ait à sa disposition.

— Peut-être devrait-on y aller toutes les deux ? On pourrait partir le lendemain de ton club de lecture.

Avant que Julie ait pu répondre, Barclay a fait irruption dans le salon.

— Si vous voulez que ça soit vraiment génial, vous gardez un esprit de sérieux dans la bibliothèque, en lisant à la lumière d'une lanterne marine, et ensuite, vous passez dans la salle à manger, et splash ! Un décor féerique : Du corail ! Du bois flotté ! Une nappe en *toile brute* ! Jusque-là, je n'ai jamais fait que du lin et des lys dans l'Upper East Side. Mon idée pourrait vraiment révolutionner les choses. Que diriez-vous d'un milieu de table avec des poissons japonais combattants ?

— Génial, a approuvé Julie. Mais ne soyez pas trop créatif, Barclay, sinon tout le monde se doutera que l'idée ne vient pas de moi.

— Personne n'en saura jamais rien, a lancé Barclay en s'éclipsant à nouveau.

— De toute façon, a repris Julie en se tournant vers moi, Bradley veut que Daphne revienne, mais elle, elle dit qu'elle veut activer les clauses du contrat de mariage.

— Elle est folle !

— Moi, je crois qu'elle devrait essayer de trouver un arrangement avec lui. Bradley l'adore, mais ce salaud fait juste n'importe quoi.

Quand Barclay en est arrivé à l'élaboration du menu, il était tellement surexcité qu'il ressemblait lui-même à un poisson combattant.

— Les filles qui sont au régime, quand elles se réunissent, elles ne veulent pas de nourriture allégée – sauf à déjeuner, a-t-il déclaré avec autorité.

Paniquée, Julie a haussé un sourcil superbement épilé de frais à la cire. Question nourriture, la seule qu'elle comprend est la nourriture basses calories.

— Aujourd'hui, les gens sont en quête d'un sentiment de sécurité, de confort. Ils veulent se sentir protégés. Vous avez vu ce qui se passe dans le monde ? C'est tellement monstrueux ! Moi, je dis : servez à ces filles une bonne tourte au poisson.

Julie a étouffé un hoquet. Très rares étaient, parmi ses amies, celles qui avaient déjà été en contact physique avec des mets aussi substantiels qu'une tourte au poisson. Elle a néanmoins accepté l'idée, mais uniquement parce qu'elle s'est dit que tout le monde serait ultra-choqué.

J'ai redéposé Barclay à son bureau et, sitôt de retour chez moi, j'ai appelé Daphne. Si Bradley avait réellement fait ce que m'avait raconté Julie, mon amie devait être au trente-sixième dessous.

— Non, sans dec' ! s'est-elle exclamée dès qu'elle a reconnu ma voix. C'est tellement bon de t'entendre. Comment vas-tu ?

— Moi, ça va. Et toi ?

— Super bien !

Pour une femme au bord de la faillite conjugale, Daphne faisait montre d'une insouciance inquiétante. Peut-être le fait d'être installée au Bel-Air faussait-il son sens des réalités ? Moi aussi, cet hôtel me faisait toujours décoller, avec ses patios et ses beaux bassins remplis de nénuphars et de cygnes.

— On m'a appris ce qui s'est passé avec Bradley. Tu es sûre que ça va ?

— J'ai complètement dégoupillé quand j'ai découvert qu'il se tapait la décoratrice – *dans le lit marqueté que je lui ai demandé de créer pour moi, tu imagines* ? – mais depuis que j'ai claqué la porte et que je me suis installée ici, Bradley ne me lâche plus. Il n'arrête pas de m'envoyer des fleurs, des bijoux, des manteaux en fourrure – ce qui m'attriste parce qu'il devrait savoir qu'en ce moment je suis une végétarienne anti-fourrure –, mais tu vois, je trouve que ça dénote chez lui une certaine envie de réparer notre relation. Je veux revenir avec lui. Mais pas question de céder tout de suite. Je vais le laisser mariner un peu. Comme je dis toujours, qui vivra verra.

Qu'était-il arrivé à mon amie ? Sans même parler de mari qui fait les quatre cents coups, Daphne est du genre à sombrer dans une dépression nerveuse si jamais le garçon chargé de l'entretien de la piscine la plante.

— Tu ne veux pas qu'on vienne ? On se fait du souci pour toi.

— Je vais bien ! Tu n'irais pas bien, toi, si tu étais dans la suite nuptiale du Bel-Air ? Non, franchement, c'est gentil, mais vous n'avez pas besoin de venir.

— Est-ce que quelqu'un s'occupe de toi ?

— Sans dec' ! Evidemment ! Je suis sous assistance permanente. Je ne me doutais pas que j'avais autant d'amis. Et tu sais qui me témoigne le plus d'attention, alors que rien ne l'y oblige ?

— Annie ?

Annie est la meilleure amie de Daphne à Hollywood, bien que Daphne dise toujours qu'à Hollywood, personne n'est ami de personne.

— Noooon ! Non, Annie – c'est un *ange* ! Elle s'occupe de *Bradley* ! Tu comprends, Dominic, son mari, est agent à ICM et il n'a qu'une idée en tête : devenir agent à CAA. Et comme Annie sait que Bradley peut pistonner n'importe qui là-bas, s'il le veut vraiment...

J'ai entendu un reniflement et le froissement d'un mouchoir en papier.

— C'est qui, alors, la sainte ?

— *Le* saint. Figure-toi qu'il y a deux jours, j'étais assise là, à regarder ces cygnes qui me rendent dingue à force de tournicoter sur l'eau, quand Charlie est passé. Il m'a emmenée boire un soja-vanille glacé basses calories – c'est ma nouvelle boisson préférée, il faut absolument que tu goûtes – et il m'a dit que Bradley était un âne, que j'étais quelqu'un d'exceptionnel, que Bradley ne serait jamais arrivé là où il est sans moi, et que ce qui doit arriver arrivera. Je crois que je ne connais personne d'autre, dans le business, qui offre aussi spontanément du réconfort aux épouses de directeurs de studio quand il y a plus à perdre à consoler la femme que le directeur de studio lui-même. Ce garçon est tellement gentil ! Il m'incite à avoir des pensées positives. Je me sens... je ne sais pas comment t'expliquer... heureuse, a soupiré Daphne en pouffant.

Daphne n'est jamais heureuse. Elle avait subi un lavage de cerveau. Elle devait absolument quitter L.A.

— Pourquoi ne viendrais-tu pas à New York ?

— Tu ne trouves pas ça étonnant, autant de gentillesse de la part de quelqu'un ?

— Julie organise un club de lecture dans deux jours, ça lui ferait vraiment plaisir que tu viennes.

— Club de lecture mon cul ! a lâché Daphne en éclatant de rire. Ces trucs ressemblent davantage à *Fight Club*. Non, je reste ici, pour voir comment ça tourne avec Bradley. Je te promets d'appeler si jamais il y a du nouveau. Mais Charlie, n'est-il pas un *amour* ?

— Oui, sûrement, ai-je acquiescé à contrecœur.

— Tu vas bien ?

— Super bien.

— Dis-moi, j'ai appris que tu étais allée à Cannes avec Saxton ? Est-il aussi formidable qu'on le raconte, au pieu ?

— Daphne ! Je ne l'ai même pas embrassé. J'étais simplement sa cavalière.

— Sans dec' ! Tu sais comment on le surnomme, à L.A. ?

— Non.

— Patrick *Sex*ton. C'est génial, non ?

— Je ne crois pas qu'il soit mon genre.

— Sans dec' ! C'est pile ton genre : un petit flirt sans engagement. Fais juste gaffe à la femme. Elle est complètement psychopathe, surtout si elle pense qu'il aime bien quelqu'un pour de bon. Ecoute, on se rappelle bientôt, d'ac' ?

Ce qui attendait les naufragés, c'était la souffrance qu'on ressent quand la bouche a cessé de produire de la salive. La langue durcit pour devenir, selon les termes de McGee « un poids absurde qui se balance sur sa racine encore souple et qui heurte étrangement les dents ». Viennent ensuite les « sueurs de sang » qui enclenchent « une momification progressive de l'organisme ». La langue enfle dans de telles proportions qu'elle dépasse des mâchoires. Les paupières se fendillent et des larmes de sang suintent dans les yeux. La gorge est à ce point œdémateuse que la respiration devient difficile, déclenchant une sensation paradoxale et terrifiante de noyade. A la fin, le soleil absorbe inexorablement le peu

d'humidité qui demeure dans le corps et c'est l'état de « mort vivante[1] *»*...

La Vraie Histoire de Moby Dick n'avait rien du scénario auquel je m'attendais. On était très loin d'une idylle à la Kate Winslet-Leonardo DiCaprio. Nous étions à la veille de la réunion du club, et je venais à peine d'ouvrir le livre. J'ai craqué à mi-chemin, et je n'ai quasiment pas réussi à dormir ensuite. Cette histoire de baleinier qui fait naufrage au large de Nantucket et d'équipage contraint de sucer la moelle des marins morts pour survivre est macabre à souhait, et encore plus flippante que ce film avec Ethan Hawke qui raconte l'histoire d'un crash aérien, où les survivants cuisinent leurs voisins de siège au petit déjeuner. Gwendolyn Baines et Cynthia Kirk n'allaient rien y comprendre.

Ce soir-là, à six heures, Julie a appelé, hystérique.

— C'est atroce ! Je viens juste de finir le bouquin. Comment va-t-on pouvoir discuter du sort de six types qui boivent du sang de tortue pour survivre en sirotant des Sea Breezes ? s'est-elle écriée. Et le plan pour asseoir les invitées me rend dingue ! Jazz Conassey est incasable, elle a couché avec le mec ou le mari de tout le monde. Mimi ne peut parler qu'à des femmes enceintes, et Madeleine Kroft flippe dès qu'elle est à côté d'une fille mince. Cynthia Kirk et Gwendolyn Baines ne se parlent pas parce qu'elles coprésident le gala de l'American Ballet Theatre et qu'elles ne sont pas d'accord sur le nom qui doit apparaître en premier sur l'invitation. Jamais je n'ai vu un tel casse-tête ! Et je manque tellement de sommeil que ce matin en me réveillant, je ressemblais à Christina Ricci !!! Yeu-eu-eurkkk !

J'avoue que j'avais un peu de mal à me concentrer sur les malheurs de Julie car j'avais l'esprit occupé par Patrick Saxton. La conversation avec Daphne avait mis les choses en perspective. Patrick était un type encore plus sournois qu'Eduardo, ou Zach c'était un play-boy professionnel, qui offrait zéro chance d'avenir à une fille comme moi. Un bref instant, je me suis vue

---

1. Traduit par Gerald Messalié, J.C. Lattès, 2000, pour l'édition française. *(N.d.T.)*

sur un bateau en train de couler, entourée d'hommes avides et peu fiables, mais j'ai chassé cette vision. C'était Julie qui avait besoin d'être rassérénée. Je lui ai dit que je partais sur-le-champ et que je serais chez elle dans la demi-heure qui suivait.

Combien de diamants faut-il pour lire un livre ? Voilà la question que je me suis posée en observant les invitées. Entre les douze filles réunies pour le club de lecture, et rien qu'en comptant les boucles d'oreilles Cartier, il y avait au bas mot soixante carats ce soir-là dans la bibliothèque de Julie. Mon amie était la seule à n'être pas apprêtée comme pour parader dans un cocktail. Avec son jean Rogan et sa vareuse vintage, elle arborait la panoplie d'un week-end à Cape Cod. Elle était pieds nus, et ses ongles de pieds étaient vernis dans une délicate teinte d'algue.

— Je me fais vraiment du souci pour mes copines. Qu'est-ce qu'elles ont dans la tête ? Je crois qu'aucune n'a dépassé la première page, m'a-t-elle chuchoté lorsque je suis arrivée. Et moi qui voulais les aider à rehausser un peu le niveau. C'est loupé. J'adore ces filles, mais elles sont tellement… *fatigantes*, avec leurs bijoux. O.K., asseyons-nous.

En général, ce qui fatigue Julie quand il est question de bijoux, c'est de n'en avoir pas assez de nouveaux. Il y avait tout à parier qu'il ne s'agissait là que d'une accalmie provisoire de sa folie ordinaire.

Barclay avait transformé la bibliothèque en reconstituant le décor d'une élégante cabine de bateau. A l'intérieur des lampes-tempête, les lumières vacillaient comme si une brise océane soufflait réellement dans la pièce. Sur la table, il avait déroulé des cartes délavées par le temps et ouvert de vieux livres de bord. Un serveur proposait des Blue Martinis et des Mai Tais, qu'il apportait sur des serviettes de cocktail aux angles si acérés qu'un marin aurait pu se trancher la gorge avec. Henry trônait dans un large fauteuil, une pile de livres et de carnets de notes en équilibre précaire sur un genou. A voir avec quelle nervosité il sirotait son cocktail, je me suis dit qu'il aurait été plus à l'aise sur une chaise électrique.

Julie et moi avons pris place sur le canapé. Je n'étais pas mécontente de cette opportunité de tout oublier en discutant de la tragédie vécue par ces matelots, aussi triste soit-elle. Des « chhhhhhut » ont circulé et Henry a pris la parole.

— Bien… nous y sommes ! B-b-bienvenue. Voici un merveilleux, euh… livre et je… j'espère que vous avez toutes eu le temps d'en lire quelques pages…, a-t-il commencé timidement.

En ce qui me concerne, j'étais entièrement concentrée sur ses paroles, mais on ne pouvait pas en dire autant des autres filles : 99,9 pour cent d'entre elles étaient plus captivées par l'indéniable beauté de Henry que par son propos, cela crevait les yeux – Julie, notamment, semblait littéralement ensorcelée. J'ai surpris des fragments d'échanges à mi-voix.

— Tu crois que c'est un Hartnett, de la famille *Hartnett* ? a sifflé Jolene.

— La dynastie des aciéries ? Oh, mon Dieu ! a murmuré Lara.

— Ouiii ! C'est l'équivalent des Kennedy, mais dans l'acier. Tu devrais l'épouser. Il faut que l'une d'entre nous l'épouse, a soufflé Jolene.

Jolene avait oublié qu'elle était fiancée depuis très, très longtemps. Henry, qui arrivait à la conclusion de sa présentation, s'est tourné vers elle.

— Bien, mmm… Jolene ? Vous avez un commentaire à ajouter, dirait-on. Voudriez-vous vous jeter à l'eau, pour ainsi dire ?

— Avec plaisir ! s'est exclamée l'intéressée, enthousiaste. Vous êtes de la famille des aciers Hartnett ?

Henry a farfouillé dans ses papiers, puis s'est éclairci la gorge, l'air profondément embarrassé.

— Oui, c'est la même branche. Mais nous ne sommes pas là ce soir pour parler de ça. De quel aspect du livre souhaiteriez-vous discuter ?

— Eh bien, en termes *d'analyse des personnages* et autres trucs intellos, a répliqué Jolene avec un sérieux inébranlable, pensez-vous que, lorsqu'on adaptera le livre à l'écran, George

Clooney ou Brad Pitt devraient jouer le rôle du capitaine Pollard ?

— Euh… je ne euh… je ne sais pas. Un autre commentaire ?

Jazz Conassey a agité la main.

— Salut, je m'appelle Jazzzz-iii, a-t-elle minaudé. J'ai une *vraie* question littéraire. Vous savez, ce bouquin, *Une œuvre déchirante d'un génie renversant* ? Vous croyez que Dave Eggers, l'auteur, est encore célibataire ?

— Quelqu'un d'autre a-t-il une question ? a demandé Henry, de plus en plus désarçonné.

— Je peux poser une question d'ordre général ? s'est enquise Madeleine Kroft d'un ton grave. Pensez-vous qu'écrire fait maigrir ? Je dis ça, parce que toutes ces filles qui écrivent – Joan Didion, Zadie Smith, Donna Tartt… – elles sont toutes plus minces que des cigarettes.

Henry s'est frictionné le front d'un geste qui trahissait son anxiété. Il y a eu un long silence.

— Henry, pourquoi ne liriez-vous pas un passage du livre à voix haute ? a suggéré Julie. Cela pourrait orienter la discussion.

— Excellente idée. Allons à la page 165.

Il a commencé à lire :

> *Quand le charpentier du navire mourut, la troisième semaine, un membre de l'équipage suggéra de se nourrir de son cadavre…*

— Une bouchée aux crevettes, Henry ? l'a interrompu Jolene en lui présentant un plateau de petits-fours.

— Non, merci. Puis-je poursuivre ?

— Oh, mais je vous en prie ! Pardon, pardon ! C'est littéralement fascinant.

Henry a repris :

> *… le capitaine Dean trouva d'abord la proposition « très cruelle et choquante ». Puis, tandis que les naufragés considéraient le corps du charpentier, une discussion s'engagea. « Après force consultations d'une part sur la légitimité ou le caractère criminel de cet acte et, de l'autre, sur son absolue*

nécessité, rapporte Dean, le jugement, la conscience etc., se trouvèrent contraints de se soumettre aux exigences de nos appétits affamés[1].

— Henry, me feriez-vous l'honneur de dîner à ma table au gala de l'American Ballet Theatre, la semaine prochaine ? a hasardé Gwendolyn.

— Je suis désolée. Henry est déjà pris, a riposté aussi sec Cynthia. Il est à ma table. La table principale.

— Pouvons-nous poursuivre ? s'est impatienté ce pauvre Henry.

Comme la plupart des marins contraints au cannibalisme, Dean commença par éliminer les signes d'humanité les plus évidents du cadavre – la tête, les mains, la peau – et[1]...

On a entendu un bruit lourd de chute. C'était Shelley, qui s'était évanouie. Cela n'avait rien d'alarmant, car Shelley invente toujours des moyens biscornus de se faire remarquer.

— Oh, mon Dieu ! Vite ! a piaillé Lara. Appelez le 911 !

Henry, lui, s'est précipité vers la victime. Il lui a délicatement tapoté le visage, et elle est revenue à la vie.

— Oh ! a soupiré Gwendolyn en s'éventant frénétiquement. J'ai la nausée. Pourrions-nous avoir un filet d'air ?

— Et si on allait toutes à l'hôpital ? a lancé Jazz. Il paraît qu'il y a des docteurs vraiment canon, là-bas.

Brusquement, il n'y avait plus dans la pièce une seule fille qui ne souffre pas de crise d'angoisse ou de maux d'estomac. Le club de lecture de Julie avait sombré dans le chaos, et le tout avait atteint un tel degré de dinguerie que j'ai bien failli ne pas entendre mon téléphone sonner. J'ai répondu in extremis.

— Allô ?

— Bonjour, ici Miriam Covington, l'assistante de Gretchen Sallop-Saxton. Je vous passe Mme Saxton.

Avant que j'aie pu articuler un seul mot, j'ai entendu une voix pincée et sévère :

— Bonjour. Gretchen Sallop-Saxton. Je sais que vous fréquentez mon mari...

---

1. *Ibid. (N.d.T.)*

— Il n'y a rien eu entre nous…

— Vraiment ? J'imagine. J'ai appris que Patrick vous voyait souvent – cette semaine. Pour votre gouverne, sachez qu'il sort chaque soir avec une actrice, une mondaine ou un mannequin. Pour lui, ça ne signifie rien. Mais j'ai entendu dire que vous cherchiez un mari. Alors, que les choses soient bien claires : Patrick est mon mari, et ne sera jamais le mari d'une autre. (Il y a eu une pause, comme si elle remettait des munitions dans son pistolet.) Votre patronne est une de mes très bonnes amies. Elle vient très souvent dans notre maison de Millbrook. Et nous évoquons fréquemment les problèmes de roulement dans les équipes. Des postes comme le vôtre sont extrêmement précaires, n'est-ce pas ?

C'était bien calculé de la part de Mme Saxton : ma rédac' chef est allergique aux jeunes New-Yorkaises qui sortent avec des hommes mariés en connaissance de cause. Jamais elle ne tolérera ce genre de filles dans son équipe. On pouvait dire que Mme Saxton avait miné le terrain.

— Je suis navrée de ce malentendu, madame. Patrick est une simple relation, rien de plus. Je vous assure. Je vous en prie, ne dites rien à ma chef.

— Gardez vos distances, m'a-t-elle répliqué froidement avant de raccrocher.

Cette bonne femme m'avait fait flipper. Ça ne valait pas le coup que je mette en danger mon job pour un Patrick Saxton. Il me fallait l'appeler sur-le-champ et avoir avec lui une petite conversation privée. L'heure était grave. Je ne voulais plus rien avoir à faire avec lui, *jamais*. Je me suis approchée de Julie, qui était penchée sur Shelley avec un dévouement d'infirmière au chevet d'un grand blessé. Henry observait la scène, à la fois inquiet et impressionné par les talents médicaux de son hôtesse.

— Julie, je dois filer.

— Que se passe-t-il ? Tu n'as pas l'air dans ton assiette.

— Je viens de recevoir un coup de fil de Mme Saxton. Elle est complètement fêlée. Elle m'a dit de me tenir à l'écart de Patrick.

— Tu ne peux pas m'abandonner ici avec ces… dingos ! a chuchoté Julie en contemplant avec affolement ses invitées en pleine débandade. Tu as besoin de soutien. Je t'accompagne. Si on allait se boire un Bellini en douce chez Chip, d'abord ? Ça te requinquerait.

— Julie, je peux gérer ça toute seule. Occupe-toi de tes invitées. On se parle demain.

J'ai foncé directement chez moi. Il y a des situations dans la vie que même un Bellini de chez Cipriani ne peut pas régler.

10

On peut dire, sans exagération, qu'en général les jeunes mondaines de Manhattan sont cent pour cent allergiques au mot *carrière*. Il déclenche chez elles une sorte d'éruption cutanée violine, comme l'anthrax. Cependant, il existe à New York une carrière bien particulière à laquelle elles sont carrément accros – si tant est que « carrière » soit ici le mot approprié... – parce que, concrètement, elle n'exige pas beaucoup de travail (il ne s'agit pas de commander des boîtes d'agrafes, ni de rester menottée à un clavier d'ordinateur toute la journée). Le job le plus convoité, ici, est de travailler comme « muse » d'un styliste. Les principales « tâches » d'une muse consistent à attendre toute la journée chez soi une livraison de vêtements par coursier, et à se faire photographier le soir venu dans une ou plusieurs des plus éblouissantes fêtes de la ville. Il est entendu que, de toute façon, ces filles ne font rien d'autre de leur vie, mais pour peu qu'elles décrochent un titre de muse, là, elles peuvent dire que « c'est vraiment un travail très dur » et personne ne peut leur rétorquer le contraire. La plupart des muses préfèrent les conversations mondaines qui se résument exclusivement au mot « Génial ! » et à des sourires – incontournables si vous voulez paraître à votre avantage dans les magazines. D'ailleurs, les muses les plus professionnelles cessent complètement de parler pour détendre les muscles de leur visage sitôt qu'elles aperçoivent un photographe dans les parages. De temps en temps, elles se font kidnapper et doivent partir vivre à Paris.

C'est ce qui est arrivé récemment à cette pauvre petite Américaine qui s'est exilée pour M. Ungaro, mais au final, le jeu en valait la chandelle parce qu'elle est devenue l'inspiratrice officielle de Karl Lagerfeld – dont on dit qu'il a une muse dans chaque capitale, de Moscou à Madrid.

Lorsque, quelques jours plus tard, Jazz Conassey m'a appelée pour m'annoncer qu'on lui avait demandé d'être muse pour M. Valentino, je n'ai pas été surprise. Chez Valentino, ils embauchent une nouvelle muse toutes les cinq minutes. Mais j'étais tout de même ravie pour Jazz, qui vénère les robes de Valentino plus que sa propre vie. Désormais, elle n'aurait plus à payer ses robes au prix boutique. (Notez bien au passage qu'aucune menace ne planait sur la nouvelle carrière de Jazz en dépit de ses liens avec Patrick. Jamais Gretchen Sallop-Saxton n'irait harceler l'héritière des scieries Conassey ; cette injustice me rendait légèrement envieuse, car cette harpie avait carrément réussi à me faire perdre mon sang-froid. De toute façon, Jazz n'ayant tellement pas besoin de travailler pour vivre, les menaces de la Saxton n'auraient probablement été pour elle qu'un intermède amusant.)

— On fête ça ce soir au bar du Plaza, à dix heures. Tu viens ? Jolene et Lara seront là. (Jazz et les deux inséparables étaient copines d'enfance, pour avoir passé tous leurs étés à Palm Beach.) J'ai proposé à Julie de nous rejoindre, mais elle n'est pas libre. Elle est dans le Connecticut et ne rentre en ville que demain matin.

— Je ne sais pas, ai-je répondu avec indifférence.

Les quelques jours écoulés ne me donnaient pas exactement envie de fêter quoi que ce soit. Mme Sallop-Saxton avait fait suivre son coup de fil d'une tentative de déstabilisation de ma vie sociale en essayant de me faire *blacklister* du comité de l'*after* du grand gala des membres bienfaiteurs du Whitney, en répandant des rumeurs lourdes de sous-entendus sur mon voyage à Cannes avec Patrick. Lorsque j'avais enfin réussi à joindre cet animal, après la soirée littéraire de Julie, et que je lui avais fait part de la conduite de sa femme, il s'était contenté de rire. Elle faisait toujours des tonnes d'« histoires » à propos de ses « amies », m'avait-il expliqué, mais ça ne voulait rien dire.

Il souhaitait qu'on se revoie. Naturellement, j'ai refusé. Il était évident pour moi que les « amies » de Patrick n'étaient que de simples pions dans la partie de bras de fer qui l'opposait à sa femme.

— S'il vous plaît, ne me rappelez pas, lui avais-je dit. Vous êtes très gentil, mais tout cela est bien trop compliqué pour moi.

— Pourquoi ne m'accompagneriez-vous pas au festival de Venise cet automne ? avait-il avancé alors, d'un ton engageant.

— Patrick ! Vous l'avez déjà proposé à Jazz !

— Je peux annuler, elle comprendra.

— Patrick ! Je ne vous accompagnerai nulle part. Je ne peux pas !

— Et si nous dînions ensemble ce soir ? Au Carlyle ?

— Vous devez me laisser tranquille, d'accord ?

— Le Colorado à Noël ?

J'avais fini par raccrocher un peu abruptement, exaspérée par son insistance, mais également inquiète de sentir que mes protestations étaient tombées dans l'oreille d'un sourd. Les jours suivants, je m'étais demandé quelle serait la nouvelle attaque de Gretchen Sallop-Saxton, et jusqu'où Patrick se servait de moi pour l'asticoter. J'étais à cran, anxieuse, légèrement déprimée. Je voulais que tout ce différend entre Patrick-Gretchen et moi tombe aux oubliettes.

— S'il te plaîîîît, viens ! a insisté Jazz. Ça te remontera le moral. Je t'avais prévenue, Patrick est un type épouvantable, mais ça ne sert à rien de se miner pour lui. Tu dois passer à autre chose.

Peut-être Jazz avait-elle raison ? Une soirée entre amies pourrait m'être salutaire. Et quoique nullement consumée par l'envie de sortir ce soir-là – nous étions un dimanche –, je ne voulais pas non plus rester seule chez moi. Bien décidée à m'amuser, j'ai accepté l'invitation de Jazz, j'ai enfilé une robe noire en mousseline volantée de Zac Posen, jeté un châle en dentelle sur mes épaules, et je suis partie.

Avec ses divins fauteuils en cuir, ses miroirs anciens dorés et ses abat-jour jaunes, le bar du Plaza Athénée évoque un boudoir des années trente. Chaque fois que j'y viens, je m'attends à moitié à voir Jean Harlow, cigarette aux lèvres, apparaître de derrière une colonne. Jolene, Lara et Jazz avaient toutes les trois sorti leurs « Vals » – petit nom intime de leurs robes Valentino – et s'étaient installées à une table d'angle. Elles formaient le plus chic trio qui se puisse imaginer. Jazz était spectaculaire et de loin la plus classe de toutes, dans une robe chemisier en dentelle noire toute simple, ornée d'un gros nœud en satin sous la poitrine et fendue sur les côtés. Quoique très jolies, les robes de Lara et de Jolene ne pouvaient rivaliser avec la sienne. C'est là une question de protocole : la muse doit toujours avoir la plus belle robe, et ses amies doivent paraître un peu moins sublimes, comme des dames de compagnie. Lorsque je suis arrivée, elles dégustaient la spécialité du Plaza – des miniboules de glace maison. (Il y a six mois de ça, toutes les filles de New York étaient convaincues que manger de la glace les tuerait. Maintenant qu'elles se sont toutes mises à suivre le régime du Shore Club, la glace est subitement devenue un aliment de régime.)

— Salut ! Un petit cocktail champagne ? Tu es splen-di-de ! Est-ce que tu n'*adores* pas mes nouveaux bracelets ? a demandé Jazz en faisant tinter les joncs en or autour de son poignet. Cartier. Collection de la saison prochaine. Sublime, non ?

— Adorable, ai-je acquiescé en m'asseyant à côté d'elle. Et j'adorerais une coupe de champagne tout de suite.

Un truc très utile à savoir, à propos de la réalité, c'est que si on le désire vraiment, il est toujours possible de la congédier avec un cocktail au champagne et une conversation minutieuse autour d'un bracelet Cartier. Je vous promets que Gretchen Sallop-Saxton ainsi que l'épée de Damoclès menaçant ma carrière et ma vie sociale ont disparu de mon esprit en quelques minutes.

— Alors, Jazz, est-ce que Valentino t'a envoyé une tonne de trucs gratuits ? a voulu savoir Jolene.

— Officiellement, la réponse est non. Je ne veux pas que les gens s'imaginent que j'ai accepté ce travail uniquement pour avoir des fringues à l'œil. Mais entre nous, oui, j'ai eu quelques babioles, en douce. J'adore ce travail, mais c'est vraiment dur ! Ça m'attriste pour toutes ces filles de l'Upper East Side, qui ne font rien d'autre que les boutiques, et partir en vacances à Saint-Barth. Pour être franche, ça me brise même le cœur, parce que avant j'étais comme elles, et je sais à quel point on peut souffrir de solitude. Je ne veux rien d'autre qu'aider M. Valentino. Il est tellement *mignon* ! Vous avez vu ses cheveux ?

Cela peut être étonnamment fatigant d'écouter une oisive de la trempe de Jazz disserter sur l'éthique américaine du travail. A minuit, j'ai décidé de laisser le trio continuer sans moi et j'ai sauté dans un taxi. Elles voulaient aller danser, mais je me sentais trop épuisée et tendue pour les accompagner. Et même si, en toute sincérité, je trouve ses robes de soirée renversantes, je ne voulais plus jamais entendre prononcer le nom de *Valentino*.

C'était un vrai soulagement quand le taxi m'a déposée au pied de mon immeuble. Il me tardait d'arriver chez moi, d'enfiler un pyjama et de me blottir sous la couette. Mais une fois devant la porte de l'appartement, au moment de glisser la clé dans la serrure, j'ai remarqué un détail curieux. La poignée semblait avoir du jeu. Plus exactement, elle était sur le point de se détacher du pêne. Prise de panique, je me suis penchée pour l'examiner de plus près, et j'ai vu que le verrou avait été arraché du chambranle. La porte avait été forcée.

D'une main tremblante, je l'ai poussée et j'ai prudemment avancé la tête. Tout l'appartement était sens dessus dessous. Aussitôt, j'ai reculé pour me réfugier sur le palier. Et si le cambrioleur se trouvait encore à l'intérieur, planqué ? Je ne pouvais pas courir le risque d'entrer. J'ai tiré la porte et dévalé les escaliers, puis une fois en bas, j'ai cherché mon portable dans mon réticule ancien en maille argentée pour appeler la police. Ensuite, si je parvenais à joindre Jazz & Co., je pourrais aller dormir chez l'une ou l'autre. Et là, mon portable est demeuré introuvable ! J'avais dû l'oublier au bar. Je me suis précipitée dans la rue, et tout en jetant des regards anxieux par-dessus mon épaule, j'ai foncé jusqu'à la cabine téléphonique à l'angle de ma rue. J'ai soulevé le combiné. Aucune tonalité. Pendant quelques instants, je suis restée immobile, dans la rue noire et déserte, en me demandant quoi faire. La panique gagnait du terrain et je n'avais plus qu'une idée en tête : trouver un lieu où je serais en sécurité. New York peut donner le sentiment d'être une jungle menaçante quand vous n'avez personne à qui demander de l'aide et nulle part où passer la nuit. A ce moment-là, un taxi

libre a tourné à l'angle de la rue. Je l'ai hélé et j'ai dit au chauffeur de me conduire à l'hôtel Mercer, dans SoHo. La police
attendrait jusqu'à demain. J'étais flippée, fatiguée et je n'avais
qu'une envie : me coucher dans un lit.

Qu'il n'y ait pas de malentendu. Si j'ai décidé d'aller au
Mercer cette nuit-là, ce n'est pas à cause de leurs draps de lit
vert pistache à quatre cents fils au centimètre carré, ni des adorables mini-pizzas de la carte du service d'étage, ni des garçons
d'étage incroyablement sexy, ni à cause de cette étincelle particulière que tout le monde, dans cet hôtel, a dans l'œil. Rien de
tout cela ne m'importait : mon seul et unique souci ce soir-là
n'était pas le luxe, mais la sécurité. Julie n'étant pas en ville, je
ne pouvais pas me réfugier chez elle, et *downtown*, aucun
endroit n'est plus sûr que le Mercer. C'est une évidence, quand
on sait que c'est là que descendent des tas de stars du rap qui
ont de gros problèmes de sécurité, comme Puff Daddy et Jay-Z.

Il devait être une heure du matin passée lorsque je me suis
présentée à la réception. J'adore le hall de cet hôtel, on dirait un
immense loft très chic. On croise toujours des filles comme
Sofia Coppola ou Chloë Sevigny, qui traînent sur les canapés
Christian Liaigre, aussi à l'aise que si elles étaient dans leur
salon. Mais ce soir-là, le hall était étrangement désert, à l'exception d'une très jeune employée – certainement promise à devenir un jour star de cinéma – qui regonflait les coussins des
canapés, et du réceptionniste qui semblait tout droit sorti d'une
pub pour Tommy Hilfiger.

— Bonsoir, mademoiselle. Que puis-je pour vous ? s'est-il
enquis avec une affabilité qui m'a immédiatement mis du baume
au cœur.

— Je voudrais une chambre. Calme, s'il vous plaît. J'ai besoin
de dormir.

— Tout de suite. Combien de temps comptez-vous rester
chez nous ?

— Ce soir uniquement, ai-je soupiré.

Ce ne pouvait être, hélas, qu'une aventure d'une nuit. Vingt-quatre heures au Mercer sont une solution ruineuse pour se calmer les nerfs. Le réceptionniste a pianoté sur son ordinateur.

— Suite 607. Avec la 606, c'est la plus voluptueuse de l'hôtel. Comme il est tard, je vous la facture au prix d'une chambre double ordinaire. Calvin Klein y a vécu pendant deux ans, vous le saviez ? C'est notre chambre la plus calme. Vous célébrez quelque événement fantastique ?

— Non, pas vraiment. Pourrait-on m'apporter une tasse de thé, s'il vous plaît ?

— Notre service d'étage fonctionne vingt-quatre heures sur vingt-quatre, mademoiselle. Des bagages ?

— Juste un sac à main, ai-je répondu en lui montrant mon réticule. Je voyage léger.

— Parfait. Voici votre clé, a-t-il dit en me tendant une de ces clés high-tech en plastique qui ressemblent à une carte de crédit. Je commande votre thé immédiatement.

— Merci infiniment.

Tandis que l'ascenseur m'emportait jusqu'au sixième étage, je me suis examinée dans le miroir et j'en ai conclu que j'avais le plus grand besoin d'un peeling Alpha-Bêta. Même avec les éclairages basse intensité de la cabine, j'avais les yeux auréolés de ces cernes d'épuisement qui se voient autant qu'ils se sentent. J'avais l'air d'avoir plus de trente-huit ans. J'avais les cheveux plats, lourds. Je les ai tirés en queue-de-cheval et je me suis inspectée de nouveau. Non, il n'y avait aucune amélioration. C'était pire spectacle que Melanie Griffith quand elle se fait surprendre sans maquillage.

Les portes de l'ascenseur ont coulissé sur ce silence ouaté si particulier aux couloirs d'hôtel. Celui-ci était très long, et baigné d'une lueur orangée soporifique ; tout au bout, j'ai enfin trouvé la porte de la chambre 606. Alléluia ! Dans quelques secondes, j'allais enfin plonger dans les bras de Morphée.

J'ai glissé la clé dans la fente et j'ai tourné la poignée, mais la porte a refusé de s'ouvrir. J'ai réessayé. La porte n'a pas bougé d'un poil, comme si elle me narguait. Zut ! Peut-être que le réceptionniste s'était trompé, et que Calvin Klein était toujours là. Tandis que je faisais demi-tour, prête à redescendre dans le hall, j'ai aperçu une silhouette qui approchait. C'était un garçon d'étage, qui portait un plateau en argent. Mon thé ! Quel bonheur !

— Chambre 606 ?

— Oui, mais je n'arrive pas à entrer. Pourriez-vous me déverrouiller la porte ?

— Bien sûr.

Il a sorti son passe, l'a glissé dans ıa fente et a appuyé sur la poignée. Une fois de plus, la porte n'a rien voulu savoir. Le garçon a froncé les sourcils.

— Je suis navré, je crois qu'il y a un problème. Je dois prévenir la sécurité. Excusez-moi, je reviens dans cinq minutes.

Il a posé le plateau sur la console à côté de la porte et s'est éloigné dans le couloir. J'ai consulté ma montre : deux heures du matin. J'étais fatiguée et je me sentais de plus en plus faible. Je me suis accroupie contre le mur et, pour tuer le temps, je me suis servi une tasse de thé. Beurk ! Il était tiède ! Il y a quelque chose d'incroyablement lugubre dans le fait d'être seule avec une tasse de thé froid dans un couloir d'hôtel mortellement calme. Que fabriquaient donc les mecs de la sécurité ? Allais-je devoir redescendre les chercher moi-même ?

J'ai reposé la tasse sur le plateau et au prix d'un gros effort je me suis remise debout, mais là, dans un formidable fracas de porcelaine brisée, le plateau et tout son contenu ont valsé à terre. Je me suis figée en surprenant un bruit étouffé derrière la porte du 607. Mince ! Pourvu que je n'aie pas dérangé ceux qui partageaient un moment torride !

Je me suis penchée et j'ai entrepris de ramasser les débris. En me redressant, j'ai senti que ma robe était retenue par quelque chose et tout de suite après, j'ai entendu un bruit de déchirure. Zut ! Un de ces stupides volants s'était accroché à l'angle du plateau. Il pendouillait lamentablement, et un accroc béant ornait le devant de la robe. (C'est l'éternel problème des robes en mousseline – en général, elles sont victimes d'un accident fatal la première fois qu'on les porte ; c'est pourquoi à New York, toutes les filles savent qu'elles ne peuvent pas compter sur elles à long terme.) Je me suis libérée et j'ai remarqué une auréole humide de thé étalée au niveau de la taille. Des gouttes de lait ruisselaient le long de ma cuisse droite.

— Merde merde merde merde merde merde ! ai-je hurlé, en martelant la moquette du pied. (Je ne dis jamais de gros mots, mais quand je le fais, croyez-moi, je pèse chacun d'entre eux.)

J'ai shooté dans ce maudit plateau. Ah, ça faisait un bien fou ! J'ai asséné un nouveau coup de pied au plateau et je me suis laissée glisser par terre avec une grâce que n'aurait pas désavouée Courtney Love. J'ai senti une larme couler le long de ma joue et humecter ma lèvre. Je déteste me laisser aller à des accès de colère, vraiment. Au début, ça soulage, et ensuite, ça finit toujours mal.

Est-ce que je peux vous avouer quelque chose, sous le sceau du secret ? Je pensais que le fait d'être dans un endroit chic, avec un service d'étage et des meubles de Christian Liaigre, vous rendait automatiquement heureux. Eh bien, ce n'est pas le cas. Très franchement, quand on est malheureux, on l'est, que les draps aient quatre cents fils au centimètre carré ou pas. C'est pour ça que sur les photos des paparazzi, les *people* qui sont photographiés à leur insu en train de glander à l'arrière de leur yacht, ou de sortir du hall de leur somptueux immeuble ont toujours l'air d'être au bord du suicide. Quand on est à plat, peu importe le nombre de robes de soirée rangées dans votre garde-robe, ça ne fait pas un poil de différence. Les jeans Chloé et les peelings Alpha-Bêta ne résolvent nullement les coups durs de la vie. Ceux-là, on se coltine leurs conséquences à jamais, comme Liza Minnelli. Pour couronner le tout, j'allais passer la nuit dans la suite la plus sexy du Mercer, seule. Nom d'un chien ! ai-je pensé, parfois, la vie ressemble plus à *Fargo* qu'à *High Society*. (J'espérais toutefois me tromper car je savais que je ne pourrais pas survivre à toute cette neige et à ces vêtements moches tous les jours de l'année.)

Je crois que j'étais en train de vivre ma plus grande crise quand j'ai entendu un « clic » dans la suite 607, et horrifiée, j'ai regardé la porte s'entrouvrir. Oh non ! J'avais dérangé des amoureux en pleine nuit de noces, ou des amants engagés dans un corps à corps brûlant, et j'allais devenir à jamais persona non grata dans ces murs. La porte était entrebâillée et, en l'absence de lumière, je ne pouvais rien distinguer de ce qui se passait à l'intérieur. Puis, de derrière le vantail de la porte, une voix d'homme ensommeillée a chuchoté :

— Pourriez-vous faire moins de bruit ? J'essaie de dormir.

— Pardon, ai-je chuchoté à mon tour. J'ai été victime d'un accident sans gravité. J'évacue les lieux.

Et là, il s'est produit un truc vraiment curieux. J'ai entendu un gloussement s'échapper de la pénombre de la chambre, et son occupant a dit :

— Attends deux secondes.

J'ai eu comme un pressentiment désagréable : cette voix me paraissait familière. Mais mon ouïe me jouait forcément des tours... J'ai entendu un bruissement de tissu, puis une lampe s'est allumée, et une tête est apparue dans l'entrebâillement de la porte. Yeurkkk ! Mes soupçons étaient justes, hélas. C'était bien *lui*. Charlie Dunlain, le cheveu en bataille, la mine groggy. Non, ça ne pouvait pas m'arriver à moi !

Il m'a considérée en clignant des yeux, avec son éternel air amusé. Il avait enfilé le peignoir blanc et les mules assorties de l'hôtel. Quoique cette apparition de Charlie en chevalier tout d'éponge blanche vêtu ait été quelque peu embarrassante, j'étais tout de même soulagée. Comprenez-moi : c'était Charlie, pas un quelconque rappeur. Je veux dire par là qu'il avait une chambre, et qu'il allait forcément trouver un moyen de me faire entrer dans la mienne.

— Ce sont des larmes, que je vois là ? a-t-il demandé.

— Non ! ai-je hoqueté, en m'empressant d'essuyer mes yeux.

— Que se passe-t-il ?

— J'attends la sécurité pour pouvoir entrer dans ma chambre.

— Pourquoi ? Pourquoi n'es-tu pas chez toi ?

— Et toi ? lui ai-je rétorqué. Pourquoi n'es-tu pas chez toi ?

— Moi, je passe quelques jours à New York pour mon travail. Mais toi, tu vis à New York. Pourquoi viens-tu dormir à l'hôtel ?

— Quelqu'un s'est introduit chez moi. Un cambrioleur. J'avais trop la trouille pour rester dormir là-bas, et maintenant, c'est tout un cirque pour entrer dans cette maudite chambre.

— Tu veux venir dans la mienne ? a proposé Charlie en me regardant d'un air... d'un air... – à moins de faire totalement fausse route, je vous jure que Charlie avait cette fameuse petite étincelle dans l'œil.

Ma glycémie a chuté d'un coup, exactement comme à l'aéroport de Nice lorsque j'étais tombée sur lui. Et le truc vraiment bizarre, je crois (mais je ne sais pas trop expliquer pourquoi ni comment), c'est que quand ça m'arrive, je pense que moi aussi j'ai cette étincelle dans le regard.

Et j'ai l'impression qu'il s'en est aperçu ! Et là, sorti de nulle part, un sentiment m'a assaillie – ce sentiment qu'on ne pourrait traduire que par *as-tu-des-préservatifs-parce-que-je-veux-partir-au-Brésil-avec-toi-là-tout-de-suite. Et même si tu n'as pas de préservatifs, je veux partir tout de même.* (Par pitié, ne répétez à personne que j'ai dit ça, sinon je n'ai pas fini d'entendre parler des MST.) Et aussitôt un autre sentiment m'a assaillie, celui qu'on pourrait traduire par *mais-bon-sang-je-ne-devrais-pas-penser-ça-c'est-le-petit-ami-de-ma-meilleure-amie-et-c'est-ce-qui-rend-tout-le-truc-encore-plus-follement-tentant.* Si vous n'avez jamais éprouvé l'un ou l'autre de ces sentiments, je vous recommande vivement d'essayer. Toutes les filles devraient connaître une nuit dont elles savent qu'elles vont la regretter à mort. C'est toujours délicieux, jusqu'à ce que la machine à remords se mette en marche pour de bon.

— Alors, tu entres ? a répété Charlie.

— Oui, ai-je répondu, en sentant bien que je fondais plus vite qu'une boîte de chocolats.

— Je vais appeler la réception, a dit Charlie en passant un bras autour de mes épaules.

S'il est possible qu'une boîte de chocolats fonde deux fois en l'espace de dix secondes, alors celle-là l'a fait.

— D'accord, ai-je murmuré.

Charlie a appelé la réception, qui l'a informé que la sécurité devrait arriver « sous peu ». La suite de Charlie était supercool. Une chambre spacieuse, ouvrant sur un salon caverneux avec d'immenses baies vitrées en arche qui donnaient sur Prince Street.

— Je peux me laver le visage ?

— Naturellement.

La salle de bains était éclairée par une bougie. C'était une grande pièce, dotée d'une baignoire carrée et si vaste qu'elle avait été à l'évidence spécifiquement étudiée pour inciter aux conduites regrettables. Pourquoi, sinon, concevoir une baignoire de la taille d'une piscine ?

Mais d'où sors-tu des pensées pareilles ? Je devais absolument me remettre les idées en place. Cette nuit ne devait en aucun cas être le théâtre d'événements regrettables, sinon Julie m'étranglerait avec la chaîne de son sac Chanel et là, j'aurais bien plus à regretter qu'une simple nuit. J'ai allumé la lumière. Une petite boîte blanche était posée à côté du lavabo : « KIT DE NUIT » était écrit sur le couvercle. A l'intérieur, il y avait des pastilles de menthe et une boîte de préservatifs LifeStyle Ultra Sensitive. Je me suis empressée de refermer la boîte. Bon sang ! Pas la peine de chercher plus loin pourquoi tout le monde ici avait cette fameuse étincelle dans le regard.

Je me suis lavé la figure à l'eau froide et, lorsque je me suis regardée dans le miroir, le spectacle était moins catastrophique que je ne le redoutais. Pour tout dire, une robe de Zac Posen à moitié déchirée donne une petite touche assez glamour à votre allure... Tout en me séchant le visage, j'ai décidé de gérer cette situation en adulte et j'ai répété ma leçon : Charlie était pour moi comme un grand frère impitoyable qui critiquait chacun de mes gestes ; il était le *boy friend* de ma meilleure amie. Il est des choses dans la vie qui ne méritent pas de vous remplir le cœur de regrets.

A mon retour dans la chambre, Charlie regardait la télé allongé sur le lit. Il était scandaleusement mignon. Jugeant qu'il n'était pas très sûr d'approcher de lui, je suis allée m'asseoir sur le canapé.

— Viens par là. Tu as l'air lessivée. On n'a qu'à regarder un DVD en attendant qu'ils règlent ton problème de porte. J'ai *Moulin Rouge*.

Bon, je m'étais mis martel en tête pour des prunes. Quand bien même j'aurais été partante pour concevoir quelques regrets jusqu'à la fin de mes jours, je ne risquais absolument rien : Charlie était gay. Aucun hétéro de ma connaissance ne regardera jamais *Moulin Rouge* – qui est, je le signale au passage, l'un de mes films préférés, toutes époques confondues.

— D'accord, ai-je dit en allant me lover sur le lit. J'adore ce film !

— Pas moi, m'a rétorqué Charlie, mais je me doutais bien qu'il te plairait.

Ah bon ? Peut-être n'étais-je pas tant en sécurité que ça, tout compte fait. Charlie a attrapé la télécommande et a appuyé sur la touche PLAY.

— Hé, viens donc plus près. Je sens que tu as besoin d'un gros câlin.

Je me suis tournée pour lui faire face. Il m'a enlacée. Je crois bien que nous n'avons rien vu de *Moulin Rouge*.

C'est incroyablement attentionné, de la part du Mercer, de fournir à leurs hôtes ce petit kit de nuit si sublimement présenté. Le seul souci, c'est qu'inévitablement, ça encourage à passer *ce genre* de nuit. (Je suis furax contre le service de sécurité, que je n'ai jamais vu.) Le lendemain matin, sitôt que je me suis réveillée, j'ai ressenti les signes avant-coureurs d'une Crise de Honte carabinée : cette nuit-là, j'avais délibérément enfreint les Deux Commandements, les règles de conduite qui régissent la vie amoureuse de toutes les filles :

1. Jamais ne coucheras avec un garçon le premier soir (une relation sexuelle trop prématurée ruine toujours une histoire d'amour).
2. Jamais ne feras le 1 avec le petit ami de ta meilleure amie. (Cela ruine trois relations.)

Aucun mot ne pouvait dépeindre toute l'horreur d'une situation aussi glauque. Et moi j'étais là, sauvagement déshabillée, au lit avec quelqu'un avec qui je n'aurais pas dû y être. Je devais m'en aller sur-le-champ, à la façon d'Ingrid Bergman dans la dernière scène de *Casablanca*. Mais… Oh ! là, là ! Il était tellement adorable, quand il dormait. Charlie avait des cils incroyablement longs. Et il était vraiment trop mignon, avec ses cheveux ébouriffés par le sommeil. En fait, il était bien plus canon comme ça. Je devais penser à lui dire d'oublier l'existence des peignes lorsqu'il serait réveillé. Il a entrouvert les paupières et souri.

— Salut.

Comme d'habitude, il avait son air amusé. N'est-ce pas sidérant, l'insouciance avec laquelle les hommes se lancent dans une aventure de la plus haute illégalité ? Charlie avait à l'évidence quelques problèmes de ce côté-là.

— Charlie, je…

J'ai été interrompue par un long baiser. Or, j'avais remarqué un truc au cours de la nuit passée : sitôt que Charlie commençait à m'embrasser, j'oubliais tout parce qu'une fièvre de plus de quarante degrés s'emparait de tout mon corps. (C'est vous dire les baisers…) La première fois qu'il m'avait embrassée (soit pendant le générique d'ouverture de *Moulin Rouge*, pour ne rien vous cacher), j'avais eu l'impression que jamais ma température ne redescendrait à trente-sept. Ce qui est particulier, dans sa façon d'embrasser (si vous voulez savoir tous les détails), c'est que le baiser dure au moins cent vingt-cinq secondes. Vous pouvez donc imaginer à quel point j'étais épuisée le lendemain matin. Et ça, c'est juste pour les baisers. Le truc qui donne vraiment matière à remords, c'est encore une autre histoire.

Au bout de quatre cent cinquante secondes – pour être franche, celui-là était un petit peu trop long, nous étions tous les deux en manque d'oxygène –, Charlie m'a finalement relâchée.

— Tu disais quoi ? a-t-il demandé en se rallongeant sur le dos.

— Je disais que…

Que dit-on quand on découvre que le mec de votre meilleure amie la trompe ? Avec vous.

— Charlie ! Tu es le petit ami de Julie ! ai-je crié en sautant du lit. Et tu couches avec quelqu'un d'autre. Et je vais être obligée de le lui dire. C'est ça, le pire.

— Quoi ? a fait Charlie, l'air dérouté.

— Tu la trompes, c'est monstrueux ! Si jamais Julie ou moi, nous nous doutons que le petit ami de l'autre va voir ailleurs, on se doit de la prévenir. C'est un pacte.

Mais de même que les résolutions des Nations unies parent rarement à tous les cas de litige, notre traité, à Julie et à moi, avait omis de spécifier la conduite à tenir si la séductrice était l'une de nous deux. Même Kofi Annan aurait été impuissant à jouer les médiateurs dans ce cas précis.

— Mais enfin ! s'est exclamé Charlie avec un léger agacement. Julie et moi avons rompu. A Paris. Tu es au courant, non ?

Je tombais des nues.

— Ah bon ? Mais dans le mail qu'elle m'a envoyé de Paris, elle disait que tout s'était super bien passé entre vous. Et quand je t'ai croisé à l'aéroport, à Nice, tu m'as dit que vous vous étiez réconciliés.

— Si je me souviens bien, je t'ai dit que nous avions mis les choses à plat. Dans mon esprit, tu savais forcément que Julie et moi ne nous étions pas revus depuis Paris.

Je n'ai pas répondu. Qu'allais-je faire ? Même si Charlie ne sortait plus officiellement avec Julie, la situation n'en demeurait pas moins glauquissime. La clause (i) du Second Commandement statue que « Jamais ne toucheras à un des ex de ton amie sans la permission expresse de celle-ci ».

— Mais qu'est-ce que je vais dire à Julie ? me suis-je écriée.

— Ben, rien.

Voilà ce qui est merveilleux avec les nuits de regrets. Les deux personnes concernées regrettent tellement l'une et l'autre que ni l'une ni l'autre ne veulent jamais plus en entendre parler.

— O.K.

— Bon, maintenant, reviens te coucher et commandons le petit déjeuner.

Deux croissants, deux *lattes*, deux cents baisers et un minimum absolu de deux très regrettables orgasmes plus tard, nous étions toujours enracinés dans le lit de la 607. Je me sentais ivre de bonheur. L'orgasme est vraiment la solution à presque tous les problèmes de la vie.

Vers dix heures, j'ai commencé à me faire du souci : si je tardais plus longtemps à me lever, cette regrettable nuit, qui était en train de se transformer en une regrettable matinée, pouvait très bien évoluer en une regrettable journée, et là pour le coup, j'allais vraiment le regretter car je ne manquais pas de pain sur la planche ce matin-là : je devais aller au commissariat signaler mon cambriolage, mettre de l'ordre dans le bazar de l'appartement, faire changer les verrous, et, en des temps fort lointains, j'avais promis à Julie de déjeuner avec elle. Pour couronner le tout, la fête d'anniversaire de mon père devait avoir lieu dans quelques jours, et il me fallait préparer mon départ pour l'Angleterre le vendredi suivant.

Tandis que je m'habillais – cela m'a pris un temps infini car j'étais sans cesse interrompue par l'un de ces baisers de quatre cent cinquante secondes dont je vous parlais tout à l'heure – et que Charlie était en train de se raser, son portable a sonné.

— Tu veux que je réponde ?

— Oui, s'il te plaît.

J'ai décroché.

— Allô ?

— Hé ! C'est quoi, ce binz ? s'est exclamée Julie d'un ton incrédule. C'est toi ?

Je me suis pétrifiée. Pourquoi Julie appelait-elle Charlie s'ils avaient rompu ?

— Julie ?

— Ouais. Pourquoi c'est toi qui réponds au téléphone de Charlie ?

— Mmmm... Ce n'est pas le numéro de Charlie. Tu as dû te tromper et composer le mien.

— Ah, O.K. A tout à l'heure chez Sotheby's ?

— Absolument, ai-je fait en m'empressant de raccrocher.

Presque aussitôt, le téléphone a re-sonné, mais cette fois, un numéro avec un préfixe international s'est affiché sur l'écran. J'ai décroché.

— Allô ?

— Qui est a l'appareil ? a demandé une femme à la voix rauque.

— Une amie de Charlie.

— Passez-le-moi. Je dois lui parler.

— Oui, qui puis-je annoncer ?

— Caroline.

— Une seconde, je vous prie.

Main en coupe sur le micro du téléphone, je suis entrée dans la salle de bains et j'ai chuchoté :

— Une certaine Caroline demande à te parler.

— Oh... Dis-lui que je la rappelle, O.K.? a marmonné Charlie, le visage barbouillé de mousse.

Je me suis acquittée de ma mission, et une fois que j'ai eu raccroché, je me suis demandé : *Mais qui est cette Caroline ?* Je sais bien que ça ne me regardait pas, mais c'est là tout le problème, quand on partage des croissants au lit avec un mec génial : à la moindre mention de l'existence d'une autre femme, vous avez envie de mourir sur-le-champ.

Plusieurs semaines auparavant, Julie m'avait fait la scie pour que j'accepte de l'accompagner chez Sotheby's qui donnait un déjeuner très chabada en l'honneur de la vente prochaine de la collection de bijoux de la duchesse de Windsor. Une fois tous les trois mois, Sotheby's se débrouille pour trouver tout et n'importe quoi ayant appartenu à la duchesse – fourrures, meubles, aquarelles, épingles à chignon, tout est bon, même ses mouchoirs en coton brodés à son chiffre ont fait l'objet d'une vente. La célèbre maison incite les New-Yorkaises les plus fortunées à venir enchérir le jour de la vente en les invitant à découvrir les objets lors d'une visite exclusive agrémentée d'un déjeuner langoustes. Au service Clientèle Privée, quelqu'un avait fait subir un vrai lavage de cerveau à Julie, et mon amie était désormais convaincue que si elle ne possédait pas un des bijoux Cartier de la duchesse, ce serait une tragédie qui pourrait lui laisser des regrets jusqu'à son dernier souffle.

La matinée était déjà bien entamée lorsque je suis arrivée chez moi, mais j'ai tout de même réussi en un temps record à localiser mon portable égaré, signaler le cambriolage à la police et ranger le désordre qui régnait à l'appartement. A première vue, on ne m'avait volé qu'une seule chose : mon manteau en chinchilla. Ce qui était une pure catastrophe – ce manteau ne m'appartenait même pas, et après un tel incident, jamais plus Valentino n'accepterait de me prêter des vêtements. J'avais lu dans le magazine *New York* des articles sur ce type de cambriolages ciblé « couture », où les cambrioleurs agissaient sur commande. De plus en plus, les personnalités citées dans les

palmarès des femmes les mieux habillées du monde étaient ter-
rifiées à l'idée que leurs placards deviennent la cible de telles
indélicatesses. Je ne disposais que de quelques minutes pour me
changer avant de filer déjeuner. J'ai enfilé un spencer en lin et
une jupe en dentelle vintage et, à 12 h 45, j'étais dans le taxi, en
route pour Sotheby's, sur York Avenue.

Ainsi que je l'avais prévu, à quelques blocs de ma destination, l'anxiété m'a prise à la gorge. Ah, la culpabilité qu'on peut
éprouver après une nuit regrettable ! C'est à la limite du toléra-
ble. Julie ne devait, pour rien au monde, avoir vent de mon bref
écart de conduite avec Charlie. Elle se montrait ultra-possessive
à l'égard de ses ex-petits amis et je me doutais que, si revanche
il devait y avoir un jour, la sienne serait bien pire que celle de
Gretchen Sallop-Saxton. Quand K.K. Adams a épousé un type
avec lequel Julie avait vaguement fricoté pendant trois jours en
seconde, mon amie l'a fait bannir du salon Bergdorf *à vie*.
C'était comme une version spa du couloir de la mort. Après ça,
K.K. n'a jamais plus eu de beaux cheveux, ce qui est un motif
terrible de honte pour elle. Si Julie découvrait le pot aux roses
entre Charlie et moi, jamais plus elle ne m'adresserait la parole
et je pourrais dire adieu à tous les vêtements que je lui avais
prêtés. Ma seule consolation, c'était de savoir que ce qui s'était
passé la nuit précédente ne se reproduirait plus. C'est le gros
avantage des aventures sans lendemain : par définition, elles
s'achèvent avant même d'avoir commencé et, au final, c'est
comme s'il ne s'était jamais rien passé. Strictement entre nous
soit dit, j'en ai eu quelques-unes, et elles ne m'ont laissé aucun
souvenir.

Chez Sotheby's, la mafia « Sac Chanel Pastel » était venue en
force. J'ai dénombré au moins vingt-cinq filles assises autour
des grandes tables de la salle à manger qui menaçaient de s'effondrer sous le poids de la décoration – des compositions flora-
les agrémentées de diamants roses, de perles noires et de rubis
d'un rouge abyssal. Pour ce genre de déjeuner, la coutume veut
qu'on décore la pièce entière de bijoux, un peu dans l'esprit de

la chambre d'Elizabeth Taylor. J'ai pris place à côté de Julie, dont le T-shirt rose proclamait en lettres d'un rouge brillant : « I AM NEW YORK ».

— C'est chiant, a-t-elle articulé silencieusement.

Géographiquement parlant, notre table n'était pas exactement la plus centrale. Les quatre autres filles – Kimberly Guest, Amanda Fairchild, Sally Wentworth et Lala Lucasini – étaient absorbées dans une discussion enflammée sur les embouteillages qu'il fallait endurer l'été sur la Long Island Expressway pour arriver jusqu'à Southampton. Parfois, je suis vraiment triste pour ces filles – elles sont gentilles, ce n'est pas le problème, mais la plupart du temps, on dirait vraiment qu'elles ont oublié qu'elles n'étaient pas leurs mères.

Julie s'est tournée vers moi et a posé son doigt en travers de sa gorge avec une grimace exaspérée. Elle n'a jamais compris pourquoi tout le monde s'enquiquine dans les bouchons de la Long Island Expressway, quand c'est tellement plus simple de rejoindre les Hamptons en hélico.

— Et si on faisait un truc fou ? a-t-elle chuchoté. Si on déclenchait un pugilat ?

J'ai rigolé, et elle a ajouté :

— Je passe l'après-midi avec Charlie. Ce garçon est un amour.

— *Quoi ?*

— Il est en ville, on s est téléphoné ce matin.

— Mais… Je croyais que Charlie et toi aviez rompu.

— *Quoi ?* s'est-elle étranglée et, cette fois, c'était son tour de me dévisager avec incrédulité.

— Il m'a dit qu'il avait rompu avec toi à Paris.

— Je ne le crois pas ! Quand lui as-tu parlé ?

— Hier soir, ai-je répondu sans réfléchir.

Julie a aussitôt viré au rouge pivoine.

— C'était donc bien *toi* au téléphone, hein ? Tu étais avec lui ce matin. Je ne le crois pas !

Il y a eu un silence, puis Julie a lancé, d'une voix sourde :

— Tu n'as pas fait ça ?

— Bien sûr que non ! me suis-je récriée en rougissant comme une écrevisse à la nage.

— Si, tu l'as fait ! Je le vois. Tu as l'air épuisée ! Et tu as cette mine radieuse qui ne trompe pas !

Etait-ce à ce point évident que j'avais eu droit à un baiser de quatre cent cinquante secondes avec une personne du sexe opposé le matin même ? Julie est la reine de l'intuition. Je le serais, moi aussi, si je claquais autant de fric chez les voyantes. Il est impossible de lui cacher quoi que ce soit, notamment en ce qui concerne les affaires de cœur.

— Elle a fait quoi ? a demandé poliment Amanda.

— Rien, rien, me suis-je empressée de répondre.

— Couché avec mon *mec* ! a hurlé Julie.

Les fourchettes de Sally et de Kimberly, qui étaient sur le point de déposer une délicate tranche de langouste dans leur bouche, ont freiné de manière spectaculaire juste devant leurs lèvres. Les deux bouches sont restées béantes, paralysées, deux petits trous noirs d'incrédulité.

— Julie, écoute...

Mais Julie était déchaînée :

- Comment as-tu pu ? Jamais plus de la vie je ne t'adresserai la parole ! Jamais plus je ne te prêterai de diamants !

Elle s'est levée en fouettant la table de sa serviette puis, après une longue inspiration très théâtrale, elle a annoncé :

— Sally, Amanda, Lala, Kimberley. Je m'en vais.

Et tandis qu'elle gagnait la sortie d'une démarche altière, les quatre autres filles se sont levées à leur tour et lui ont emboîté le pas. Dans la salle, les conversations s'étaient transformées en un brouhaha de chuchotements ; tous les regards de l'assistance étaient braqués sur Julie. Avant de passer la porte, elle a pivoté sur elle-même, m'a regardée bien en face et a lancé :

— Au fait, n'oublie pas que tu dois me rendre mon tailleur-pantalon Versace.

Cette dernière remarque était bizarre, car en réalité, ce tailleur Versace était à moi, mais comme Julie l'adorait, elle me l'empruntait sans arrêt. Je venais d'ailleurs tout juste de le récupérer. Comment Charlie avait-il pu commettre un tel manquement au code de l'honneur ? Et moi, comment avais-je pu être aussi sotte ? Cela dit, compte tenu de mes récentes histoires de mecs, je suppose qu'il n'y avait pas de quoi s'étonner.

— Je vais.. aux lavabos, ai-je dit en me levant, sans m'adresser à personne en particulier.

A la seconde où j'ai disparu dans le couloir, j'ai entendu tous ces caquetages féminins qui montaient crescendo. Julie avait raison. Maintenant que quelqu'un avait déclenché un pugilat, le déjeuner allait devenir bien plus intéressant.

Sitôt sortie de chez Sotheby's, j'ai appelé Charlie et j'ai attaqué bille en tête :

— Pourquoi m'as-tu menti ? Pourquoi m'as-tu dit que tu avais rompu avec Julie alors que c'est faux ? Comment as-tu pu ?

— Hé, ho, du calme ! a-t-il répondu en riant. Je ne t'ai pas menti. J'ai rompu avec Julie.

Pourquoi ce garçon trouvait-il toujours matière à rire de tout ? C'était *obscène*.

— Qu'est-ce que tu racontes ? Julie dit que vous n'avez pas rompu !

Certes, j'étais furieuse contre lui, mais je l'étais plus encore contre *Moi**.

— Tu veux savoir ce qui s'est passé exactement ?

— Oui.

— A Paris, j'ai dit à Julie qu'à mon avis, nous n'étions pas très bien assortis, tous les deux, que Todd était davantage son genre, et que nous devrions juste rester bons amis. Elle a refusé, elle m'a dit qu'elle ne pouvait pas accepter ça. Je crois qu'elle ne supportait pas l'idée que je la largue. Alors je lui ai dit : « Comme tu voudras, mais moi, je romps », et elle m'a répondu : « Pas moi. » Je ne pensais pas qu'elle parlait sérieusement. C'est débile, comme attitude.

J'étais forcée de reconnaître que ce scénario était hautement vraisemblable. Personne ne rompt avec Julie : c'est elle qui rompt. Je n'ai aucun souvenir d'un garçon qui aurait persévéré dans ses tentatives pour la quitter, car ça ne vaut pas le coup de courir au-devant des ennuis qui ne manqueraient pas de suivre. Julie peut être très *Attraction fatale* quand elle s'y met. Même si Charlie avait effectivement rompu avec elle, elle ne le reconnaîtrait jamais, ni à ses propres yeux, ni publiquement. Dans son esprit, Charlie était toujours son petit ami, en dépit du fait que lui ne se considérait plus comme tel. Les gens qui, comme Julie, entendent tout régenter n'agissent jamais autrement : quand ils se cassent le nez, ils s'en tiennent mordicus à leur version, et celle-ci finit par devenir réalité dans leur esprit. La version des faits de Charlie était probablement la bonne, je le savais, mais ça ne changeait rien à mon problème : aux yeux de Julie, j'avais enfreint le Second Commandement, et ça, c'était impardonnable.

— Elle a dit qu'elle ne voulait jamais plus m'adresser la parole !

— Ça lui passera. Et pourquoi tu es allée lui raconter ça ? Ça me dépasse ! Elle m'a appelé un peu plus tôt dans la matinée, et *moi*, je n'ai rien dit.

— Elle l'a deviné toute seule. Elle m'a dit que j'avais l'air épuisée.

— Ça te dirait d'aller dîner, ce soir ? Ce pourrait être agréable de faire un peu mieux connaissance. Jusque-là, je ne t'ai vue que dans des situations... *extrêmes*.

Je voyais parfaitement ce qu'il voulait dire. L'idée de ce dîner était attrayante, sécurisante et séduisante à la fois, ce qui était assez... nouveau.

— Je ne peux pas, ai-je répondu immédiatement.

Si vous avez l'intention de refuser une invitation à dîner avec un mec aussi adorable que Charlie, il faut le faire tout de suite, tant que vous en avez le courage. Et de toute façon, Charlie ne comprenait-il pas que, dans le cadre d'une aventure sans lendemain, c'était la procédure normale et attendue que les deux parties continuent comme s'il ne s'était rien passé ? Un dîner le lendemain soir était exclu de la procédure – malheureusement.

— Bon, j'espère que tu vas changer d'avis. Je resterai bosser toute la soirée à l'hôtel. Je vais t'attendre.

Ce soir-là, j'ai appelé Julie de chez moi. J'avais passé un après-midi de chien, et je voulais me réconcilier avec ma meilleure amie. Je devais m'excuser. La gouvernante a décroché.

— Puis-je parler à Julie, s'il vous plaît ?

— Non, mademoiselle.

— C'est très urgent. Est-elle là ?

— Oui, mademoiselle. Mais elle a dit que si vous appeliez, je devais vous demander de lui renvoyer son sac Hogan.

-   Oh, je vois, ai-je dit, la mort dans l'âme. (Depuis tout le temps que ce sac était chez moi, je m'étais vraiment attachée à lui.) Pouvez-vous tout de même lui dire que j'ai appelé ?

Je me suis effondrée sur mon lit. J'étais en train de payer le prix fort pour mon comportement stupide. J'avais désespérément besoin de parler à quelqu'un, mais je n'avais pas le courage d'appeler Lara ou Jolene – qui refuseraient probablement de prendre mon coup de fil. Lorsque les gens apprendraient ce que j'avais fait, plus personne ne m'adresserait la parole. Cela dit, tout le monde devait déjà être au courant. Un déjeuner chez Sotheby's est un moyen plus efficace de propager des ragots dans tout l'Upper East Side qu'une note circulaire envoyée par e-mail. J'avais le sentiment très net que je n'avais plus rien à attendre de la vie, sinon peut-être devenir amie avec Madeleine Kroft – si elle voulait bien de moi. Je n'ai aucun penchant auto-destructeur, croyez-moi, mais je commençais à me trouver des points communs avec cette Elizabeth Wurtzel, de *Prozac Nation*.

J'étais donc allongée sur mon lit et je réfléchissais. Et à force de réflexion, j'ai fini par me poser la question suivante : si une nuit regrettable devait se transformer en deux nuits regrettables, serait-ce beaucoup plus regrettable ? Comprenez bien mon rai-sonnement : j'avais déjà enfreint le Second Commandement, il m'était impossible de faire machine arrière sur ce point. Je n'étais plus dans la position de perdre ma meilleure amie. Quant aux saintes nitouches qui déjeunent chez Sotheby's, je ne pou-vais pas les choquer plus que je ne l'avais déjà fait. Quoi que je fasse, la situation ne pouvait pas empirer. Mais pour être totale-ment sincère, je dois admettre que si j'ai finalement décidé ce soir-là d'aller surprendre Charlie au Mercer, c'est parce que jamais je n'avais pris mon pied comme la nuit précédente. Je sais bien que d'après le Dr Fensler, c'était un très mauvais pré-sage, mais c'est très, très difficile de refuser un dîner avec le meilleur amant que vous ayez jamais eu. Vous aurez même remarqué que plus il y a de danger, moins il y a de chances que vous refusiez. Et de toute façon, cette nuit-là serait la dernière, me suis-je juré. J'avais juste besoin de me remonter le moral.

J'ai consulté ma montre. Il était vingt heures. Je me suis levée et je suis allée contempler le contenu de mon placard. J'ai choisi la tenue idéale pour la seconde édition d'une nuit regrettable – une robe dos-nu rouge de Cynthia Rowley, qui était parfaitement adaptée à mes intentions parce qu'elle s'enlève en moins de trois secondes. J'ai enfilé des mules blanches, attaché mes cheveux en queue-de-cheval, je me suis brossé les dents et j'ai filé.

— Pouvez-vous prévenir Charlie Dunlain que je suis là ? ai-je dit au concierge lorsque je suis arrivée au Mercer. Chambre 607.

— 607 ? a-t-il répété en pianotant sur son ordinateur. Ah… M. Dunlain. Il a quitté l'hôtel.

Quitté l'hôtel ? Comment pouvait-il me faire ça ? Charlie ignorait-il donc que lorsqu'une fille décline une invitation à dîner, c'est un « non » qui veut dire « peut-être », et donc « oui » ? Et là, un nom m'a traversé l'esprit. *Caroline.* La fille qui l'avait appelé le matin. J'ai eu l'impression que mon estomac se transformait en une cabine d'ascenseur qui chute du trente-sixième étage. Encaisser un autre rejet était au-dessus de mes forces.

— Vous en êtes sûr ? Il avait l'intention de travailler dans sa chambre. Il m'a demandé de le retrouver ici.

— C'est moi qui lui ai préparé sa note. Il est parti cet après-midi. En Europe.

— A-t-il laissé un mot ?

— Non, mademoiselle. Je regrette.

11

J'ai su qu'il s'était réellement passé quelque chose au Mercer ce fameux soir et que mon imagination n'y était pour rien, lorsque brusquement, je me suis surprise à refuser un voyage en J.P. sans la moindre bonne raison. Quelques jours plus tard, alors que je m'apprêtais à m'envoler à destination de l'Europe, pour l'anniversaire de mon père, Patrick Saxton a appelé. A peine ai-je eu le temps de lui dire bonjour que déjà il essayait de m'embobiner avec son G-V.

— Je pars demain à Londres pour le week-end. Pourquoi ne m'accompagneriez-vous pas ? Sans contrepartie.

Pour ce que j'en sais, quand un homme vous fait une proposition « sans contrepartie », c'est qu'il attend exactement le contraire. Et donc, même si vous n'ignorez pas que décliner un voyage en J.P. est historiquement impossible pour moi, j'ai refusé l'invitation avec fermeté. Ce n'était pas une petite balade en jet privé qui pourrait me consoler de la déconfiture des jours précédents.

— Vous savez que je ne peux pas accepter, mais merci de me le proposer, lui ai-je répondu avec détachement.

La nuit au Mercer avait tout changé.

— Vous n'avez pas envie d'aller à Londres ? C'est une ville géniale.

— J'y vais de toute façon demain. Mon père fête ses cinquante ans.

— En ce cas, vous allez à la fête et puis vous me rejoignez.

J'ai une suite au Claridge. J'ai prévu un petit saut à Saint-Tropez dans la foulée, pour voir un bateau. J'ai envie d'un Magnum 50. Il paraît qu'on peut caser dix top models, jambes comprises, sur le pont arrière. Ça ne vous tente pas, une petite virée sur la Côte d'Azur ? On pourrait pousser jusqu'à Capri, et descendre au Scalinatella. C'est mon hôtel préféré. J'adorerais vous y emmener.

— C'est impossible, je voyage avec quelqu'un d'autre.

— Qui ça ?

— American Airlines, ai-je répliqué, d'une voix gonflée de fierté.

J'étais moi-même sidérée par la facilité avec laquelle j'avais décliné la proposition de Patrick – on aurait dit que toute ma personnalité avait déjà changé.

— Vous préférez voler avec une compagnie *commerciale* plutôt qu'avec moi ? s'est alarmé Patrick.

— C'est préférable pour moi de me rendre en Europe par mes propres moyens, ai-je déclaré en songeant : *Je suis une fille indépendante et je n'ai besoin de rien venant d'un play-boy de ta trempe.* Et puis vous savez, Patrick... Partir à Londres en classe Eco, ce n'est pas la fin du monde.

Pourtant, à l'intérieur de moi, j'avais la sensation de vivre une apocalypse. Le problème des nuits regrettables, c'est qu'elles sont suivies de lendemains qui ne chantent pas. Vous passez invariablement des jours entiers à mariner dans vos regrets, et seuls quelques détails mineurs sont épargnés – le fait, par exemple, que c'était le plus beau voyage au Brésil de votre vie, etc. Le plus étrange était ce sentiment tenace d'avoir été abandonnée ; jamais je n'avais éprouvé cela avec d'autres garçons. En Charlie, j'avais l'impression d'avoir découvert le meilleur compagnon de voyage qui soit pour aller au Brésil, et en même temps, je me sentais aussi à l'aise avec lui qu'avec mon plus vieil ami. Malheureusement, il ne m'avait donné aucun signe de vie depuis son départ du Mercer, ce qui était assez blessant. D'autant que j'avais toujours trouvé ce garçon très bien élevé. Mais quoi qu'il en soit, j'avais pris une décision : s'il ne prenait pas la peine de m'appeler, je ne l'appellerais pas moi non plus.

Pendant ce temps, Julie ne répondait à aucun de mes messages. Jolene m'a expliqué que je ne devrais pas prendre ce silence de façon personnelle : Julie, m'a-t-elle raconté, s'était éclipsée en voyage romantique, elle était follement amoureuse et ne voulait dire à personne le nom du nouvel élu. Elle ne retournait aucun appel, pas même ceux de son dermatologue – ce qui était du jamais vu de sa part. Mais je n'ai pas cru un mot de cette histoire à dormir debout. La vérité, c'est que j'avais failli aux lois de l'amitié et que je méritais entièrement ma punition.

Ce soir-là, après le coup de fil de Patrick, ma mère a appelé à son tour. Il était tard, et j'étais crevée. D'après mes calculs, il devait être dans les trois heures du matin en Angleterre, mais ma chère mère semblait parfaitement bien réveillée. Même si j'étais impatiente de revoir mes parents, ce coup de téléphone m'a mis les nerfs à vif.

— Chérie ! s'est-elle écriée d'une voix surexcitée. J'espère que tu n'as pas oublié l'anniversaire de ton père ! J'ai laissé trois messages à Julie Bergdorf pour l'inviter – tu sais que papa l'adore – mais elle ne m'a toujours pas rappelée. Sais-tu si elle vient ?

— Aucune idée, m'man.

— Que t'arrive-t-il ? Combien de temps vas-tu rester ?

— J'arrive samedi et je dois repartir lundi. J'ai un papier à écrire la semaine prochaine.

— Tu ne restes que trois jours ! Tu sais, une carrière n'est pas tout, dans la vie. Quoi qu'il en soit, je t'ai préparé un lit avec des draps somptueux. Le linge irlandais fait honte à Pratesi. Les Américains ne s'y connaissent pas en draps comme nous...

— M'man, tu es américaine, lui ai-je rappelé.

— Non, je suis une Anglaise prisonnière dans un corps d'Américaine. Un peu comme un transsexuel. C'est ce que m'a expliqué mon professeur de yoga. Ah, au fait, on dit que la famille est de retour, ce qui est un bon timing, non ?

— Quelle famille ?

— Mais les Swyre, mon cœur. J'ai pensé que tu pourrais

avoir envie de profiter de ton séjour pour voir le Petit Comte. Tout le monde dit qu'il est *charmant*, et plus beau que les princes William et Harry réunis.

Parfois, je me demande s'il n'y aurait pas un moyen d'obtenir le divorce d'avec ma mère. Je pourrais invoquer des désaccords irréconciliables en matière de rapports avec le voisinage. Il paraît que Drew Barrymore a fait ça et que ça lui a vraiment réussi.

— M'man, nous ne sommes pas exactement dans les petits papiers des Swyre, souviens-toi.

— Ma chérie, je ne veux pas que tu rates encore une opportunité.

— Il n'y a pas que trouver un homme qui compte dans la vie ! ai-je riposté, exaspérée.

Néanmoins, je dois vous avouer, sous le sceau du secret, que la plupart des filles à New York passent quatre-vingt-quinze pour cent de leur temps à ne penser qu'à ça. Simplement, aucune ne l'admettra publiquement. C'est bien plus recevable de dire qu'on passe son temps à se miner pour sa carrière. Cela dit, il me semble que plus une fille est investie dans sa carrière, plus elle est obsédée par les hommes.

— Je vais installer une tente dans le jardin, comme le faisait Jackie Kennedy sur les pelouses de la Maison Blanche. Lord et lady Finoulla ont accepté mon invitation : je suis aux anges ! La météo prévoit de la pluie, mais elle se trompe tout le temps.

Ma mère est la reine du déni. Chaque année pour l'anniversaire de mon père, il a plu. En Angleterre, il pleut toujours pour l'anniversaire de tout le monde, même pour celui de la reine.

— O.K., m'man. A samedi soir. Je louerai une voiture à Heathrow et j'arriverai à la maison en milieu d'après-midi.

— Formidable. Ah, fais-moi le plaisir de te maquiller pour la fête, avec ce beau fond de teint de chez Lancôme qu'Isabella Rossellini aime tant. Ton père serait déçu, sinon.

— Je vais essayer.

C'était un pur mensonge. Ma mère n'a pas encore intégré qu'il n'y a plus que Joan Collins pour mettre du fond de teint dans la journée.

Le lendemain matin, tandis que je préparais ma valise, j'ai senti que je devais me reprendre sérieusement en main. Aussi mal en point que soit ma situation personnelle, je ne pouvais pas arriver à la fête de mon père la mine triste et déprimée. Ç'aurait été trop égoïste. Ça, c'est le genre d'attitude que peut se permettre Naomi Campbell, car vu sa carrosserie, on lui pardonne toujours tout. Lors de cette nuit au Mercer, j'avais laissé libre cours à mes emportements car j'étais sous l'emprise d'un sentiment de désespoir et d'insécurité, et totalement en manque d'orgasmes. Maintenant, je devais payer le prix de cette conduite. Allez savoir comment, je m'étais débrouillée pour sortir, en l'espace de quelques mois, avec une brute, un menteur-né et un don Juan professionnel marié à une sorte de Glenn Close. Puis, pour couronner le tout, j'avais couché avec l'ex de ma meilleure amie, qui s'était empressé de se volatiliser. J'étais destinée à une vie solitaire – du moins pour la semaine à venir. J'ai essayé d'être positive. Avec un peu de chance, Julie et moi allions bientôt nous réconcilier – forcément, un jour ou l'autre, elle voudrait me réemprunter ce tailleur Versace. Tout en partant ce soir-là à JFK, j'ai pris la résolution d'être heureuse de ce que j'avais, plutôt que malheureuse de ce que je n'avais pas. Je veux dire par là que la plupart des filles seraient prêtes à se damner pour posséder autant de fringues de Marc Jacobs que moi.

Rien de tel pour faire dégringoler votre bonne humeur que de poireauter à dix heures du soir au contrôle de sécurité à l'aéroport derrière un type qui, inexplicablement, trimballe quatre ordinateurs portables – qu'il faut déhousser, placer dans des corbeilles individuelles, scanner, observer sous toutes les coutures et remballer. Je vous promets qu'en de tels moments, vous regrettez toutes vos bonnes résolutions. Aussi, si vous devez en prendre, soyez sélective : il existe certaines mauvaises habitudes que, pour des raisons purement pratiques, il est absurde de vouloir réformer. Refuser une proposition de voyage en jet privé est complètement débile. Fiez-vous à mon expérience, et ne faites jamais une sottise pareille.

J'ai débarqué à Heathrow à onze heures le lendemain matin Avant de me présenter au comptoir Hertz pour prendre posses sion de ma voiture de location, je suis allée me changer dans les toilettes. Je n'avais pas l'intention d'arriver chez mes parents en ayant l'air d'une pauvre fille sur la touche. Soigner son apparence lorsqu'on est en convalescence d'une aventure sans lendemain peut vraiment aider à améliorer la situation. Regardez Elizabeth Hurley, ses sourcils sont de plus en plus magnifiques après chaque nouvelle rupture. Et quand elle paraît quelque part dans la campagne anglaise pour assister à des mondanités mineures – un match de polo ou de cricket auquel participe Hugh Grant, par exemple –, elle est invariablement rayonnante. Décidée à m'inspirer de son exemple, je me suis enfermée dans un box pour enfiler un T-shirt en cachemire ultrafin et un pantalon crème étroit, le tout complété d'une ceinture en cuir naturel de créoles en or, de sandales Jimmy Choo turquoise avec un délicat talon bobine doré et d'une besace en toile zébrée. J'étais enchantée de mon look à la Liz Hurley, à la fois décontracté et glamour. Personne n'avait besoin de savoir qu'il m'avait fallu trois jours entiers pour le concocter.

Ma tenue n'était pas la plus pratique qui soit pour un séjour à la campagne, mais comme j'avais la ferme intention de ne pas fouler un seul brin d'herbe du week-end, ce n'était pas un problème. Seuls les quelques pas à franchir entre ma voiture et la porte de mes parents feraient courir un danger à mes chaussures, mais un danger sans gravité car il y a plusieurs années de ça, ma mère a fait goudronner l'allée devant la maison. Elle avait fini par comprendre que les allées de gravier typiquement anglaises, si prisées par ses pairs, étaient meurtrières pour ses escarpins bicolores Chanel.

Rien au monde – même pas la sublime piscine de l'hôtel du Cap – ne souffre la comparaison avec la campagne anglaise par une belle journée d'été. Sauf peut-être Macaroni Beach, à Moustique, mais là, on part sur un tout autre registre.

Deux heures plus tard, j'ai quitté l'autoroute dans ma petite Clio pour prendre la direction de Stibbly. Le village n'est accessible que par des routes étroites qui serpentent dans le paysage.

Les bas-côtés étaient envahis de cerfeuil sauvage monté en graine, et les buissons de mûriers venaient frotter contre mes rétroviseurs. Les Anglais détestent tout ce qui est tiré au cordeau et impeccablement net – qu'il s'agisse de leurs haies ou de leurs ongles. En roulant, j'ai vu nombre de murs de fermes croulants, et dans les villages que j'ai traversés, toutes les maisonnettes au toit de chaume étaient assiégées par d'impressionnants fouillis d'herbes folles. Les bordures d'herbes folles font l'objet d'une véritable obsession en Angleterre. Les journaux du dimanche y consacrent des pages entières de leurs suppléments loisirs. Un détail, néanmoins, gâchait de temps à autre ce spectacle idyllique – les écriteaux TOILETTES PUBLIQUES pointés vers une sanisette mal entretenue.

À deux heures de l'après-midi, je n'étais plus qu'à une vingtaine de kilomètres de la maison et, sur le bord de la route, un panneau me souhaitait déjà la BIENVENUE DANS LA PAROISSE DE STIBBLY-SUR-WOLD. La campagne était merveilleusement belle, comme toujours. Seul le sinistre bâtiment victorien d'un ancien hôpital gâtait le panorama. La pancarte apposée sur les grilles indiquait REFUGE POUR FEMMES SAINTE-AGNÈS. Depuis des années, cette bâtisse délabrée servait de centre d'accueil aux femmes battues et aux mères célibataires. Gamine, j'avais souvent vu les filles du refuge déambuler dans le village, sans but précis. Boucs émissaires rêvés, les gens leur mettaient injustement sur le dos toutes les avanies qui s'abattaient sur le village, y compris une fois la chute de la girouette qui ornait la flèche du clocher.

A un moment donné, alors que je ralentissais pour négocier un virage particulièrement retors, le moteur de la Clio s'est mis à vibrer, puis il a calé. J'ai tiré le frein à main, je suis passée au point mort et j'ai remis le contact. Le moteur a ronronné, mais sans daigner redémarrer. J'ai réessayé. Rien.

Après dix minutes d'acharnement en vain, j'ai laissé la voiture glisser en roue libre le long du bas-côté et je suis descendue ouvrir le capot, excédée, en prenant des poses à la Kelly Osbourne. Comment allais-je réussir à arriver jusqu'à la maison ? Mon portable ne captait rien (*Il me faut absolument un tri-bande*, ai-je songé, irritée), et j'avais beau fouiller les alentours du regard, je ne voyais ni habitation, ni aucun signe de vie.

Je n'entendais que le bruissement des blés dans les champs, ondoyant sous la brise. En pareils moments, on regrette presque de ne pas être coincée entre deux top models sur le Magnum de Patrick Saxton, même si les tops en question sont de la race super-pénible qui passent leur temps à gémir qu'elles sont grosses. Mais je me suis souvenue que j'avais tourné une nouvelle page et donc, apparemment, je n'avais pas d'autre choix que de continuer à pied.

J'ai mis mes lunettes de soleil, pris mon sac, verrouillé la voiture et entrepris de descendre le coteau d'un pas décidé. Mais intérieurement, je pestais : *Je parie qu'Elizabeth Hurley ne tombe jamais en panne en rase campagne, elle. Ce n'est pas en faisant confiance à Hertz, comme une idiote, qu'on devient le visage d'Estée Lauder. Liz, elle, quand elle doit se rendre à la campagne, elle se déplace en hélico, et en dix secondes...* A peine avais-je parcouru quelques mètres que j'ai entendu un bruit de moteur. Effectivement, un vieux tracteur, conduit par un jeune mec, descendait la pente à une allure d'escargot, un chariot de foin en remorque. Peut-être allais-je pouvoir convaincre ce paysan de me conduire jusque chez mes parents ? Je lui ai fait signe, et le véhicule s'est immobilisé près de moi dans un grincement. J'ai aussitôt remarqué la carrosserie couverte de poussière, et les pics de rouille essaimés sur la peinture bleue en très mauvais état.

— Que'que chose ne va pas ? a demandé le type.

Bon sang, ce qu'il était mignon, avec ses cheveux noirs bouclés, son T-shirt rouge, son jean boueux et ses vieux godillots ! Le portrait craché d'Orlando Bloom. Inutile de vous dire que j'ai laissé tomber aussi sec mes poses à la Kelly Osbourne.

— Ça va, ai-je répondu en souriant. (Réponse un peu plate, mais aucune autre ne me venait à l'esprit.)

— En panne ?

— Ouaiiiis, ai-je fait en tortillant une mèche.

Je voyais bien qu'il n'avait que dix-neuf ans à tout casser, mais je ne pouvais pas résister à la tentation d'un flirt léger (par opposition à un flirt soutenu, qui va de pair avec la certitude qu'il va se passer quelque chose et qu'en prévision, vous arborez un brésilien flambant neuf et ainsi de suite).

— Besoin d'aide ?

Oh ! là, là ! J'adore les petits Anglais qui s'expriment à coups de phrases de deux mots. Ils me font penser à Heathcliff[1].

— Vous pourriez me conduire chez moi, s'il vous plaît ?

— C'est où ?

— L'Ancienne Cure. À Stibbly.

— Un peu loin. Le foin..., a-t-il ajouté en désignant la remorque. Mais je peux vous déposer à la ferme. Ils ont le téléphone là-bas.

J'ai accepté en me disant que mon père viendrait me chercher.

Orlando, qui s'appelait en réalité Dave, m'a tendu la main pour m'aider à me hisser sur le siège à côté de lui. Il a allumé une cigarette roulée, remis le contact, et le tracteur s'est ébranlé. Je ne remercierai jamais assez Hertz et ses voitures de location pourries. J'étais tellement contente d'être assise à côté de ce joli garçon que c'est à peine si j'ai remarqué la tache de graisse qui ornait mon pantalon crème.

Après avoir parcouru quelques kilomètres, Dave a freiné devant un échalier d'où partait un chemin qui serpentait à flanc de coteau. Absolument rien ne mentionnait la présence d'une ferme. Le seul signe de vie alentour, c'était un troupeau de moutons en train de paître.

— La ferme est par là, a indiqué Dave d'un mouvement de tête vers le sommet du coteau. À cinq cents mètres.

— Yeurkkk. (Dave ignorait visiblement qu'avec des Jimmy Choo, on peut parcourir cinq mètres, pas cinq cents.)

— Ça ira ?

— Très bien, ai-je dit à contrecœur, en glissant à terre. Merci.

Dave a redémarré, et j'ai escaladé l'échalier. Lorsque j'ai sauté à terre de l'autre côté du mur, j'ai entendu un bruit de clapotis. J'ai baissé les yeux. Mes chaussures adorées avaient récolté un anneau de boue noire autour des semelles. Voilà encore un détail que les Américains ne comprennent pas à propos de l'Angleterre : même par une chaude journée d'été, il y a des marécages planqués partout. Il ne faut jamais se fier aux apparences : le paysage est charmant, mais c'est un vrai champ de mines pour les chaussures.

---

1. Héros du roman d'Emily Brontë, *Les Hauts de Hurlevent. (N.d.T.)*

Pour être franche, la campagne anglaise évoque plus souvent les landes hostiles des *Hauts de Hurlevent* que les riants tableaux bucoliques des romans de Jane Austen. *Bon sang*, ai-je songé en escaladant, haletante, ce maudit coteau, *je retire tout ce que j'ai dit : la campagne anglaise n'est pas mieux que l'hôtel du Cap, mais alors vraiment pas !* Jamais plus je ne voulais remettre les pieds dans ce fichu pays !

Au sommet du coteau, le chemin a débouché sur un portail en bois, derrière lequel il se séparait en fourche. En contrebas, une rivière serpentait dans le lit d'un vallon semé de taillis et de moutons. Au loin, à ma droite, j'ai distingué des granges et des corps de ferme. A ma gauche, une grande maison était nichée dans la verdure d'un immense parc. Le château de Swyre, me suis-je dit. La ferme devait être une dépendance du château. On se serait cru à *Gosford Park*. C'était bien plus beau que dans mes souvenirs d'enfant. Bien entendu, le château n'avait rien d'un château, il ressemblait plutôt à une très grande maison, mais c'est là encore un trait spécifique à l'Angleterre. Personne ne se contente d'appeler sa maison une maison. Il faut qu'elle soit un manoir, une gentilhommière, un château. A mon avis, c'est juste un truc pour jeter de la poudre aux yeux des étrangers.

Le château de Swyre était tellement joli qu'il aurait presque pu guérir ma phobie des maisons de campagne. C'est l'une de ces demeures d'inspiration palladienne en pierre couleur miel construites au XVIIIe siècle – imaginez une maison de poupée géante, à laquelle on aurait adjoint deux grandes ailes. Je pouvais apercevoir de là où je me trouvais un plan d'eau et un jardin à la française. Et vous savez quoi ? Tandis que je contemplais ce délicieux château, j'ai ressenti un élan de sympathie pour les Chasseresses de panneaux marron. (Il en reste encore des bataillons entiers à New York et à Paris, mais maintenant, la plupart se font passer pour des stylistes de mode chez Louis Vuitton. C'est vraiment une bonne couverture.)

L'heure tournait, et mes parents devaient commencer à se demander où j'étais passée. J'ai regardé la ferme. Elle me semblait un poil plus proche que le château, mais une fille comme moi, s'il lui faut décider entre une cour de ferme fangeuse et un château, choisit forcément le château. Surtout si la fille en question s'est fait rebattre les oreilles dudit château pendant vingt ans. Ç'a fini par titiller sa curiosité. J'allais solliciter la permission d'utiliser le téléphone, et en attendant l'arrivée de mon père, je pourrais sans doute jeter un œil sur les lieux. Personne là-bas n'avait besoin de savoir qui j'étais – je veux dire par là que je n'étais nullement tenue de leur préciser que j'étais la fille du voisin qui leur avait vendu des faux Chippendale au siècle dernier.

Je me suis donc engagée dans le chemin de terre qui descendait vers le château. Peut-être allais-je tomber sur le Petit Comte ? Je m'en fichais, maintenant. Sans doute était-il en train de se déplumer et portait-il ces hideux pantalons en velours rose vif et ces chaussettes à pois qu'affectionnent tant les aristos. Je me suis faufilée entre les fils d'une clôture électrique (un exercice assez ardu en Jimmy Choo, mais faisable, au cas où vous vous poseriez la question) et, très vite, le chemin de terre a débouché sur une allée de gravier qui crissait sous mes semelles.

Arrivée devant l'entrée principale, j'ai remarqué le blason armorié bleu et or qui ornait le fronton. C'est là une autre des spécialités des classes supérieures anglaises. Des fois que vous ne seriez pas assez intimidé, ils en rajoutent une couche avec leurs armoiries, histoire de vous mettre un peu plus mal à l'aise. J'ai empoigné le heurtoir en forme de gargouille et j'ai frappé plusieurs petits coups nerveux.

La gargouille me dévisageait, et personne ne répondait. Peut-être la maison était-elle vide ? Aucune voiture n'était garée dans l'allée. Mais là encore, ça ne voulait pas dire grand-chose – les Anglais ont la manie obsessionnelle de planquer leurs voitures dans des granges ou des anciennes écuries (même de très jolies voitures comme les Audi) afin de ne pas être accusés a) de gâcher le paysage b) d'étaler leur fric. J'ai frappé à nouveau, plus vigoureusement. Mais sans aucun résultat.

La seule idée de rebrousser chemin jusqu'à la ferme était au-dessus de mes forces. Je sentais à peine mes pieds car, comme d'habitude, mes Jimmy Choo avaient complètement coupé le circuit d'alimentation sanguine. Alors, en désespoir de cause, j'ai tourné la poignée, et la porte s'est ouverte. Je n'ai pas été surprise. Les aristos laissent toujours leur maison ouverte aux quatre vents, comme s'ils s'imaginaient vivre à Cape Cod.

Quand j'ai pénétré dans ce hall sombre, aux murs et au plafond surchargés de stucs et de corniches, j'ai eu l'impression d'entrer dans un gâteau de mariage. *Martha Stewart deviendrait folle d'angoisse à l'idée d'entretenir une telle baraque*, me suis-je dit.

— Bonjour ! Il y a quelqu'un ? ai-je lancé à tue-tête.

Tout en patientant, je me suis déchaussée. Les dalles de pierre étaient délicieusement fraîches sous mes pieds échauffés. On n'entendait que le tic-tac aigu d'une pendule dorée sur le manteau de la cheminée. J'ai attendu un petit moment, mais personne n'est apparu. La maison était si vaste, me suis-je dit, et il devait y avoir tellement d'issues que les Swyre ne pouvaient pas contrôler systématiquement toutes les allées et venues. Ce devait être un peu comme vivre sur la frontière syrienne, mais avec moins de risques de croiser des terroristes. Donc, je pouvais peut-être me débrouiller pour trouver un téléphone par moi-même. Et en profiter pour procéder à une petite visite privée. J'ai ouvert une porte lambrissée à gauche dans le hall et découvert une salle à manger décorée avec faste. Une multitude de portraits de famille s'alignaient le long des murs. Tous les visages avaient une pâleur fantomatique – une petite séance d'UV ne leur aurait pas fait de mal. Parfois, je me demande comment ces pauvres filles qui ont vécu au XVIIIe siècle ont réussi à survivre sans les poudres bronzantes Bobbi Brown ou les douze couleurs de Juicy Tubes pour lèvres de Lancôme. Un seul signe indiquait que je n'avais pas remonté le temps jusqu'en 1760 : le projecteur de cinéma et l'écran qui se trouvaient chacun à un bout de la pièce – sans doute à l'intention des clients du « centre de conférences ».

Mais j'étais en train de m'égarer. Je devais dégoter un téléphone. Je suis revenue dans le hall. Un cordon de velours rouge, agrémenté d'un panneau indiquant « PRIVÉ », barrait l'accès à l'escalier – à l'intention, là encore, des clients du centre de conférences. Mais vous me connaissez. Quand je vois un cordon rouge, je dois être du bon côté. Donc, je l'ai enjambé et j'ai gravi l'escalier d'un pas leste. Sans doute trouverais-je à l'étage un bureau, avec un téléphone.

L'escalier débouchait sur un long couloir ponctué de portes. J'ai ouvert la première qui se présentait à moi. A l'intérieur, il y avait un lit à colonnes drapé de soieries chinoises à franges et, à moitié dissimulé par les étoffes, j'ai aperçu un petit tableau, un portait de jeune fille qui ressemblait comme deux gouttes d'eau aux Fragonard de la collection Frick. *Un vrai, sans doute*, ai-je songé. Dormir sous un tableau de maître est typique d'un richissime lord anglais.

La dernière pièce au bout du couloir était une bibliothèque aux dimensions imposantes. Là, j'allais forcément trouver un téléphone, me suis-je dit en entrant. D'un côté de la pièce, le mur était entièrement occupé par des rayonnages de livres à reliure de cuir ; lui faisait face une immense cheminée en marbre, ornée d'un paysage vénitien à l'huile dont le cartouche doré portait l'inscription Canaletto. Il y a vraiment un truc que je ne pige pas ! Les Anglais n'arrêtent pas de reprocher aux Américains leurs penchants pour la surenchère et l'ostentation, et eux, ils décorent leurs intérieurs comme le Bellagio à Las Vegas !

Il y avait aussi un piano à queue encombré de vieilles photos de famille en noir et blanc, et un grand bureau noyé sous des piles de paperasses. Emergeant de sous le désordre, j'ai aperçu un antique téléphone noir. Ni une ni deux, je suis allée décrocher le combiné.

Tandis que je composais le numéro de mes parents, un petit pilulier ovale en or a accroché mon regard. Son couvercle s'ornait d'une délicate miniature en émail représentant une scène de bataille. Je l'ai pris dans la main pour examiner les minuscules détails et le fermoir, aussi ouvragé qu'un bijou. En fait, il y avait sur le bureau au moins une douzaine d'autres bibelots précieux. Les Anglais sont imbattables question breloques, je vous dis. Chez mes parents, le téléphone a sonné, sonné. Pourquoi personne ne décrochait ?

— Puis-je vous aider ? a demandé quelqu'un dans mon dos.

J'ai sursauté et lâché le combiné. Un vieil homme voûté s'est avancé. Son visage était tellement ridé qu'il avait l'air plus antique que tout le contenu de la maison. Il portait une veste noire élimée et un pantalon à rayures. C'est bon de savoir qu'il existe des gens que J. Crew laissera toujours indifférents. Craignant qu'il ne remarque que je tenais le pilulier dans ma main et qu'il ne s'offense de mon indiscrétion, je l'ai glissé dans ma poche en notant mentalement de penser à le reposer plus tard.

— Oh, bonjour ! ai-je lâché dans un hoquet. Qui êtes-vous ?

— Le majordome de monsieur le comte. Puis-je savoir ce que vous faites ici ? s'est-il enquis en me toisant d'un regard suspicieux, qui s'est attardé avec désapprobation sur mes pieds nus et crasseux.

— Eh bien, ma voiture est tombée en panne sur la route et je cherchais un téléphone, ai-je expliqué avec nervosité en rattrapant le combiné que j'avais laissé tomber. Mes parents habitent à l'Ancienne Cure.

— Je vais informer lord Swyre de votre présence. Veuillez attendre ici, s'il vous plaît

Il a refermé la porte et quelle n'a pas été ma surprise d'entendre une clé tourner dans la serrure ! Me prenait-il pour une cambrioleuse ? J'ai à nouveau composé le numéro de mes parents et, cette fois, on a décroché à la première sonnerie.

— M'man ?

— Hé, coucou ! Ça va ?

— Julie ?

— C'est super-chouette d'être à la campagne, mais Londres, je te dis pas le cauchemar ! Ces Anglais sont effrayants ! Ils ne savent même pas qui est Barbara Walters. Tu te rends compte ? Je suis chez tes parents !

Et notre différend ? Et sa petite escapade romantique ?

— Tu es venue en Angleterre pour l'anniversaire de mon père ? ai-je demandé, abasourdie.

— Non, pas seulement. Tu ne vas jamais le croire ! Je suis venue pour essayer ma robe de mariée ! Avec Alexander McQueen en personne. Ensuite, ta mère a appelé et m'a convaincue de venir à la fête.

— Tu te maries ? Mais avec qui ?

— Henry Hartnett. Tu ne devineras jamais ce qui s'est passé ! Il m'a emmenée boire un Bellini après le club de lecture, et nous ne nous sommes plus quittés. J'ai largué tous mes autres petits amis, même Todd, le pauvre chou. Henry est tellement mignon ! Et tellement riche ! C'est hallucinant – c'est un Hartnett des aciers, tu sais, mais il est archi-discret là-dessus. Il trouve que je suis la personne la plus incroyable qu'il ait jamais rencontrée, nous avons une foule de points communs. Bon, où es-tu passée ? Tout le monde t'attend, ici. Ah, au fait, je te reparle, tu as remarqué ? Je te pardonne tout.

Il faut reconnaître une chose : pour une Princesse pourrie-gâtée, Julie sait témoigner une incroyable magnanimité à l'égard des écarts de conduite de ses amies. C'est un des aspects les plus attachants de sa personnalité. Son trouble déficitaire de l'attention est tel qu'il l'empêche de faire grief à quelqu'un plus de quelques jours d'affilée.

— Félicitations ! Dis à mon père que je suis au château et qu'il faut qu'il vienne me chercher.

— Le château à côté d'ici ? Oh ! Je suis jalouse ! Comment c'est, dedans ? Renversant ? Ou archi-ringard, comme au palais de Buckingham ? Il paraît que la famille royale a des goûts atroces.

— Julie ! Dis à mon père de venir me chercher. Ma voiture m'a lâchée, je suis entrée en douce dans cette maison pour passer un coup de fil, et maintenant ils me prennent pour une cambrioleuse !

— Ils ont des porcelaines de Delft partout et un valet devant chaque porte ?

— Julie !

— O.K., O.K., t'énerve pas. Je passe le message. Au fait, le mariage a lieu l'été prochain, le 14 juin. Et je compte sur toi pour être ma demoiselle d'honneur.

J'ai raccroché. Julie était fiancée ? Et la date de son mariage était arrêtée ? Les fiancées de fraîche date ne savent-elles donc pas que la nouvelle est suffisamment dure à encaisser pour celles qui ne le sont pas, sans avoir besoin de préciser immédiatement après la date du mariage ? A quoi bon, sinon, d'enfoncer le clou ? Tout cela était très soudain. *J'espère qu'elle a fait le bon choix*, me suis-je dit en m'acharnant sur la poignée de la porte – bien inutilement.

Je n'avais plus qu'à prendre mon mal en patience. Je me suis

assise sur la petite ottomane en tapisserie à côté de la porte et
j'ai tendu le cou pour coller mon oreille contre le trou de la serrure. Le majordome était en train de parler, mais je ne distin-
guais que des bribes :

— … prétend que sa voiture est tombée en panne… une
gitane… vêtements épouvantablement sales… pas même une
paire de chaussures aux pieds… sans doute une de ces mères
célibataires battues du Refuge…

J'ai contemplé mon pantalon souillé, mes pieds nus et
terreux : c'était un triste spectacle. Je vous promets que j'étais
pourtant assez glam', quelques heures plus tôt.

— … entrée certainement par effraction… j'ai appelé la
police… je suis désolé, monsieur.

La police ? Paniquée, j'ai commencé à tambouriner contre la
porte.

— Hé ! Laissez-moi sortir ! ai-je hurlé.

Quelques instants plus tard, la clé a tourné dans la serrure. Et
là… Franchement, je vous jure que vous n'allez pas en croire
vos oreilles. C'est aussi improbable que Michael Jackson quand
il nie avoir eu recours à la chirurgie esthétique. Le majordome
est entré, suivi – je vous certifie que je n'invente rien – de
Charlie Dunlain. Voilà bien tout le problème des aventures sans
lendemain : vous vous imaginez vouloir revoir le garçon, mais
quand vous le revoyez, c'est toujours super-glauque, surtout si
la dernière fois où vous vous êtes parlé, le garçon en question
avait la tête à l'endroit où… Bref, vous me suivez. Ce qui rendait la situation présente encore plus glauque, c'est que Charlie
était archi-canon, dans son uniforme d'habitant de L.A. – un
pantalon en velours côtelé râpé et un T-shirt. J'ai fait une attaque d'hypoglycémie comme jamais de ma vie. Quant à Charlie,
il semblait aussi choqué que moi.

— Qu'est-il arrivé à tes vêtements ? a-t-il demandé.

Je suis d'abord restée sans voix. Pourquoi, chaque fois que je
voyais Charlie, fallait-il que d'une manière ou d'une autre, je
sois à mon désavantage ? Et puis d'abord, que diable fabriquait-
il chez les Swyre ? Jamais je ne m'étais sentie à ce point stupide. Mais en plus, là, j'étais furieuse.

— Qu'est-ce que ça peut te fiche ? Disparaître comme ça,

sans même dire au revoir ! Tu ignores manifestement tout des bonnes manières.

— Vous connaissez cette jeune dame ? s'est enquis le major-dome.

— Oh oui ! a répondu Charlie sans me quitter des yeux.

J'ai détourné les miens. Je sentais que j'étais sur le point de m'évanouir, ou de me mettre à pleurer – je ne savais pas trop. Et pour tout arranger, j'étais en train de me demander si les kits d'une nuit existaient en Grande-Bretagne. Il y a eu un silence tendu, que le majordome a rompu en demandant :

— Puis-je offrir un cognac à votre amie, monsieur ?

— A vrai dire, rien ne me ferait plus plaisir qu'un Bellini, ai-je dit avec un regain d'optimisme.

— Mademoiselle prendra une tasse de thé, a tranché Charlie.

Sans vouloir entrer dans une analyse trop fouillée, le fait est que les gens ne changent jamais. Charlie avait toujours des objections aussi ferventes à l'égard des Bellinis.

— Tout de suite, a acquiescé le majordome en s'éclipsant.

— On a vraiment l'art de se rencontrer dans les endroits les plus curieux qui soient. Tu as peut-être envie de m'expliquer ce que tu fais ici ? a demandé Charlie en s'adossant au manteau de la cheminée, pile sous le Canaletto.

Dieu qu'il était mignon – mais qui ne le serait pas avec une toile de maître italien en arrière-plan ? Néanmoins, j'étais toujours hors de mes gonds. Pourquoi Charlie me donnait toujours le sentiment d'être une écolière qui se fait réprimander par le surgé ?

— Mes parents habitent en bas de la route. Je suis venue en Angleterre pour fêter les cinquante ans de mon père, et ma conne de voiture est tombée en panne. J'essayais de téléphoner chez moi. Et toi ? ai-je lancé. Tu peux m'expliquer ce que tu fais chez les Swyre ? Tu connais le comte ?

Après un silence, Charlie a répondu :

— Le comte, c'est moi.

— Pardon ?

— C'est une longue histoire, et la raison pour laquelle j'ai quitté New York sur les chapeaux de roues lundi, c'est parce que je venais d'apprendre le décès de mon père. Ma mère, Caroline, m'a appelé dès qu'elle a pu – tu ne te souviens pas de son coup de fil ? J'ai sauté dans le premier avion. Et j'ai hérité du titre.

Il a fallu un petit moment pour que tout ça prenne sens dans ma tête. La mystérieuse Caroline était donc la mère de Charlie – cette mère qu'il ne voyait plus que de façon épisodique. *Il n'y a pas d'autre fille dans sa vie*, ai-je pensé. Quelque part, je me sentais soulagée.

— Oh, mon Dieu, je suis désolée !

J'étais dans mes petits souliers. Moi qui boudais à cause des lendemains d'une aventure censée ne pas en avoir, qui me montrais grossière envers Charlie, entrant chez lui sans y avoir été invitée… et il s'avérait que son père venait de mourir. Ces quelques jours avaient dû être un cauchemar pour lui.

— Charlie, ça va ?

— Oui, ça va. Tu sais, mon père était un drôle d'oiseau, un bonhomme vraiment spécial – et nous n'étions pas très proches. Mais c'est triste.

— Mais pourquoi n'as-tu jamais rien dit ?

– Nous vivions en Amérique. Mon père ne disait à personne qu'il était comte. Il utilisait notre nom de famille – Dunlain. L.A. n'est pas un endroit où l'on crie sur les toits qu'on possède une connerie de titre de noblesse. Quant à cette baraque, je savais plus ou moins que mon père l'avait encore, mais il se montrait assez secret sur le sujet. Et là, je viens de découvrir que j'ai hérité de cette propriété à laquelle je ne pensais jamais, et avec laquelle je n'ai gardé aucun lien. Je n'avais pas remis les pieds ici depuis l'âge de six ans. C'est un choc.

Pourquoi les aventures d'une nuit finissent-elles par se révéler bien plus compliquées que vous ne l'auriez jamais imaginé au départ ? Si j'avais bien suivi, M. Kit d'une Nuit ici présent était le Petit Comte, le petit voisin des fantasmes de ma mère. Et ce Charlie que je prenais pour un gentil garçon tout ce qu'il y avait de plus normal était en fait un de ces gamins nés avec une cuillère en argent dans la bouche, et qui m'avait totalement bernée depuis le début sur ce qu'il était vraiment. Et c'était moi qu'il traitait d'enfant gâtée ! Je préférais le Charlie d'avant, quand il n'était qu'un jeune réalisateur de films qui se démenait pour percer à L.A.

Il y a eu un martèlement de talons, et une séduisante femme d'âge mûr est entrée dans la bibliothèque. Elle portait une culotte de cheval bleu marine, des bottes de chasse crottées et une chemise blanche d'homme. Ses cheveux auburn étaient retenus dans un filet sur sa nuque. On aurait dit une pub pour Ralph Lauren, la classe en plus.

— Caroline. Je suis la mère de Charlie, s'est-elle présentée. Vous êtes la jeune dame d'à côté ?

D'un coup, je me suis souvenue de ce vieux contentieux demeuré irrésolu entre ma mère et celle de Charlie. *Oh, bon sang ! Ça sent le roussi*, me suis-je dit.

— Maman ! a protesté Charlie. C'est une de mes amies aux Etats-Unis. Ses parents habitent l'Ancienne Cure.

Je me suis pétrifiée. La comtesse s'est crispée. Elle savait que je savais qu'elle savait que j'étais la fille du type de l'Affaire des Chaises.

— Quelque chose ne va pas ? s'est enquis Charlie

— Ahhhh ! Qui a dit que la vie à la campagne était une sinécure ? a dit la comtesse en s'empressant de changer de sujet. Je n'ai jamais autant marché que dans cette maison. Il faut une demi-heure pour aller d'un point à un autre !

On a frappé à la porte qui était restée ouverte, et le majordome a réapparu, un service à thé sur un plateau en argent à bout de bras.

— Votre mère est arrivée, mademoiselle, m'a-t-il dit en déposant le plateau devant Caroline.

— Ma chériiiiie ! J'ai naturellement insisté pour venir te chercher moi-même, a gazouillé ma mère en faisant irruption dans la pièce, suivie de Julie. Ton père est parti en ville chercher le vin pour la réception de demain, sinon il serait venu lui-même.

Maman arborait sa robe rose préférée, et le détail alarmant était la broche en opale à son col. Elle ne sortait cette broche que pour les grandes occasions, comme l'anniversaire de la princesse Anne. Elle s'est avancée pour me serrer dans ses bras avec exubérance. Certes, j'étais moi aussi contente de la voir, mais néanmoins très inquiète : compte tenu du passif existant, son arrivée inopinée n'était pas le meilleur scénario qu'on puisse imaginer.

— Oh, mon Dieu ! Mais regarde-toi ! On dirait une de ces malheureuses du Refuge. J'espère que tu comptes mettre des chaussures demain, pour l'anniversaire de papa. (Elle s'est tournée vers Charlie.) Ah, cher Petit Comte ! Toutes mes condoléances. Quelle épouvantable nouvelle ! Nous sommes de tout cœur avec vous, au village. Je suis votre voisine, Brooke, a-t-elle ajouté en lui tendant la main et en faisant la révérence.

Je vous jure qu'elle a fait une révérence. J'ai cru mourir sur-le-champ.

— Euh... merci, a répondu Charlie, hébété.

— Comtesse ! a poursuivi ma mère en se tournant vers Caroline qui feignait de ne pas la remarquer. Quelle joie de vous revoir après toutes ces années ! Permettez-moi de vous présenter Julie Bergdorf...

— Salut, ma puce ! l'a interrompue Julie en se précipitant pour me sauter au cou.

Son visage avait ce hâle lumineux que procure un séjour à Southampton, et un diamant taille princesse (évidemment...) impossible à louper étincelait à son doigt. Elle portait une robe fluide couleur lilas que je n'avais jamais vue.

— Vintage, a-t-elle précisé en surprenant mon regard. Prada, 1994. Géniale, non ?

Julie semblait métamorphosée depuis notre dernière rencontre. Dans le cercle des Princesses de Park Avenue, le consensus général veut qu'on attrape des maladies contagieuses en portant des vêtements de seconde main. Je me souviens qu'après une de mes virées chez Alice's Underground, le temple de la fripe sur Broadway, Julie avait soigneusement évité tout contact physique avec moi, au cas où j'aurais contracté une hépatite B en essayant un Levi's à pattes d'ef.

— Elle est géniale ! ai-je répondu en l'embrassant sur la joue. Tu sais, ai-je poursuivi à voix basse dans le creux de son oreille, Charlie dit que c'est lui, le comte, et que cette maison est à lui. C'est tellement bizarre.

— Non ! a-t-elle murmuré avant de s'élancer vers Charlie en s'écriant : Oh, mon don Juan adoré !

Elle l'a embrassé, en plein sur la bouche. Puis, au bout de

cinq secondes, elle s'est reculée, en fixant le mur, comme hypnotisée.

— Charlie ! Tu ne m'avais jamais dit que tu avais des Canaletto ! Waouh ! Cette maison vaudrait cent millions de dollars si elle était sur Gin Lane. Tu n'as jamais pensé à tout vendre pour acheter quelque chose à Ibiza ?

— Bonjour, Julie, a répondu sobrement Charlie.

— Vous vous connaissez ? a fait ma mère, l'air de tomber des nues.

— Très, très bien, a dit Julie coquettement.

— Et connaissez-vous également ma charmante fille ? a repris mon incorrigible mère en me tirant vers Charlie. Elle ne ressemble pas toujours à ça, vous savez, elle peut être très jolie, avec un peu de fond de teint et de poudre.

— M'man !

— En fait, nous sommes de vieux amis, lui a expliqué Charlie, légèrement embarrassé.

— Amis ! Vous deux ! Mais c'est merveilleux ! a piaillé ma mère.

— Vous n'avez pas idée à quel point ils se connaissent, Brooke, a ajouté Julie avec un clin d'œil. Bien mieux que vous ne pourriez l'imaginer.

— Oh, mon Dieu ! Quel beau couple ! Tu vois, ma chérie, n'avais-je pas raison ? a éclaté ma mère, empourprée d'excitation, nous couvant d'un regard entendu, Charlie et moi. Il est tellement séduisant. Dites-moi, vous avez hérité de *tout* ?

— M'man !

Ma mère a vraiment besoin de consulter le Dr Fensler. Elle pourrait se faire faire un peeling Alpha-Bêta, et une transformation de personnalité par la même occasion. J'ai regardé Charlie. Pour quelqu'un qui n'était jamais malheureux, je peux vous assurer qu'il était totalement métamorphosé. Son visage était sans expression, son regard voilé d'ébahissement, comme pour dire : *Mais qui est cette atroce bonne femme ?* Je devais absolument faire sortir ma mère de cette maison avant qu'elle ne cause d'autres dégâts.

— Charlie, Brooke m'a dit que tu possédais la moitié de l'Ecosse, a renchéri Julie. C'est vrai ? C'est supercool !

— Je crois qu'on devrait y aller, ai-je annoncé avec fermeté.
Mais ma mère a fait la sourde oreille.

— Très cher comte, je donne demain une réception en l'honneur des cinquante ans de mon mari, Peter, et ce serait un tel plaisir si vous me faisiez l'honneur de votre présence.

— Charlie sera occupé demain, a précisé sèchement Caroline. Nous passons la journée ensemble avant que je ne reparte chez moi en Suisse lundi.

— Mais en ce cas, comtesse, joignez-vous à nous ! Ne serait-ce pas merveilleux de partager ce moment tous ensemble, en famille ?

— Nos familles n'ont rien à se dire, lui a froidement rétorqué Caroline, avant de tourner le dos pour se servir une tasse de thé.

L'atmosphère dans la pièce est brusquement devenue plus glaciale qu'au cercle polaire. Caroline et ma mère se sont figées, tels deux icebergs.

— De quoi s'agit-il ? a demandé Charlie.

— Oh, rien d'important, s'est empressée de répondre ma mère, le rouge aux joues. De vieilles histoires qui…

— Charlie, est intervenue la comtesse d'une voix où ne perçait aucune émotion, ces gens sont indignes de confiance et malhonnêtes. Il n'y a pas pire qu'eux au village Je ne veux pas que tu les approches.

— Comtesse ! s'est étranglée ma mère.

— C'est génial ! s'est exclamée Julie, totalement transportée par le drame qui se jouait devant elle. On se croirait dans un épisode de *La Saga des Forsyte* !

Il me fallait m'interposer avant que la situation ne se dégrade davantage.

— Charlie, voilà ce qui s'est passé : il y a environ deux cents ans, mon père a vendu à ton père des chaises Chippendale, qui étaient des copies. Mon père a reconnu son erreur, mais il y a eu un schisme, et nos deux familles ne se sont plus adressé la parole.

Résumée de la sorte, cette histoire n'en paraissait que plus sotte.

— C'est tout ? a fait Charlie, l'air interloqué et légèrement soulagé.

— Oui, c'est tout ! a confirmé ma mère. Ne pourrions-nous pas oublier toute cette histoire de chaises ? Ce n'était qu'un regrettable malentendu. Mais votre mère, a-t-elle poursuivi en décochant un regard courroucé à Caroline, a transformé ça en scandale. J'ai vécu un calvaire, pendant toutes ces années.

— Ce n'est pas l'exacte vérité, a répondu la comtesse, glaciale. Mais peu importe, il n'y a rien à ajouter.

Il y a eu un silence inconfortable. Charlie a promené un regard anxieux entre sa mère et la mienne. Je n'aurais su dire laquelle des deux il croyait. Peut-être cette vieille histoire lui revenait-elle en mémoire ? Les secondes défilaient et le silence devenait de plus en plus pesant. Quand soudain, ma mère en a lâché une bien bonne :

— Alors, maintenant que l'abcès est crevé, pourquoi ne viendriez-vous pas *tous les deux* demain à la réception ? J'ai commandé des mini-pitas absolument adorables chez Waitrose. (Elle a marqué une pause ; j'entendais les rouages tourner dans sa tête.) Dis-moi, chérie, cet endroit serait fabuleux pour un mariage, non ? On pourrait commander la robe à Vera Wang.

C'était la goutte qui a fait déborder le vase. J'ai explosé.

— Maman, ça suffit ! Il n'y a que toi ici pour imaginer que je vais épouser Charlie. Sa mère ne peut pas t'encadrer ! La comtesse se juge bien trop classe pour des gens comme nous. Et ce qu'elle dit est vrai. Charlie et moi n'avons rien à nous dire. *Niente. Nada.* Et tu sais quoi ? Je ne l'aime même pas tant que ça, ce garçon. Il peut se montrer vraiment vache et condescendant. Les Swyre n'ont pas envie de venir à ta fête, et ce ne sont pas tes mini-pitas qui vont les impressionner. Charlie, ai-je continué en me tournant vers lui, je suis vraiment désolée pour ton père, mais tout cela est un pur cauchemar. Comment pourrais-je te faire un jour confiance, alors que tu m'as caché que tu étais comte de Swyre ? Je dois y aller. Débrouillez-vous entre vous.

Rouge d'embarras et au bord des larmes, j'ai quitté la bibliothèque, mes chaussures à la main. J'ai dévalé les escaliers ; la porte d'entrée était restée ouverte, je me suis élancée dans l'allée et jetée dans les bras d'un homme en uniforme.

— Vous êtes la jeune dame du Refuge ? s'est enquis le policier.

— Oui, c'est moi, ai-je hoqueté. (Plus rien ne m'importait. Pourriez-vous me raccompagner à la maison, s'il vous plaît ?

12

Le premier détail qui saute aux yeux, à propos de l'Ancienne Cure, c'est qu'elle n'a rien d'ancien. Ma mère a palissé quantité de rosiers grimpants, de glycines et de lierre autour de la porte d'entrée et des fenêtres pour tenter de donner à la maison un charmant cachet authentique, mais à sa grande contrariété, elle n'a trouvé nulle échappatoire au fait que la maison date de 1965, et non de 1665. Cela dit, c'est une maison en brique rouge de style victorien très confortable, dotée de quatre chambres.

Le policier sur lequel j'étais tombée en sortant du château avait gentiment remorqué ma voiture en même temps qu'il m'avait raccompagnée chez mes parents et, lorsque je suis arrivée, il n'y avait pas âme qui vive dans la maison. Tandis que je hissais ma valise à l'étage, je repensais à l'épisode qui venait d'avoir lieu au château. Qu'est-ce qui m'avait pris ? Tout à coup, je regrettais infiniment ce que j'avais dit. J'étais mécontente et angoissée à la fois, mais sans parvenir à en déterminer la cause. Peut-être étaient-ce simplement les effets du décalage horaire ? Les multiples rebondissements de l'après-midi m'avaient tellement épuisée que je n'avais qu'une envie – m'effondrer sur le lit et m'octroyer une petite sieste.

Pour une femme qui souffre de migraines, ma mère avait fait un choix cent pour cent inexplicable en ce qui concerne le papier peint de la chambre d'amis. Chaque centimètre carré des murs et du plafond était envahi de roses jaunes, et le même motif se répétait sur les housses de couettes et les abat-jour.

Même les serviettes de toilette et les peignoirs étaient jaunes. Franchement, quand j'ai découvert ça, j'ai cru mourir sur-le-champ d'un mal de tête. Julie avait déjà pris possession des lieux : on aurait dit qu'elle avait vidé le contenu de trois valises sur le lit et le sol – ce qui devait être le cas. Il y avait des pochons à bijoux, des trousses de toilette, des tonnes de produits de maquillage, deux téléphones portables, un i-Pod et partout, des fringues et des chaussures flambant neuves. Julie avait même apporté des bougies Diptyque et deux photos encadrées d'elle avec son père. Quand Julie part en voyage, c'est toujours un vrai déménagement depuis qu'elle a lu dans *Paris Match* que Margherita Missoni, la jeune et jolie héritière de la maison de couture, « personnalisait » ses chambres d'hôtel avec des objets qu'elle emportait de chez elle afin de créer une ambiance plus relaxante.

J'ai lâché ma valise et mon sac en toile par terre et je me suis laissée tomber sur un des lits jumeaux, par-dessus les tas de fringues de Julie. Prête à tout pour distraire mon esprit des récents événements, j'ai pris le téléphone sur la table de nuit pour appeler Jolene.

— Sa-luuut ! Tu ne trouves pas ça incroyable, l'histoire entre Julie et Henry ? a-t-elle attaqué tout de go. J'ai toujours dit qu'il fallait que l'une d'entre nous l'alpague. Mais j'ai un souci avec le mariage, et je me demandais si tu ne pourrais pas intervenir.

— Que s'est-il passé ?

— Julie a commandé sa robe à Zac Posen. Vera Wang est tellement vexée qu'elle menace de ne plus jamais faire une seule robe de mariée de sa vie. Tu ne pourrais pas persuader Julie de revenir sur sa décision ? Si Vera arrête de faire des robes de mariée avant mon mariage, j'en mourrai !

· - Mais elle m'a dit qu'elle avait commandé sa robe à Alexander McQueen.

— Non ?! A lui aussi ?

Les mariages font toujours ressortir les pires défauts de la bande des Princesses de Park Avenue. Si elles sont à ce point obnubilées par le mariage de leurs amies, c'est uniquement parce qu'elles pensent à leur propre mariage. Jolene soulevait néanmoins un réel problème : si Vera Wang pliait boutique, ce serait une catastrophe sans précédent pour toute la population féminine encore célibataire de Park Avenue. Juste à ce moment-là, un portable a sonné près de moi. Sans doute le tri-bande de Julie.

— Jolene, je vais faire de mon mieux, mais je dois te laisser. Le portable de Julie sonne. Je pense que je devrais répondre.

— Où est Julie ? a geint une voix de fille lorsque j'ai décroché.

C'était Jazz, qui semblait encore plus aux cent coups que Jolene.

— Elle n'est pas là pour l'instant.

— Oh nooooon ! Il faut absolument que je lui parle. M. Valentino est au désespoir de ne pas confectionner sa robe de mariée. Crois-tu que tu pourrais la ramener de l'abîme de Zac Posen ? Ce n'est pas pour faire pression, mais j'ai peur de perdre mon poste de muse si je ne lui arrange pas le mariage Bergdorf, et tous ceux de Park Avenue.

— Jazz, je ne sais pas.

Je n'avais aucune envie de me retrouver mêlée à cet imbroglio de mode.

— S'il te plaît ! M. Valentino te fera un fantastique cadeau Je suis avec lui, sur son bateau, en mer Egée. Pourquoi ne viendrais-tu pas nous retrouver ? C'est vachement bien. Mon Dieu, mais que vais-je lui dire, ce soir, au dîner ?

En une minute, Jazz était passée du rôle de ı'innocente héritière d'un empire forestier à celui de satellite sans foi ni loi d'un empire de mode. C'est vraiment choquant, de voir vos proches céder aux pots-de-vin. Il était hors de question que je prenne part à ces magouilles, aussi sublime qu'une robe Valentino puisse paraître sur moi.

J'ai écourté cette conversation car pour l'heure, les tracas professionnels de Jazz me semblaient bien superficiels. Qu'elle les résolve par elle-même, j'avais d'autres soucis en tête. Redoutant que ma tenue pour la réception du lendemain ne soit horriblement froissée, j'ai commencé, au prix d'un gros effort, à défaire ma valise. J'ai suspendu ma minirobe Balenciaga (archi-sexy, archı-tendance, archi-susceptible de n'être pas appréciée à sa juste valeur à Stibbly), puis j'ai déballé chaussures, pulls, petit linge. Mais où étaient passées mes ravissantes créoles pavées de diamants ? Strictement parlant, ce n'étaient pas les miennes, mais celles de Julie – détail qui lui était complètement sorti de la tête, mais je jure que j'avais l'intention de les lui rendre depuis des lustres ; d'ailleurs, au cours des neuf derniers mois, j'avais plusieurs fois failli passer à l'acte.

J'ai fouillé les moindres recoins de ma petite valise ; j'ai cherché entre les vêtements ; j'ai vidé le contenu de ma trousse de toilette, de mon sac à main. Les boucles restaient introuvables. En désespoir de cause, j'ai même cherché dans les poches du pantalon que je portais, et là, effectivement, au fond de la poche gauche, ma main a rencontré quelque chose. Un petit objet dur, ovale... Mon cœur a chaviré : le pilulier ! Mer... credi ! J'avais totalement oublié de le reposer ! Je me suis assise par terre, en tailleur, et j'ai contemplé l'objet du délit. En soulevant son couvercle, j'ai découvert une inscription gravée à l'intérieur : *Offert au comte de Swyre, en gratitude de sa bravoure lors de la bataille de Waterloo, 1815.*

J'étais effondrée. En plus d'être précieux et de valoir sans doute des milliers de dollars, ce pilulier avait une signification historique pour les Swyre. Je devais absolument le rendre sans que Charlie s'aperçoive que je l'avais « dérobé ». Il se montrait déjà assez critique à mon égard, pour que j'y ajoute une histoire de larcin. Cela dit, je m'en fichais, puisque je n'allais pas être amenée à le revoir. M'aurait-il proposé de passer une autre nuit avec lui que je n'aurais même pas été tentée. Pour rien au monde. Franchement, ce garçon me sortait par les yeux. Et vivement que ce week-end se termine ! Il me tardait de rentrer à New York pour m'offrir une aventure sans lendemain classique, avec un garçon que je ne reverrais jamais plus, un garçon qui ne s'avérerait pas être le petit voisin, dont la famille était brouillée avec la mienne depuis une génération.

J'ai entendu une porte claquer, des voix monter du rez-de-chaussée, des bruits de cavalcade dans les escaliers. J'ai aussitôt planqué le pilulier dans ma besace et, l'instant d'après, mon père, ma mère et Julie se bousculaient sur le pas de la porte.

— Tu te sens bien, ma chérie ? Pourquoi es-tu allongée sur les vêtements de Julie ?

— Je suis crevée, ai-je expliqué sans bouger. Le décalage

horaire. Désolée pour ce qui s'est passé aujourd'hui, m'man. Je ne pensais pas vraiment ce que j'ai dit, à propos de la réception.

— Oh, tu sais, est intervenu mon père, je suis sûr que la plupart des gens préféreraient être coincés dans un embouteillage plutôt que d'assister à une des réceptions de ta mère. Aïïïïïïïïe !

— Peter ! s'est indignée ma mère qui venait de lui assener une claque derrière la tête. C'est *ta* fête !

— En ce cas, j'aurais aimé que tu me laisses inviter quelques amis

— M'man, je suis certaine que tout le monde sera très content.

— Nous avons eu une petite conversation très agréable avec Caroline, après ton départ. Et ce Charlie est un garçon plein de bon sens, tu sais. Il a convaincu sa mère qu'elle avait fait tout un tas d'histoires pour rien, à propos de ces chaises, et nous nous sommes réconciliées. Après toutes ces années ! Donc, la comtesse vient à la réception ! Avec Charlie ! N'est-ce pas une nouvelle *sensationnelle* ?

Et si j'appelais Patrick Saxton ? ai-je songé. *Il m'enverrait peut-être un hélicoptère ? Je me demande s'il y a un endroit dans le jardin où il pourrait atterrir.*

— Je crois que je devrais mettre mon tailleur crème de Caroline Charles. Qu'en pensez-vous, les filles ? a repris ma mère.

— Qui est Caroline Charles ? a demandé Julie.

— La styliste attitrée de la princesse Anne, ai-je expliqué.

Si seulement ma mère pouvait accepter le fait qu'elle est américaine, et porter du Bill Blass, comme toutes les autres mères, elle aurait un bien meilleur look.

— Savez-vous comment le père de Charlie s'est débrouillé pour disparaître en Amérique, comme par un coup de baguette magique ? s'est enquise ma mère.

— Charlie m'a dit qu'il ne faisait jamais état de son titre.

— De ses titres, ma chérie. Il est comte de Swyre et vicomte Strathan. Dunlain n'est que le patronyme. Je ne comprends pas les Anglais ! Pourquoi dissimuler tous ces titres magnifiques ? C'est un crime. Ah, au fait, les Finoulla viennent avec leur fille Agatha, demain. Elle est lesbienne, mais nous sommes tous censés l'ignorer.

*
* *

Cette nuit-là, je n'arrivais pas à dormir. Mon esprit refusait de se mettre en veilleuse, et tout était bon pour le distraire des événements de la journée. Peut-être Julie serait-elle effectivement plus glam' en Valentino qu'en Zac Posen, réfléchissais-je. Zac Posen est sans conteste le créateur le plus tendance du moment, mais qui a envie de ressembler à Chloë Sevigny le jour de son mariage ? Je jure que cette réflexion n'avait *rien* à voir avec le désir de me faire offrir une robe Valentino au passage. Non, je réalisais simplement que je devais empêcher Julie de gâcher ses noces en s'habillant comme une actrice de film indépendant.

— Julie ? Tu dors ? ai-je chuchoté.

— Pas vraiment. Qu'est-ce qu'il y a ?

— Que dirais-tu d'une robe Valentino, pour ton mariage ? Pense à Debra Messing : elle portait une robe Valentino à la soirée des Golden Globes et, en une nuit, elle est passée du statut d'obscure actrice de téléfilm à celui de star de la mode. Zac est peut-être un peu trop avant-garde.

— Je demande une robe à tout un tas de créateurs. Je ne veux froisser personne. Puis je déciderai le jour venu. Vu que je change dix mille fois d'avis sur ce que je veux mettre quand je dois sortir de chez moi, je me dis que j'ai besoin d'options multiples pour le jour de mon mariage.

— Tu ne peux pas faire ça !

— Bien sûr que si. Waouh, tu te rends compte que Charlie possède cette maison incroyable ? Et toutes ces antiquités ? Je me demande s'il m'y invitera un jour. C'était tellement vache de ma part de fricoter avec Todd, à Paris. Yeurkkk ! Je me demande comment j'ai pu sortir avec trois mecs à la fois.

L'influence de Henry sur mon amie était tout bonnement sidérante. Jamais auparavant Julie n'avait pris conscience de sortir avec trois mecs à la fois, alors pour ce qui était d'en concevoir des remords…

— Julie, je peux te poser une question ?

— Evidemment.

— Est-ce que Charlie a rompu avec toi, à Paris ?

— Yeurkkk ! Bon… Ouais, je crois.

— Pourquoi m'avoir dit alors que vous sortiez toujours ensemble ?

— Parce que, historiquement parlant, personne n'a *jamais* largué Julie Bergdorf. Ça me dépasse, que tu laisses autant de mecs te larguer. Dis, tu crois que Charlie serait prêt à vendre quelques-uns de ses tableaux ? Je verrais bien ce Canaletto dans ma chambre. L'effet serait géant.

— Je doute que vendre les trésors de famille fasse partie des mœurs locales.

— Dommage. Tout le monde pense que vous êtes fous amoureux, lui et toi. Et avec tout ce qu'il possède, cette maison, le reste… ! Vous iriez tellement bien ensemble.

— Julie, arrête ! On croirait entendre ma mère !

— Ce garçon est tout à fait fréquentable. Au moins, on sait maintenant qu'il peut se payer un chauffeur. C'est un parti *formidable*. Cela dit, après la crise incroyable que tu as piquée cet après-midi, et toutes les grossièretés que tu lui as servies…

— Oh, mon Dieu, c'est vrai ? J'ai été grossière ?

— A ton avis ?

Bien que consciente du fait que je m'étais montrée très mal élevée, j'étais suffoquée par le culot de Julie, reine en titre des mauvaises manières. Cependant, elle avait raison. Je m'étais introduite en douce chez Charlie, j'avais craqué devant lui, j'avais insulté tout le monde, lui, sa mère et la mienne, et je lui avais en prime dérobé un superbe bibelot – cela dit, ce dernier point ne comptait pas vraiment, vu qu'il ignorait tout du « larcin ». Avec le recul, j'ai compris à quel point découvrir que Charlie et le Petit Comte ne faisaient qu'un m'avait troublée et énervée. Sur le moment, j'avais eu le sentiment que Charlie s'était payé ma tête. Mais maintenant, je me sentais piteuse. Ma réaction avait peut-être été un peu excessive. Charlie était probablement un très chic type. Certes, il avait honteusement profité d'un moment de faiblesse de ma part, lors de la fameuse nuit au Mercer, mais en maintes occasions, il s'était montré plutôt gentil et secourable. Il n'avait pas cherché à me mystifier en me cachant ses origines ; il n'était simplement pas dans son caractère d'en mettre plein la vue, comme mes autres flirts –

Eduardo et Patrick, pour n'en citer que deux. Les aristos anglais, voyez-vous, obéissent à un code d'honneur un peu dément qui leur défend de se conduire d'une façon tant soit peu ostentatoire. Je devais admettre, la mort dans l'âme, que Charlie avait des manières parfaites, et que je venais de lui prouver que je ne pouvais pas en dire autant.

— Julie, je me sens tellement conne. Tu crois que si demain je m'excuse, il me pardonnera ?

Ce serait aussi l'occasion de lui rendre le pilulier, me suis-je dit. Un geste qui allait me coûter presque autant que lui présenter mes excuses. Cet objet était tellement exquis que je commençais à m'y attacher. Mes cachets de Tylenol seraient tellement mieux dans cet écrin que dans leur emballage de carton !

— Oui, tu devrais. Comme ça, tout le monde pourra profiter de la fête, et tu pourras peut-être même t'envoyer en l'air.

— Julie !!! Dis, tu aurais un Ambien ? Je ne pense pas pouvoir dormir sans un petit coup de pouce chimique.

Ah, quelle félicité ! ai-je songé en avalant la petite pilule et en me calant contre les oreillers. *Si seulement je pouvais en prendre un autre en me réveillant demain matin.*

— Mets ça, m'a ordonné Julie le lendemain en me tendant une robe en soie rose pâle ourlée de dentelle.

La robe était fendue sur un côté. C'était très sexy et entièrement inapproprié dans le contexte d'une garden-party anglaise.

— J'ai prévu de mettre la robe Balenciaga, ai-je protesté.

— Impossible ! On l'a trop vue. Sur Kate Hudson aux Golden Globes, puis sur Charlize Theron à Cannes. Il ne reste plus qu'à la voir sur Rebecca Romijn-Stamos aux MTV Awards, et là ça sera vraiment la fin, a soupiré Julie. Je me dis surtout qu'une robe blanche BCBG de Balenciaga n'est pas le meilleur plan pour mettre le grappin sur un mec-avec-château.

Vu que, de toute façon, je n'avais aucune intention de mettre le grappin sur le mec avec château, je m'en fichais pas mal. Mais Julie n'avait pas entièrement tort, et Charlie m'en voudrait peut-être moins, lorsque je lui rendrais son pilulier, si je pouvais faire quelques effets de jambes. Quand la mode peut distraire un homme de ce qu'il a en tête, moi je dis toujours : foncez. J'ai donc enfilé la robe en soie. Il était presque une heure de l'après-midi ; nous devions descendre rejoindre les invités.

— Tu es exquise, a décrété Julie, elle-même exquise en petite combinaison pistache, avec bien trop de perles pour un seul cou.

— Merci, ai-je répondu en glissant discrètement le pilulier dans mon sac pochette. Allons-y, sinon maman va devenir chèvre.

— Chérie ! Hou-houuuuu ! Par ici !

Ma mère nous avait aperçues depuis la tente plantée au fond du jardin. La réception battait son plein, offrant une vraie image d'Epinal de la vie dans la campagne anglaise. Les invités, agglutinés sur la pelouse à l'arrière de la maison, sirotaient des Pimm's. Je devais reconnaître que ma mère avait fait un super-boulot. Elle avait disposé des petits bancs de bois un peu partout, et les tables étaient décorées avec des brassées de fleurs du jardin – des lupins, des pois de senteur, des bleuets. On se serait cru catapulté dans un roman de Thomas Hardy[1]. En costume en seersucker rayé, mon père était parfaitement dans son élément au milieu d'un troupeau d'adolescentes tout en jambes – les filles de ses amis. Ainsi que ma mère l'avait prédit, le soleil tapait aussi fort que si on s'était trouvé à South Beach. *Si seulement je n'étais pas aussi tendue*, me disais-je, *je pourrais en profiter à fond.*

Julie et moi avons pris chacune un Pimm's sur un plateau qui circulait et nous sommes allées rejoindre ma mère, qui arborait le fameux tailleur crème et un chapeau. (Ma mère saute sur toutes les occasions qui se présentent pour porter un chapeau. Je vous laisse imaginer.) Tout comme Julie et moi, elle était un peu trop élégante pour une simple garden-party. La plupart des invi-

1. Ecrivain britannique (1840-1928) auteur de romans (*Tess d'Uberville, Jude l'Obscur*) qui s'attachent notamment à dépeindre les mœurs provinciales. *(N.d.T.)*

tées étaient venues en robe d'après-midi hors d'âge et chapeau de paille défraîchi, ainsi que le prescrit l'étiquette des parties de campagne dans la bonne société anglaise.

— C'est hallucinant ! s'est exclamée Julie tandis que nous traversions la pelouse. Ces gens-là n'ont donc jamais entendu parler de mode ?

— Julie, les Anglais trouvent que la mode, c'est vulgaire.

— Quelle tristesse !

— Ma chérie, as-tu mis du fond de teint ? a demandé ma mère.

— Euh... non. Il fait trop chaud.

— Julie, vous êtes splendide. Qui a fait cette robe incroyable ? (Mais avant que Julie ait pu répondre, elle a regardé par-dessus mon épaule.) Ah, *comteeeesse* ! Quel bonheur de vous revoir. Un Pimm's ?

Je me suis raidie, anticipant l'humiliation qui risquait de suivre. Julie et moi nous sommes retournées en même temps pour voir Caroline approcher. Avec son pantalon d'homme et son étole indienne en mousseline élégamment drapée sur ses épaules, elle était l'incarnation absolue du chic, à la manière décontractée des Anglais.

— Brooke, je vous en prie, appelez-moi Caroline.

— Un Pimm's, Caroline ? a répété ma mère, avec un sourire béat.

— Bonjour, les filles ! a lancé Caroline. Quelles belles robes !

— Merci. Vous êtes super-canon, vous aussi, lui a répliqué Julie.

— Julie, parlez-nous de votre mariage. Qui va dessiner votre robe ? a demandé ma mère.

J'étais incapable de me concentrer sur ce menu bavardage. Où était passé Charlie ? Je ne le voyais nulle part.

— Oh, ça change tous les jours – évidemment. En ce moment, c'est Oscar de la Renta, Valentino, McQueen et Zac Posen. Je me déciderai au dernier moment.

— Ne craignez-vous pas de froisser certaines susceptibilités ? a observé Caroline.

— Sûrement, a répondu Julie avec un adorable sourire. Mais vous savez, je suis horriblement gâtée, très riche et exceptionnellement jolie, alors je fais exactement comme bon me semble.

Ce n'est pas grave, a-t-elle ajouté en surprenant la moue offusquée de Caroline. Ne soyez pas désolée pour moi. Je m'aime telle que je suis.

— Bien, bien... Et où est le héros du jour ? a demandé Caroline.

— Peter est en train de fumer avec les adolescentes. Et votre petit garçon ? J'espère qu'il arrive.

— Il vous envoie ses amitiés, Brooke, et il regrette infiniment de ne pouvoir être là aujourd'hui. Mais il a dû repartir à Los Angeles ce matin.

— Si vite après les obsèques ? s'est étonnée ma mère, incapable de cacher sa déception.

— Oui, un rendez-vous important avec un directeur de studio. Il devait absolument rentrer aujourd'hui. Vous savez comment sont les Américains. Les affaires avant tout.

J'étais effondrée. Si Charlie ne venait pas, comment allais-je pouvoir m'excuser ? J'ai senti la nervosité et l'anxiété gagner du terrain.

— Julie, si on allait se chercher des Bucks Fizz au frigo ? ai-je lancé en roulant des yeux pour lui signifier : « Tirons-nous d'ici. »

— C'est quoi ? a-t-elle demandé.

— On revient tout de suite, m'man, ai-je dit en entraînant Julie par la main.

La cuisine était une effroyable fournaise, à cause de la cuisinière Aga que ma mère a tenu à y installer. Tous les Anglais friqués veulent une cuisinière Aga – de même qu'en Amérique, tous ceux qui sont quelqu'un se doivent d'avoir un frigo Sub-Zero. Le gros problème des Aga, c'est qu'elles doivent fonctionner en continu, été comme hiver.

— Bon Dieu, Julie, qu'est-ce que je vais faire ?

— De quoi parles-tu ? Pourquoi es-tu aussi agitée ? Tu hyperventiles ou quoi ?

— Il n'est pas là !

— Qui ça ?

— Charlie !

— Et alors ?

— Et alors, comment vais-je m'excuser ? Comment vais-je lui dire combien je regrette d'avoir été grossière ?

Alors que la veille je redoutais de le revoir, tout à coup, j'étais sincèrement déçue par son absence.

— Ben, envoie-lui un e-mail.

— Non, ce serait mal élevé. Des excuses sincères se présentent de vive voix.

— Mais il t'obsède complètement !

— Pas du tout ! me suis-je indignée en me mettant à arpenter la cuisine. Bon sang, mais que vais-je faire ?

— C'est quoi, cette fixette sur des excuses de vive voix ? Tu es raide dingue de lui ou quoi ?

— Non ! Je me sens juste super mal parce que hier, je me suis comportée en véritable idiote. Je veux qu'il voie que je suis capable d'un comportement responsable, adulte. Je veux qu'il voie que je ne suis pas quelqu'un de mauvais.

— Qui crois-tu berner, ma fille ? Tu es folle de lui.

— Julie ! C'est bien pire que tu ne le penses. Hier, j'ai volé quelque chose dans la bibliothèque.

— Non ! Quoi ? Un bijou de famille ?

— Non, un pilulier.

— Yeurkkk ! a fait Julie avec une moue de déception. Pas de quoi en faire toute une histoire

J'ai sorti la petite boîte émaillée de ma pochette, l'ai posée sur la table de la cuisine et l'ai ouverte pour montrer l'inscription à Julie.

— Mince, c'est super-beau ! Tu devrais la garder en souvenir.

— Non, je ne peux pas.

— O.K., j'ai une idée. On va aller au château, entrei en douce et remettre ce truc à sa place. Pas vu pas pris, personne n'en saura rien. Allez, viens, chérie, on y va tout de suite.

Chaque fois que Julie séjourne en Europe, elle loue une grosse BMW qui lui permet de profiter des limitations de vitesse libérales. Les virages sans visibilité de la petite route qui menait au

château ne présentaient aucun obstacle pour elle ; elle les abordait comme si elle courait le Grand Prix de Monaco.

— Julie ! Ralentis ! ai-je hurlé tandis que nous amorcions une fois de plus un tournant à un train d'enfer.

— Oh, merde, excuse-moi ! s'est-elle exclamée en enfonçant vigoureusement la pédale de frein. Tu comprends, c'est tellement ringard de conduire à deux à l'heure. C'est tout de même incroyable qu'on n'ait pas encore parlé de ça ! a-t-elle poursuivi alors que nous longions un champ de maïs semé de coquelicots à une allure devenue raisonnable. Comment trouves-tu ma bague de fiançailles ?

Elle a fait étinceler le diamant au soleil. Il était si gros qu'il aurait pu supporter son propre système solaire.

— Elle est absolument incroyable.

— Tu sais ce qu'on dit. Plus le diamant est gros, plus la relation a des chances de durer.

Julie a du mariage une conception quelque peu alarmante. Ses fiançailles ne l'avaient pas fait mûrir autant que je l'avais cru.

— Henry possède la moitié du Connecticut, plus ou moins. Et tu sais que j'adore ce coin.

Julie était incontestablement amoureuse : elle avait toujours été allergique au Connecticut. Le nombre incalculable d'épouses oisives qui passent leur vie dans leur Range Rover, un solitaire bien en évidence sur le volant, et toutes vêtues à l'identique de cols roulés en cachemire lui a toujours donné des envies de suicide.

Quinze minutes plus tard, elle s'est garée dans l'allée, devant la porte d'entrée du château.

— Tu veux que je t'accompagne ?

— Non, attends ici. J'en ai pour cinq minutes.

— Comme tu veux. Et n'oublie pas : pas vu pas pris.

Ça craindrait un max de retomber nez à nez avec le major-dome, me suis-je dit en me faufilant discrètement par la grande porte. Une fois arrivée en haut des escaliers, j'ai ressenti une bouffée de honte au souvenir de mon ridicule emportement de la veille. Il me tardait de reposer ce pilulier à sa place, et de sortir de cette maison pour ne plus y remettre les pieds. Même si l'occasion ne me serait jamais offerte de m'excuser de vive voix auprès de Charlie, au moins allais-je pouvoir me racheter en rendant l'objet dérobé par inadvertance. Ce qui était dommage, c'est que personne ne saurait que je m'étais rachetée, puisque personne n'avait su que j'avais embarqué ce pilulier.

Au moment où j'approchais de la porte de la bibliothèque, j'ai entendu une poignée de porte tourner sur ma gauche. Mon sang s'est glacé. Et si c'était le majordome ? Être arrêtée deux fois en l'espace de vingt-quatre heures était plus que je ne pourrais en supporter. N'osant plus ni avancer, ni revenir sur mes pas, je me suis vivement reculée dans la pénombre d'une alcôve et collée contre le mur, au-dessous d'une tête de cerf empaillée. Le cœur battant, j'ai regardé la porte s'ouvrir. Une silhouette est apparue et j'ai étouffé un hoquet de surprise. Charlie ! Que faisait-il là ? N'était-il pas censé être reparti à L.A. ?

Il m'a dévisagée, l'air encore plus abasourdi que je ne l'étais moi-même. *Merde !* ai-je songé, *trop tard, je ne peux plus faire machine arrière.* J'allais devoir me comporter en adulte, m'excuser de vive voix et avouer avoir pris cette boîte. Maintenant que j'en avais l'opportunité, ça ne me disait plus rien du tout. Mais pour une fois, Charlie restait sans voix. Non seulement ça, mais il m'a semblé détecter une lueur d'embarras et de timidité dans son regard. Non ! Je n'en croyais pas mes yeux. Il rougissait, même.

— Je croyais que tu étais reparti à L.A. Que fais-tu là ? ai-je fini par demander pour briser le silence gêné.

— Euh…, a fait Charlie, plus mal à l'aise que jamais.

— Oui ?

— Franchement, je ne me sentais pas le courage de venir à la fête, après ce qui s'est passé hier.

— Je vois.

Quel grossier personnage, et tout ce que nous avions vécu ensemble !

— Je ne rentre à L.A. que demain soir, mais je ne voulais pas te contrarier davantage. J'ai vraiment tout gâché, non ?

La roue avait tourné. Pour la toute première fois, Charlie me présentait des excuses d'un air piteux. Et, strictement entre nous, j'adorais ça.

— Ah ça, comme tu dis ! ai-je renchéri, incapable de réprimer un sourire.

Il m'a souri à son tour, comme rasséréné.

— Je suis désolé. Je ne voulais pas te blesser, je te le promets. Jolie robe.

Vous voyez ? Ça avait marché. Grâce à la robe de Julie, je l'avais distrait de cette histoire de larcin que j'étais sur le point de réparer.

— Merci.

Il s'est approché, pour me regarder plus attentivement.

— Alors, tu comptes en faire une habitude, d'entrer dans cette maison comme une voleuse ?

— Non !!!

Au diable ! La roue n'avait peut-être pas tourné, finalement.

— Que fais-tu ici, en ce cas ?

— Euh, bon… O.K…, ai-je bredouillé tout en songeant : *Avec ou sans Canaletto en arrière-plan, il est toujours aussi mignon. Quel fichu manque de pot qu'il m'ait surprise ! Une fois qu'il aura découvert que je suis une voleuse, je n'aurai plus la moindre chance de nourrir un jour d'autres regrets à cause de lui.*

— « O.K. » quoi ? a fait Charlie en venant s'adosser au mur, à côté de moi.

Je devais me reprendre. Je n'étais pas venue là pour mettre au point un autre épisode regrettable.

— Ecoute, je suis affreusement gênée pour ce qui s'est passé hier, ai-je commencé en rougissant. Je regrette tout ce que j'ai dit. Je ne pense pas que ta maman soit snob, et quand j'ai dit que tu avais cherché à me piéger, je ne le pensais pas, et en fait je t'aime vraiment bien…

— Je ne crois pas que nous puissions nous revoir un jour…

— Ah bon ?

— Oui, j'en doute. Tu es une fille épouvantable.

— Je suis désolée, ai-je répété, la mort dans l'âme. (J'ai levé les yeux et.. Etait-ce une méprise de ma part, ou bien y avait-il dans son regard cette petite étincelle de malice ?) Tu te moques de moi ! me suis-je écriée en éclatant de rire. Crois-tu que tu pourrais pardonner à quelqu'un d'aussi épouvantable ?

— Evidemment. Comment pourrais-je ne pas te pardonner, avec une robe pareille ?

Ça, c'est le bon côté de Charlie. Il me pardonne tout presque immédiatement. C'est une qualité que j'admire énormément chez lui. La plupart des gens de ma connaissance, moi par exemple, mettent un temps infini à accorder leur pardon, même lorsqu'il s'agit de broutilles – comme, disons, la fois où Julie m'a volé mon string Cosabella. Yeurkkk ! Maintenant, il me fallait lui parler de ce maudit pilulier qui risquait de compromettre cette *détente** dans nos relations.

— Hé ! N'aie pas l'air si anxieuse ! Qu'y a-t-il ?

— En fait, je ne t'ai pas tout dit…

— Vas-y, je peux encore encaisser, m'a répondu Charlie en plongeant son regard dans le mien.

Et je vous jure, sans exagérer, que l'univers tout entier était contenu dans ce regard. *Tout.* Le passé, l'avenir, le soleil, le ciel, chaque paire de chaussures jamais dessinées par Marc Jacobs, tous les Bellinis du monde, tous les voyages à Rio que j'avais jamais faits. Comment avais-je pu laisser Charlie me filer entre les doigts aussi bêtement ? C'était lui, l'homme de ma vie. Gentil, adorable, super-mignon – sans parler de ses talents au lit ni de son joli château (il va de soi que ce dernier point n'entrait absolument pas en ligne de compte). Quelle buse j'avais été ! Personne n'avait été plus aux petits soins pour moi que Charlie, au cours de ces derniers mois. O.K., il m'avait suprêmement agacée le jour où il m'avait sauvé la vie à Paris, mais quand on y réfléchit bien, c'était tout de même le scénario de la Belle au bois dormant et du Prince charmant. Et lorsqu'il m'avait embarquée de force à bord de cet avion, à Nice, sur le moment j'avais eu envie de le tuer, mais après coup, à part moi, j'avais trouvé ça super-mignon.

— Alors, qu'as-tu à me dire ? a-t-il insisté en me prenant la main.

Qu'avais-je à lui dire ? J'étais littéralement incapable d'articuler un mot. Quand Charlie me touchait, ma glycémie chutait systématiquement de vingt mille pieds, et j'étais en train de réaliser que cela n'avait rien à voir avec une crise d'*hypo*glycémie. Je veux dire par là que si on ne souffre d'hypoglycémie qu'en présence d'une seule personne, il y a toutes les chances pour qu'on soit en train de tomber amoureuse, et aucune pour qu'on manque de sucre dans le sang.

— Je dois t'avouer un truc moche, ai-je dit en ouvrant mon sac.

Parfois, je tordrais volontiers le cou à Julie. Le fait est qu'elle a toujours raison, sur tout. J'étais *très**, *très** amoureuse de Charlie, raide dingue folle amoureuse, et voilà qu'il repartait le lendemain à L.A. ! Peut-être devais-je saisir ma chance au vol, et lui déclarer sans ambages mes vrais sentiments ? Oui, je devais faire ça. Si je lui racontais l'histoire du pilulier et que je me faisais ensuite pardonner par un après-midi très romantique et très regrettable, je serais graciée, non ? Pour citer Julia Roberts dans *Pretty Woman*, je voulais vivre un conte de fées. Lorsqu'elle avoue à Richard Gere ses sentiments pour lui, tout se passe super bien, et pourtant au départ, à l'exception du sourire, elle est plutôt plus mal barrée que je ne l'étais moi-même. Elle a un rôle de prostituée dans ce film, si vous voyez ce que je veux dire… Et pourtant, Richard Gere n'en a rien à fiche.

— Alors ? s'est impatienté Charlie tout en me caressant du doigt l'arête du nez et les lèvres.

Oh ! là, là ! Ne valait-il pas mieux, finalement, reporter les aveux à plus tard ? Un épisode romantique semblait se profiler à l'horizon. Ça semblait idiot de le gâcher. Mais Charlie me dévisageait, l'air d'attendre que je parle. Il fallait que je me décide.

— Charlie, je dois t'avouer que… que c'était adorable de ta part de venir à ma rescousse à l'aéroport de Nice. Je suis désolée de m'être montrée si ingrate.

— Comment pouvais-je résister ? a soupiré Charlie. Tu es exaspérante.

— Oh, ai-je fait, déçue – peut-être n'étais-je pas Julia Roberts, tout compte fait.

Peut-être étais-je juste *Moi**.

— Ne prends pas cet air accablé ! Tu es adorable, même si tu as l'art de me rendre fou.

— Fou ?

— Ouais, mais tu ne ressembles pas aux autres filles de New York. Tu me fais marrer, et tu ne t'en rends même pas compte. C'est craquant. Parfois, j'ai l'impression que tu as été créée spécialement pour moi, a-t-il ajouté en m'embrassant sur les lèvres.

Sans exagérer, je vous le jure, ce baiser-là était le plus beau de ma vie. Sérieusement, c'était le genre de baiser qui vous fait tout oublier, qui vous donne à penser que vous ne voulez jamais plus embrasser quelqu'un d'autre que lui. Je veux dire par là que vous pourriez avoir tous les Bellinis et toutes les robes de bal du monde, vous pourriez être invitée à voyager à bord de jet privé, vous faire offrir des diamants d'Harry Winston et des perles de Fred Leighton, avoir six boutiques Marc Jacobs sur votre pas de porte, et assister tous les soirs à des premières de films et des dîners de gala, vous n'en avez cure, plus rien de tout ça n'a d'importance quand vous recevez un tel baiser. Il vous semble même que vous pourriez ne jamais plus avoir envie de faire du shopping – ce qui n'est pas peu dire.

— Hé, les gars ! Oh, mon Dieu, alerte romance ! ALLÔ ! 911-LOVE ? Une urgence !

J'ai levé les yeux et vu Julie, en haut des escaliers. J'avais complètement oublié qu'elle poireautait dehors, dans la voiture. J'ai éclaté de rire.

— Julie ! Je suis désolée !

— Vous êtes tellement mignons tous les deux ! On dirait une pub pour *Eternity* ! Pourquoi ai-je toujours raison sur tout ? Ne vous avais-je pas dit que vous étiez fous amoureux ? Bon, les mecs, c'est pas tout, mais je dois repartir à la fête.

— Je dois absolument t'accompagner ? ai-je gémi.

J'adore mon père, ce n'est pas le problème, mais j'avais l'intuition d'être à deux doigts de me créer un regret extrêmement regrettable, et vous me connaissez... Si j'ai le choix entre un autre verre de Pimm's et une escapade au Brésil, je choisis toujours le voyage à Rio.

— Non, reste là. Quand je vais raconter à ta maman que tu as passé ton après-midi à t'envoyer en l'air avec le « Petit Comte », elle te pardonnera sans difficulté de t'être défilée de sa garden-party.

— Julie ! Non ! Tu ne peux pas faire ça ! Charlie, je dois y aller.

— Sûrement pas, m'a-t-il rétorqué en me serrant fermement la main. Tu ne bouges pas d'ici.

— O.K., les tourtereaux. Je tiens les mamans à distance. A demain ! Au fait, Charlie, a ajouté Julie avant de s'engager dans l'escalier, je sais que tu es un super bon parti, entre la moitié de l'Ecosse et tous ces Canaletto, mais le vrai bon parti de l'histoire, c'est *elle*.

Sitôt Julie disparue, Charlie m'a entraînée dans la somptueuse chambre avec le lit à colonnes – lequel, franchement, était tout aussi confortable que les lits des Four Seasons dont tout le monde chante les louanges. Je crois qu'ensuite il a dit quelque chose de très romantique – comment lui aussi avait senti sa glycémie chuter extraordinairement à la seconde précise où il m'avait rencontrée, et comment il se voyait pris de vertige (dans le bon sens du terme) quand j'étais dans les parages. Je suis navrée de ne pas me souvenir des termes exacts, mais vous comprendrez que le moment était assez mal choisi pour prendre des notes. Tout ce que je peux dire, c'est qu'il m'a embrassée pendant plus de neuf cent soixante-seize secondes dans six régions différentes.

De toute façon, ses baisers étaient si délicieux que j'en ai oublié de respirer – vous savez comment ça se passe avec un baiser vraiment pro, votre cerveau est si longtemps privé d'oxygène que tout devient flou. C'est donc normal de ne pas se souvenir avec précision des détails intimes. Je suis en revanche certaine de me souvenir précisément de ce qui s'est passé après les baisers, et je crois bien que c'était assez regrettable – pour vous donner une idée, s'il s'était agi d'un film, il n'aurait reçu d'autorisation d'exploitation nulle part en Amérique. Franchement, j'étais convaincue de connaître tout ce qu'il y a à savoir sur Rio et l'Amérique latine, mais là, j'ai découvert que je ne connaissais rien. Bref, après tous ces regrets, qu'incidemment, je ne regrette pas du tout, comme vous pouvez l'imaginer, j'étais épuisée.

— Tu voudrais quelque chose ? N'importe quoi, a demandé Charlie en me souriant avec de l'adoration dans le regard.

Qu'est-ce qu'il était mignon avec ce Fragonard au-dessus de sa tête ! Tout le monde devrait, au moins une fois dans sa vie, faire l'amour sous une toile de maître français.

— N'importe quoi ?
— Tout ce que tu veux
— J'adorerais un Bellini.

                              FIN
                          (Ou presque)

Quelques petites choses à propos desquelles
je voudrais m'amender :

1. Je retire tout ce que j'ai pu dire sur les lits à colonnes. Ils sont géniaux, finalement. (La petite boîte en or est sous l'oreiller, au cas où vous vous demanderiez ce qu'elle est devenue.)

2. Il est parfaitement inutile de trop chercher à se réformer. Ma décision de ne plus remettre les pieds à bord d'un J.P. était de la pure sottise.

3. Jolene s'est mariée, même si le fait lui échappe régulièrement.

4. La police a retrouvé la trace du manteau en chinchilla dans un troc de l'Upper West Side. Quand je l'ai rapporté chez Valentino, ils sont tous tombés des nues : apparemment, personne, ni les actrices ni les filles du beau monde ne rendent jamais les très belles pièces.

5. Muffy a toujours trente-huit ans. Elle fête ses trente-sept ans la semaine prochaine.

6. Julie fait durer ses fiançailles indéfiniment, à force de changer trop souvent d'avis sur les fleurs.

7. Vera Wang n'a pas pris sa retraite. Et par un acte de solidarité sans précédent au sein de la bande des Princesses de Park Avenue encore célibataires, Julie lui a promis qu'elle pourrait faire sa robe.

8. Lara est encore complètement traumatisée par l'histoire de la vente privée Van Cleef parce que, pour la deuxième année consécutive, elle n'a pas été invitée.

9. Patrick Saxton a laissé six messages à Jazz Conassey, à six numéros différents. Auxquels, apparemment, elle n'a jamais répondu.

10. Charlie a prêté le château au Refuge pour mères célibataires, pour une durée indéfinie. Du coup, tout le monde les aime maintenant dans le village, y compris ma mère, qui fait tout pour que mon père la quitte afin qu'elle puisse aller mener la vie de château. En ce qui me concerne, j'ai des vues sur un sublime appartement dans SoHo pour nous deux.

11. Désormais, je souffre continuellement d'hypoglycémie. C'est devenu une maladie chronique. Que je vous recommande de contracter au plus vite.

FIN
(Pour de bon)

Remerciements

Jamais *Blonde attitude* n'aurait vu le jour sans l'aide des personnes que je tiens à remercier ici : Anna Wintour, dont le soutien au cours des années que j'ai passées à *Vogue*, et pendant que j'écrivais cet ouvrage, a été inestimable ; mes directeurs littéraires, Jonathan Burnham chez Miramax Books, et Juliet Annan chez Viking, pour leurs compétences et leur dévouement ; et Elizabeth Sheinkman, agent de choc.

J'ai la chance d'avoir à New York des amis et des collègues toujours disponibles pour répondre à une question, qu'il s'agisse du nombre de fils des draps du Mercer, ou des détails concernant la carte de l'hôtel du Cap. Un immense merci au Dr Steven Victor, à Marina Rust, Andre Balazs, Anthony Todd, Bill Tansy, Samantha Gregory, Sandy Golinkin, Pamela Gross, Holly Peterson, David Netto, Julie Daniels-Janklow, Alexandra Kotur, Lara Shriftman, Elizabeth Saltzman, Stephanie Winston Wolkoff, Kadee Robbins, Miranda Brooks, Hamish Bowles.

Quant à tous mes amis qui m'ont accompagnée tout au long de l'écriture de ce roman – Kate Collins, Miranda Rock, GKP, Helen James, Kara Baker, Allie Esiri, Bay et Daisy Garnett, Sean Ellis, Rita Konig, Richard Mason, Bryan Adams, Alan Watson, Matthew Williamson, Vicky Ward, Susan Block, Lucy Sykes, Alice Sykes, Tom Sykes, Fred Sykes, Josh Sykes, Valerie Sykes et Toby Rowland – je leur demande pardon pour les plaintes et les jérémiades. Maintenant, nous pouvons parler d'autre chose.

Achevé d'imprimer sur les presses de

BUSSIÈRE

GROUPE CPI

*à Saint-Amand-Montrond (Cher)
en juin 2005*

FLEUVE NOIR
12, avenue d'Italie
75627 Paris Cedex 13
Tél. : 01-44-16-05-00

— N° d'imp. : 052637/1. —
Dépôt légal : juin 2005.
Suite du premier tirage : juin 2005.

Imprimé en France